ONE WEEK L

Acid House

Irvine Welsh

Acid House

Traducción de Federico Corriente

EDITORIAL ANAGRAMA

BARCELONA

Título de la edición original:
The Acid House
Jonathan Cape
Londres, 1994

Diseño de la colección: Julio Vivas y Estudio A
Ilustración: Alexandra Schettler

Primera edición en «Contraseñas»: abril 1997
Primera edición en «Compactos»: marzo 2005
Segunda edición en «Compactos»: enero 2007
Tercera edición en «Compactos»: abril 2010

ISBN: 978-84-339-6797-8
Depósito Legal: B. 18684-2010

Printed in Spain

Liberdúplex, S. L. U., ctra. BV 2249, km 7,4 - Polígono Torrentfondo
08791 Sant Llorenç d'Hortons

*Para mis padres, Pete y Jean Welsh,
por todo su amor y apoyo*

AGRADECIMIENTOS

Algunas de las historias de esta recopilación han aparecido en las siguientes revistas y antologías: «Disnae Matter» en *Rebel Inc*, «Where the Debris Meets The Sea» en *Pig Squealing, New Writing Scotland N.º 10*, «Sport For All», en *The Ghost of Liberace, New Writing Scotland N.º 11*. «The Sexual Disaster Quartet» apareció en *Folk*, publicado por Clocktower Press.

Gracias a los editores: Janice Galloway, A. L. Kennedy, Duncan McLean, Hamish Whyte y Kevin Williamson.

Gracias también a las siguientes personas, cuya inspiración, ideas, aliento y crueles invectivas han influenciado esta selección:

Lesley Bryce, Colin Campbell, Jim Carrol, Max Davis, Debbie Donovan, Gary Dunn, Jimmy Easton, James Ferguson, Tam Ferguson, Adeline Finlay, Minna Fry, Janet Hay, Davie Inglis, Mark Kennedy, Stan Kieltyka, Miles Leitch, John McCartney, Helen McCartney, Willie McDermott, Kenny McMillan, James McMillan, Sandy Macnair, Andrew Miller, Robin Robertson, Stuart Russell, Rosie Savin, Colin Shearer, John Shearer, Bobby Shipton, George Shipton, Susan Smith, Angela Sullivan, Dave Todd y Kevin Williamson (otra vez)

Muchas gracias a ese *soul-brother* de los nuevos salones de la insurrección psíquica, Paul Reekie, por permitirme emplear su poema.

Gracias superespeciales a Anne, por todo.

Que siga la fiesta.

La temporada de la seta de César
Es la opuesta a la temporada de la seta
Así como la seta de César llega en marzo
La temporada de la seta es en septiembre
Seis meses antes
Medio año
Equinoccio
Vernal no otoñal

Esperas algo más
Que un equilibrio mejor
Entre el temor y el deseo
Sólo los descarriados
Hallarán la senda clara
No en el bosque ni en el campo
No un manto, como el de César, engalanado en púrpura
Sino toda una calle engalanada en púrpura
Y todas las puertas que en ella hay
Envueltas en diferentes papeles de Navidad

Las setas de la medianoche de septiembre
Revelan los ritmos de la visión
No puedes moverte sin tropezar con ellas
Borra tus cintas
Borra tus cintas con relámpago.

PAUL REEKIE
«Cuando llega la temporada de la seta de César...»

«Estupenda cazuela, Marge», comenté entre frenéticos bocados. Estaba realmente buena.

«Me alegro de que te guste», contestó ella, sonriendo benévolamente tras sus gafas. Marge era una mujer atractiva, no cabía duda.

Yo disfrutaba, pero Lisa movía la comida en el plato, arrugando hacia fuera el labio inferior.

«¿No te gusta, Lisa?», inquirió Marge.

La criatura no dijo nada, simplemente sacudió la cabeza sin cambiar de expresión.

Gary echaba chispas por los ojos. La pequeña Lisa acertó de pleno manteniendo los ojos fijos en el plato.

«¡Vamos! ¡Te lo vas a comer, chiquilla, maldita sea!», soltó con ferocidad. Lisa se dobló como si las palabras hubiesen tenido impacto físico.

«Déjala, Gary. Si no quiere, no hace falta que se lo coma», terció Marge. Gary apartó la vista de la niña. Aprovechando la oportunidad, Lisa se levantó de la mesa de un brinco y salió de la habitación.

«Adónde crees que...», comenzó Gary.

«Ay, déjala estar», bufó Marge.

Gary la miró y meneó el tenedor como un maníaco. «Yo digo una cosa, tú dices otra. ¡No es de extrañar que no me tengan puto respeto ni en mi puñetera casa!»

Marge se encogió tímidamente de hombros. Gary tenía genio, y estaba verdaderamente crispado desde que lo habían soltado. Se volvió hacia mí implorando comprensión. «¿Te das cuenta, *Jock?*[1] ¡Pero es que siempre, joder! ¡Me tratan como si fuera invisible, joder! En mi puta casa. ¡Mi puñetera hija! Mi puñetera señora, por el amor de Cristo», se lamentaba, señalando burlonamente hacia Marge.

«Cálmate, Gal», dije. «Marge nos ha agasajado con una comilona espléndida. Un papeo estupendo, Marge. Lisa no tiene la culpa de que no le guste, ya sabes cómo son los críos. Tienen papilas gustativas distintas de las nuestras, y todo eso.» Marge sonreía en señal de aprobación; Gary se limitó a encogerse de hombros y mirar ceñudamente al vacío. Terminamos lo que quedaba, interrumpiendo el atracón con los ceremoniosos diálogos de rigor; discutimos las posibilidades del Arsenal para la siguiente temporada, comparamos los méritos de la nueva cooperativa del centro comercial de Dalston con los del Sainsbury que hay enfrente, indagamos en los parentescos y probable orientación sexual del nuevo gerente que se había hecho cargo de Murphy's, y debatimos sin pasión los pros y los contras de la reapertura de la estación local de ferrocarriles de London Field, clausurada hacía años a causa de los daños provocados por un incendio.

Finalmente Gary se repantigó y eructó, se estiró y se puso en pie. «Muy buena manduca, nena», dijo, apaciguándola. A continuación se volvió hacia mí: «¿Estás listo?»

«Sí», respondí, incorporándome.

Gary despejó la interrogante que había en el rostro perplejo de Marge. «Yo y Jock tenemos que hablar de unos asuntos, ¿eh?»

A Marge se le puso cara de perro. «No irás a robar otra vez, ¿verdad?»

«Te dije que no, ¿no?», respondió agresivamente Gary. Los encendidos ojos y la boca retorcida de ella se encontraron con la mirada de él. «¡Me lo prometiste! ¡ME LO PROMETISTE, JODER! Todas las putas cosas que dijiste...»

«¡No voy a robar! ¡Jock!», imploró. Marge posó sobre mí sus grandes ojos suplicantes. ¿Me pedía que le contara la verdad o que le contara lo que ella quería oír? Las promesas de Gary.

---

1. Apelativo genérico empleado por los ingleses para designar a los escoceses, tanto en particular como en general. (*N. del T.*)

Promesas tantas veces hechas; tantas veces rotas. Independientemente de lo que yo le dijese en aquel momento, volverían a desilusionarla de nuevo: Gary o cualquier otro tío. Para alguna gente no hay escapatoria frente a ciertas decepciones.

«No, esto es legal. Palabra», sonreí.

Mi salida fue lo bastante buena para infundirle confianza a Gary. Adoptando una expresión de ultrajada inocencia dijo: «Ahí lo tienes. De buena tinta, nena.»

Gary subió a mear. Marge sacudió la cabeza y bajó la voz. «Me preocupa, Jock. Está tan susceptible últimamente...»

«Se preocupa por ti y por la niña, Marge. Gal es así; es un aprensivo. Es su naturaleza.»

Todos somos unos jodidos aprensivos.

«¿Estás listo o qué?» Gary asomó la cabeza por la puerta.

Nos marchamos para el Tanners. Yo me dirigí a la habitación del fondo y Gary me siguió con dos pintas de *best*.[1] Las depositó con mimo y precisión sobre la mesa brillante. Miró las pintas y dijo suavemente, sacudiendo la cabeza: «El problema no es Whitworth.»

«Para mí sí que es un puto problema. Un puto problema por valor de dos de los grandes.»

«No me sigues, Jock. Él no es el problema, ¿no te das cuenta? Eres tú», dijo señalándome rígidamente con el dedo extendido, «y yo», golpeando fuertemente con el dedo sobre su pecho. «Estos putos burros. Ya podemos olvidarnos de esa pasta, Jock.»

«Y una mierda...»

«Whitworth nos va a vacilar, nos va a dar largas, y va a pasar de nosotros hasta que nos callemos como dos buenos chicos», sonrió tétricamente, mientras su voz resonaba fría e implacablemente. «No nos toma en serio, Jock.»

«¿Entonces qué me estás diciendo, Gal?»

«Que o nos olvidamos, o le obligamos a tomarnos en serio.»

Dejé que sus palabras juguetearan en mi cabeza, calibrando y volviendo a calibrar sus consecuencias, unas consecuencias que en realidad había reconocido de inmediato.

---

1. *Best bitter*, variedad de cerveza característica de las Midlands inglesas. (*N. del T.*)

«¿Qué hacemos, entonces?»

Gary respiró hondo. Era extraño que ahora estuviese tan tranquilo y sensato, en contraste con el estado de crispación que había mostrado durante la comida. «Le enseñamos al muy cerdo a tomarnos en serio. Le damos una buena lección. Le enseñamos a tener un poco de respeto, ¿vale?»

La manera de hacerlo Gary la dejó clara como el agua. Cogeríamos algo de chatarra e iríamos dando un paseo en coche hasta el piso de Whitworth en Haggerston. A continuación le sacaríamos a hostias siete clases distintas de mierda en la puerta de su casa y fijaríamos una fecha tope para la devolución del dinero que nos debía.

Sopesé aquella estrategia. Desde luego, no había ninguna posibilidad de resolver el asunto legalmente. La presión moral y emocional no había dado frutos, y Gary tenía razón, de hecho había dejado en entredicho nuestra credibilidad. Se trataba de nuestro dinero, y a Whitworth le habíamos dado todas las oportunidades de devolverlo. Pero yo estaba asustado. Estábamos a punto de abrir una fea caja de Pandora y tuve la impresión de que los acontecimientos empezaban a escapárseme de las manos. Tuve una visión de los Scrubs,[1] o peor aún, de chanclas de hormigón y un bañito en el Támesis, o alguna variante sobre el cliché que en realidad venía a ser más o menos lo mismo. Whitworth no representaría ningún problema en sí mismo, era todo fachada; un bocas, pero no era hombre de violencia. La cuestión era: ¿tenía buenas conexiones? Pronto lo averiguaríamos. No había vuelta de hoja. De cualquier forma, perdería yo. Si no seguía adelante, perdería credibilidad ante Gary, y yo le necesitaba más que él a mí. Lo más importante, alguien se quedaría con mi dinero y yo me quedaría pelado y con la autoestima bajo mínimos por haber capitulado tan dócilmente.

«Vámonos a ponerle las peras al cuarto a ese cabrón», dije.

«¡Ése eres tú!», me dio una palmada en la espalda Gary. «Siempre supe que tenías cojones, Jock. ¡Vosotros los jodidos Jocks estáis todos locos que te cagas! Vamos a enseñarle a Whitworth a quién le está tocando los huevos.»

---

1. Warmwood Scrubs. Centro penitenciario del área londinense. (*N. del T.*)

«¿Cuándo?», pregunté, sintiendo leves náuseas de excitación y angustia.

Gary se encogió de hombros y enarcó una ceja. «No hay nada como el presente.»

«¿Quieres decir ahora mismo?», resollé. Estábamos en pleno día.

«Esta noche. Te vendré a buscar a las ocho con un buga.»

«A las ocho», asentí débilmente. En los últimos día venía captando enormes vibraciones de ansiedad a causa del inestable comportamiento de Gary. «Oye, Gal, no hay nada más que una cuestión de dinero entre tú y Tony Whitworth, ¿verdad?»

«En mis circunstancias, con lo del dinero basta, Jock. Más que suficiente, ¿o no?», dijo, rematando su pinta e incorporándose. «Me voy a casa. Tú también deberías. No te conviene estar pegándole más de la cuenta al Jonathan Ross»,[1] añadió señalando mi vaso. «Tenemos trabajo.»

Le vi marchar resuelta y pesadamente, deteniéndose sólo para saludar con la mano al viejo Gerry O'Hagan en la barra.

Yo me fui poco después, obedeciendo la recomendación de Gal respecto del consumo de caldos. Me acerqué a la tienda de deportes de Dalston y compré un bate de béisbol. Pensé en comprarme un pasamontañas, pero habría resultado demasiado revelador, así que fui a comprármelo al Army and Navy.[2] Me quedé sentado en mi queo, incapaz durante un rato de echar una mirada a mis adquisiciones. Entonces cogí el bate y comencé a asestar golpes al aire. Quité el colchón de encima de la cama y lo puse contra la pared. Lo sacudí con el bate, comprobando la trayectoria, la posición y el equilibrio. Liberé ansiedad golpeando, arremetiendo y gruñendo como un maníaco.

Gary no tardó mucho en regresar. Ya eran las ocho y pensé que había sufrido un acceso de cordura y decidido olvidar el tema por completo, tal vez después de que Marge barruntara que se cocía algo y se le echara encima. A las 8.11 según la radio reloj digital, oí el sobrecogedor bocinazo en la calle.

---

1. Argot rimado. «Jonathan Ross» por *sauce* («salsa», es decir, una cerveza espesa). (*N. del T.*)

2. Tiendas del Ejército y la Marina que venden ropa militar. (*N. del T.*)

Ni siquiera me acerqué a la ventana. Simplemente cogí el pasamontañas y el bate y me fui escaleras abajo. Ahora mi presa sobre el arma resultaba débil e insulsa.

Me senté en el asiento delantero. «Veo que estás preparado», sonrió Gary. Después de hablar, su expresión seguía congelada en aquella sonrisa, como una estrafalaria máscara de Halloween.

«¿Tú qué llevas?» Temí que sacara un cuchillo.

El corazón se me detuvo cuando sacó una escopeta de cañones recortados de debajo del asiento.

«Ni hablar, tío. Ni hablar.» Hice ademán de salir del coche. Me echó la mano al brazo.

«¡Tranquilo! Joder, no está cargada, ¿eh? Ya me conoces, Jock, hostia puta. Las recortadas no son lo mío, joder, ni lo han sido nunca. Podrías atribuirme un poco más de puñetero talento, ¿no?»

«¿Me estás diciendo que el rifle no está cargado?»

«Pues claro que no está cargado, puñeta. ¿Te crees que soy bobo, joder? Si lo hacemos así no hará falta violencia. No habrá follón y nadie saldrá herido. Me lo dijo un tío en el talego; la gente cambia cuando le apuntas con un rifle. Así es como lo veo yo: queremos nuestro dinero. No es cuestión de hacerle daño a ese cabrón; sólo queremos la pasta. Si se te va la mano con el bate, podrías dejarlo hecho un vegetal. Entonces no obtendríamos ningún dinero pero sí un camarote en los Scrubs. Le aterrorizamos, le enseñamos esto», agitó la recortada, que ahora parecía un patético juguete, «y se pondrá a cagar billetes de una libra.»

Tenía que confesar que sonaba mucho más sencillo a la manera de Gary. Asustar a Whitworth era preferible a darle un repaso. Si lo reventábamos era posible que reuniese una cuadrilla para vengarse. Si lo dejabas cagado de miedo con una recortada, lo más seguro es que aprendiese a no tocarte los huevos. Nosotros sabíamos que el arma no estaba cargada, Whitworth no. ¿Quién se la jugaría?

El piso de Whitworth estaba en el entresuelo de un edificio de dúplex construido con bloques prefabricados de los años sesenta, situado en una pequeña zona de viviendas de protección oficial junto a Queensbridge Road. Aún no había oscurecido del todo cuando aparcamos el coche a escasos metros de su portal. Me planteé si ponerme o no el pasamontañas, decidiéndome en contra. Gary no tenía máscara, y además queríamos que Tony Whitworth viese quién le apuntaba. En vez de eso, al salir del coche oculté el bate debajo de mi abrigo largo.

«Toca el puto timbre», me instó Gary.

Pulsé el timbre.

Se encendió la luz de un pasillo, colándose por el resquicio de la parte superior de la puerta. Gary se metió la mano dentro del abrigo. La puerta se abrió y un chico de unos ocho años, que llevaba un chándal del Arsenal, apareció cautelosamente ante nosotros.

«¿Está Tony?», preguntó Gary.

Yo no había contado con aquello. Había convertido a Whitworth en un personaje de tebeo, un estereotipo de bocas chulo putas, a fin de justificar lo que íbamos a hacerle. Jamás le había imaginado como una persona de verdad, con hijos, personas que dependían de él, que probablemente hasta le querían. Intenté indicarle a Gary que aquél no era ni el lugar ni el momento, pero el chiquillo había desaparecido dentro de la casa y fue reemplazado casi simultáneamente por Whitworth. Llevaba una camiseta blanca y vaqueros, y exhibía una sonrisa radiante.

«Chavales», sonrió cálidamente. «¡Me alegro de veros! Tengo algo para vosotros, si...» Se detuvo a mitad de frase mientras los ojos se le entornaban y el color desaparecía de su cara. Un lado de su rostro se contrajo como si estuviera sufriendo una apoplejía. Gary sacó de pronto la recortada y le apuntó directamente.

«Eh, no, por el amor de dios, tengo lo que andáis buscando, Gal, eso es lo que trataba de decir... Jock...»

«Gal», empecé, pero no me hizo caso.

«¡Nosotros tenemos lo que andas buscando tú, cabrón!», soltó bruscamente Gal, mientras apretaba el gatillo.

Se produjo un bang escalofriante y Whitworth pareció desaparecer en el interior de la casa. Durante un instante fue como una especie de truco teatral, como si nunca hubiera estado allí. Durante esa fracción de segundo pensé que había sido víctima de una tomadura de pelo orquestada por Gal y Tony Whitworth. Hasta empecé a reírme. Entonces miré hacia el recibidor. El cuerpo convulso de Tony Whitworth estaba allí tendido. Lo que una vez fue su cara era ahora una masa quebrada y espachurrada de sangre y materia gris.

No recuerdo nada de lo que pasó después hasta que llegamos al coche e íbamos conduciendo por Balls Pond Road. Recuerdo que entonces bajamos, nos metimos en otro buga y regresamos hacia Stoke Newington. Gary empezó a reírse y a vociferar como si fuera de speed. «¿Te has fijado en la cabeza de ese puto cabrón?»

Me sentía como si fuera de heroína.

«¿Te has fijado?», preguntó, cogiéndome a continuación la muñeca. «Joder, Jock, lo siento de veras, colega, siento haberte metido en esto. Pero no podría haberlo hecho solo. Tenía que hacerlo, Jock, tenía que quitar a ese cabrón de en medio. Cuando estaba en los Scrubs, sabes, me lo contaron todo sobre él. Estaba siempre por casa, revoloteando alrededor de Marge, exhibiendo su puto fajo por ahí. Marge se vino abajo, Jock, me contó toda la puta historia. Por supuesto que no la culpo, Jock, no es eso, es culpa mía que me enchironaran. Tendría que haber estado allí; a cualquier mujer que esté pelada y con su hombre enchironado le tentaría un mamón ostentoso con pasta haciéndole aspavientos. Pero es que el cabrón violó a Lisa, la pequeña, Jock. Le obligó a chupársela, ¿sabes lo que te estoy diciendo, Jock? ¿Sí? Tú habrías hecho lo mismo, Jock, y no me digas lo contrario porque mentirías; si hubiera sido tu puñetera hija, habrías hecho lo mismo. Tú y yo somos iguales, Jock, cuidamos el uno del otro, y cuidamos de los nuestros. Algún día te compensaré por lo del dinero, Jock, te lo juro, puñeta, créeme, colega, lo arreglaré todo. No podía hacer otra cosa, Jock, no hacía más que hacerme mala sangre. Intenté ignorarlo. Por eso quería trabajar con Whitworth, para desentrañar el MO[1] del muy cerdo, a ver si podía encontrar una forma de devolvérsela. Pensé en hacerle daño a uno de sus hijos, en plan ojo por ojo y todas esas puñeteras chorradas. Pero yo no podría haber hecho algo así, Jock, a un chavalín

1. Modus operandi. (*N. del T.*)

no, en ese caso no sería mejor que ese puto animal, ese cerdo chulo putas pederasta...»

«Ya...»

«Siento haberte metido en este follón, Jock, pero desde que te llegó la onda del trapicheo éste con Whitworth, no me dejabas en paz. Tenías que tomar parte, tú. Déjame participar, Gal, no parabas de decirlo; somos colegas y todo eso. Parecías mi puñetera sombra, tú. Intenté hacerte llegar las putas vibraciones. Pero no, tú no las pillaste. Tenía que darte tu parte del pastel, ¿no? Así es como lo querías, Jock; colegas, socios.»

Volvimos a mi casa. Mi piso solitario, aún más solitario con dos personas dentro. Yo me senté en el sofá, Gary se sentó en la silla de enfrente. Puse la radio. A pesar de que hacía meses que ella se había marchado y se había llevado sus trastos, todavía quedaban rastros suyos por allí; un guante, una bufanda, un póster que había comprado pegado a la pared, las muñecas rusas esas que compramos en Covent Garden. La presencia de tales artículos siempre fue de gran importancia en los momentos de estrés. Ahora resultaba abrumadora. Gary y yo nos sentamos a beber vodka sin mezcla y a esperar los partes de noticias.

Al cabo de un rato Gary se levantó para ir a mear. Cuando volvió, lo hizo con la escopeta. A continuación volvió a sentarse en la silla frente a mí. Recorrió con los dedos el estrecho cañón. Cuando habló su voz parecía extraña; lejana e incorpórea.

«¿Te has fijado en su cara, Jock?»

«¡Joder, Gal, no tenía puta gracia, pedazo de cabrón estúpido!», le espeté, derramando ira por fin a través de mi miedo enfermizo.

«Ya, pero su cara, Jock. Esa puta cara de chulo putas pederasta camandulero. Es cierto, Jock, la gente cambia cuando les sacas una escopeta.»

Me mira directamente. Ahora me está apuntando con la recortada.

«Gal..., no me jodas, tío..., no...»

No puedo respirar, siento que mis huesos se agitan; de la cabeza a los pies, haciendo que mi cuerpo se estremezca con un ritmo discorde y mareante.

«Sí», dice, «la gente cambia cuando le sacas una escopeta».

El arma sigue apuntándome. Había vuelto a cargarla cuando fue a echar esa meada. Lo sé.

«Oí que te veías bastante a menudo con mi señora cuando estaba enchironado, colega», dice con suavidad, mimosamente.

Intento decir algo, intento razonar, intento suplicar, pero la voz se seca en la garganta mientras tensa el dedo sobre el gatillo.

Yo era antitodo y antitodos. No quería gente a mi alrededor. Esta aversión no suponía una enorme ansiedad traumática; era simplemente la madura convicción de mi propia vulnerabilidad psicológica y mi incapacidad para la convivencia. Los pensamientos se hacían sitio a empujones en mi cerebro abarrotado mientras luchaba por ordenarlos de un modo que sirviera de motivación a mi apática existencia.

Para otros, Amsterdam era un lugar mágico. Un verano luminoso; jóvenes disfrutando de los encantos de una ciudad que encarna las libertades personales. Para mí era sólo una sucesión de sombras grises y borrosas. Me repugnaba la aspereza de la luz del sol; rara vez me aventuraba a salir antes de oscurecer. Durante el día veía programas de televisión en inglés y holandés y fumaba mucha marihuana. Rab era un anfitrión poco entusiasta. Sin ningún sentido del pudor me informó de que aquí en Amsterdam le conocían por «Robbie».[1]

El asco que Rab/Robbie sentía por mí parecía encender su rostro, absorbiendo el oxígeno del pequeño cuarto de estar en el que yo había montado un sofá cama. Observaba los músculos de sus mejillas crispados por la ira reprimida cuando llegaba, sucio, mugriento y cansado, después de un duro trabajo físico, y me encontraba aplatanado frente a la caja tonta, el ubicuo porro en la mano.

Era una carga. Llevaba aquí sólo una quincena y hacía tres

---

1. El protagonista tiene un nombre escocés, Rab. Robbie sería una forma inglesa. (*N. del T.*)

semanas que me había desenganchado. Los síntomas físicos habían remitido. Si aguantas un mes desenganchado, tienes una oportunidad. No obstante, pensaba que iba siendo hora de buscarme un sitio propio. Mi amistad con Rab (ahora, claro está, rebautizado como Robbie) no sobreviviría al planteamiento unilateral y parasitario sobre el que la había remodelado. Y esto era lo peor: no me importaba demasiado.

Una tarde, cuando llevaba con él más o menos quince días, pareció haberse hartado. «¿Cuándo vas a empezar a buscar curro, tío?», preguntó, con una indiferencia evidentemente forzada.

«Estoy en ello, colega. Ayer me di un voltio por ahí, a ver si controlaba un poco, ¿sabes? Composición de lugar», dije con sinceridad fingida. Seguimos en ese plan: forzada urbanidad, en la que subyacía un antagonismo mutuo.

Cogí el tranvía número 17 desde el deprimente barrio de Rab/Robbie situado en el sector occidental hasta el centro. En ese tipo de lugares no sucede nada: bloques de cemento y hormigón por todas partes; un bar, un supermercado, un restaurante chino. Podría haber estado en cualquier parte. Se necesita un centro para darle sentido a una ciudad. Podría haber estado en Wester Hailes,[1] o en Kingsmead,[2] en uno de esos sitios para escapar de los cuales vine aquí. Pero no había escapado. Un vertedero de pobres al margen del cotarro es más o menos idéntico a otro, independientemente de la ciudad a cuyo servicio esté.

En semejante estado de ánimo, no soportaba que se me acercara nadie. En esas circunstancias, Amsterdam es el sitio equivocado donde estar. Apenas acababa de apearme en el Damrak y ya me estaban agobiando. Había cometido el error de mirar a mi alrededor para orientarme. «¿Francés? ¿Americano? ¿Inglés?», me preguntó un tío con pinta de árabe.

«Que te den», le dije entre dientes.

Me alejaba de él en dirección a una librería inglesa y todavía podía oír su voz desgranando una lista de drogas. «Hachís, heroína, cocaína, éxtasis...»

Durante lo que en principio iba a ser un relajante ramonear

1. Barrio de Edimburgo. (*N. del T.*)
2. Barrio del Este de Londres. (*N. del T.*)

entre libros, me sorprendí organizando un debate interno sobre la posibilidad de levantar o no uno; habiéndome decidido en contra, me marché antes de que el impulso se hiciese irresistible. Satisfecho, crucé la Plaza Dam hacia el barrio rojo. Un fresco crepúsculo había descendido sobre la ciudad. Paseé, disfrutando la caída de la noche. En una bocacalle junto a un canal, cerca de donde las putas se sientan en las ventanas, un hombre se me acercó a paso alarmante. Rápidamente decidí que le rodearía el cuello con las manos y lo estrangularía hasta que muriera si intentaba establecer contacto conmigo. Me concentré en su nuez con intención homicida, el rostro retorcido en un gesto burlón y despectivo mientras sus fríos ojos de insecto se hinchaban lentamente de recelo.

«Hora..., ¿tiene usted hora?», preguntó atemorizado.

Negué bruscamente con la cabeza, dejándole atrás gustosamente mientras él arqueaba el cuerpo para evitar que lo barriera de la acera. En Warmoesstraat no resultó tan fácil. Un grupo de jóvenes disputaban batallas a la carrera: hinchas del Ajax y del Salzburgo. La copa de la UEFA. Claro. No soportaba el movimiento y el griterío. Me provocaba mayor aversión el ruido y la agitación que la propia amenaza de violencia. Opté por la línea de menor resistencia y me escabullí por una callejuela hasta un bar marrón.

Era un puerto tranquilo, en calma. Aparte de un hombre de piel oscura y dientes amarillos (jamás había visto dientes tan amarillos), que estaba enchufado a un flíper, los únicos habitantes del lugar eran el camarero y una mujer sentada en una banqueta junto a la barra. Compartían una botella de tequila y su risa y gestos de intimidad indicaban que su relación iba más allá de la de tabernero-cliente.

El barman estaba poniendo a punto a la mujer con chupitos de tequila. Estaban un poco bebidos, exhibían una coquetería de sacarina. El hombre tardó un rato en advertir mi presencia en la barra. De hecho, fue la mujer quien tuvo que atraer su atención sobre mí. Su reacción fue ofrecerle un azorado encogimiento de hombros, aunque era evidente que yo no podía importarle menos. Más aún, podía notar que mi presencia era un estorbo.

En ciertos estados anímicos me habría ofendido semejante

negligencia y, desde luego, habría reaccionado. En otros la habría armado. En aquel momento, sin embargo, me hacía feliz que me ignorasen; confirmaba que era efectivamente tan invisible como deseaba. No me importaba.

Pedí una Heineken. La mujer parecía empeñada en hacerme partícipe de la conversación. Yo estaba igualmente empeñado en evitar cualquier contacto. No tenía nada que decirle a aquella gente.

«Entonces, ¿de dónde eres con semejante acento?», rió, los rayos X de su mirada recorriéndome de arriba abajo. Cuando sus ojos se encontraron con los míos vi ese tipo de persona que, a pesar de su apariencia amistosa, siente una inclinación instintiva por las intrigas manipuladoras. Quizá contemplaba mi reflejo.

Sonreí. «De Escocia.»

«¿Sí? ¿De dónde? ¿Glasgow? ¿Edimburgo?»

«De todas partes un poco, en realidad», respondí, suavemente y con aire de estar de vuelta de todo. ¿Es que importaba por qué asquerosas ciudades y barrios idénticos me habían arrastrado, mientras crecía en esa horrenda e insípida nacioncilla?

Ella no obstante se rió y parecía pensativa, como si yo hubiese dicho algo realmente profundo. «De todas partes un poco», rumió. «Como yo. De todas partes un poco.» Se presentó como Chrissie. Su amiguito, o el que a juzgar por sus mimos pretendía ser su amiguito, se llamaba Richard.

Desde detrás de la barra, Richard me lanzaba disimuladas miradas de resentimiento antes de que me volviese a mirarle; lo había advertido en uno de los espejos del bar. Su respuesta consistió en agachar la cabeza, después pronunció un «Hola» a regañadientes, y se palpó furtivamente una descuidada barba que, acentuando más que ocultando el paisaje lunar del que brotaba, crecía en una cara picada de viruelas.

Chrissie hablaba atropellada y efusivamente, haciendo observaciones mundanas y citando ejemplos triviales de su propia experiencia para respaldarlos.

Acostumbro a mirar los brazos desnudos de la gente. Los de Chrissie estaban cubiertos de cicatrices de chutes; de esos que dejan siempre feos costurones. Aún más evidentes resultaban las marcas de los tajos; a juzgar por su profundidad y localización, más del tipo consecuencia de la aversión por uno mismo o respuesta a la frustración que de la variedad intento-serio-de-suicidio. Su rostro era franco y vivaz, pero sus ojos tenían ese aspecto acuoso y menguado común en los traumatizados. Leí en ella como en un mapa mugriento de todos los lugares a los que no hay que ir: adicción, crisis nerviosa, psicosis de drogodependencia, explotación sexual. En Chrissie vi a alguien que se había sentido mal consigo misma y con el mundo y había tratado de aliviarse chutándose y follando sin comprender que lo único que hacía era agravar el problema. No me eran en absoluto desconocidos algunos de los lugares por los que había pasado Chrissie. Sin embargo, daba la impresión de haberse pertrechado muy mal para tales visitas y de tener cierta tendencia a quedarse más de lo debido.

De momento sus problemas eran, a simple vista, la bebida y Richard. En principio pensé: Con tu pan te lo comas. Encontraba bastante repulsiva a Chrissie. Gruesas capas de grasa envolvían su cuerpo alrededor de la cintura, los muslos y las caderas. Era a todas luces una mujer machacada cuya única resistencia a los envites de la madurez consistía en vestir con ropa demasiado juvenil, ajustada y reveladora de una silueta entrada en carnes.

Volvió coquetamente hacia mí su rostro mantecoso. Aquella mujer me producía ligeras náuseas; una belleza ya granada, y todavía intentando desplegar con desenfado un magnetismo sexual que ya no poseía, totalmente ajena a la grotesca caricatura de vodevil en que se había convertido.

Fue entonces cuando, paradójicamente, se adueñó de mí un horrible impulso, que parecía haberse originado en un área indeterminada detrás de mis genitales: aquella persona que me repugnaba, aquella mujer, sería mi amante.

¿Por qué iba a ser así? Quizá a causa de mi natural perversidad; quizá porque Chrissie era ese extraño círculo en el que repulsión y atracción se dan la mano. Acaso porque yo admiraba su terca resistencia a reconocer la implacable mengua de sus posibilidades. Se comportaba como si hubiese nuevas, excitantes y enriquecedoras vivencias a la vuelta de la esquina, a pesar de todas las evidencias en contra. Sentí el impulso gratuito, como a menudo me sucede con personas semejantes, de zarandearla y gritarle la verdad a la cara: *Eres un feo e inútil pedazo de carne. Tu vida ha sido desesperante y abominable hasta ahora, y sólo puede empeorar. Deja ya de engañarte, joder.*

Un amasijo de emociones enfrentadas, despreciaba a alguien activamente y al mismo tiempo planeaba su seducción. No fue hasta más tarde cuando reconocí, entre aterrorizado y avergonzado, que aquellas emociones no eran en absoluto opuestas. En aquel momento, sin embargo, no estaba seguro de si Chrissie coqueteaba conmigo o simplemente intentaba provocar al pobre Richard. Quizá ni ella misma lo supiese.

«Mañana vamos a la playa. Tienes que venir», dijo ella.

«Eso sería estupendo», sonreí ampliamente, mientras Richard palidecía.

«Puede que tenga que trabajar...», balbuceó nerviosamente.

«¡Pues si tú no nos llevas, tendremos que ir solos!», dijo ella con una sonrisa bobalicona, como de niña pequeña, una táctica que emplean frecuentemente las putas, cosa que con casi toda certeza fue alguna vez, cuando todavía su físico se lo permitía.

Decididamente estaba llamando a una puerta abierta.

Bebimos y hablamos hasta que un Richard cada vez más nervioso cerró el bar y nos fuimos a un café a fumar unos porros. La cita quedó formalizada; al día siguiente renunciaría a mi vida nocturna a cambio de un día de jolgorio playero con Chrissie y Richard.

Richard estaba muy crispado cuando al día siguiente nos llevó en coche a la playa. Me complacía observar cómo palidecían sus nudillos al volante mientras Chrissie, vuelta hacia atrás en el asiento de delante, se deleitaba conmigo en una charla frívola y ligeramente coqueta. Chrissie acogía con carcajadas frenéticas cada uno de los chistes malos o anécdotas aburridas que salían de mis labios, mientras Richard sufría en un tenso silencio. Notaba que su odio hacia mí crecía por momentos, le oprimía, debilitaba su respiración, enturbiando su actividad mental. Me sentía como un crío repelente que sube el volumen del mando a distancia sin otro propósito que incordiar a un adulto.

Sin pretenderlo, logró cierto grado de venganza cuando

puso una cinta de los Carpenters. Yo me retorcía de fastidio mientras él y Chrissie acompañaban con la voz. «Qué pérdida tan terrible, Karen Carpenter», dijo ella en tono solemne. Richard asintió tétricamente. «Triste, ¿no, Euan?», preguntó Chrissie, intentando incluirme en su extraño pequeño festival de dolor por aquella estrella del pop muerta.

Sonreí afable y despreocupadamente. «Me importa un carajo. El mundo está lleno de gente que no tiene qué comer. ¿Por qué iba a importarme una mierda que una jodida yanqui privilegiada esté demasiado hecha polvo para llevarse al buche un tenedor lleno de papeo?»

Hubo un silencio de asombro. Finalmente Chrissie protestó: «¡Tienes una mente muy desagradable y cínica, Euan!» Richard estuvo plenamente de acuerdo, incapaz de disimular el júbilo que le producía que yo la hubiese irritado. Incluso empezó a hacer los coros de «Top of the World». A continuación, él y Chrissie empezaron a conversar en holandés y a reírse.

Me quedé impasible ante aquella exclusión temporal. De hecho, disfruté con su reacción. Richard sencillamente no comprendía la clase de persona que era Chrissie. Yo tenía la sensación de que le atraían la vileza y el cinismo porque se consideraba un agente transformador. Yo era un desafío para ella. Los serviles mimos de Richard la divertían a ratos; él era, no obstante, sólo un refugio estival, no un hogar permanente, soso y aburrido en última instancia. Al tratar de ser lo que él creía que ella quería que fuese, no le dejaba nada que cambiar; le negaba la satisfacción de producir un verdadero impacto en su relación. Mientras tanto, embaucaría a aquel pardillo, pues satisfacía su ilimitada vanidad.

Nos tumbamos en la playa. Nos lanzábamos la pelota. Era como una caricatura de lo que se supone que la gente hace en la playa. El espectáculo y el calor empezaron a incomodarme y me tendí a la sombra. Richard correteaba de un lado a otro con sus vaqueros cortados; moreno y atlético, a pesar de un estómago algo fláccido. Chrissie tenía un aspecto vergonzosamente fofo.

Cuando se fue a buscar helados, dejándonos solos a Richard y a mí por primera vez, me sentí un tanto nervioso.

«Es estupenda, ¿verdad?», dijo entusiasmado.

Sonreí de mala gana.

«Chrissie ha pasado mucho.»

«Ya», asentí. Eso ya lo había deducido yo.

«Me inspira un sentimiento que no tengo por ninguna otra persona. Hace mucho que la conozco. A veces pienso que necesita que la protejan de sí misma.»

«Eso resulta un pelín demasiado conceptual para mí, Richard.»

«Tú ya me entiendes. Las manitas quietas.»

Sentí que mi labio inferior se fruncía en un gesto de insolencia refleja. Era la reacción deshonesta e infantil de quien no está dolido realmente pero finge estarlo a fin de justificar una futura agresión contra la otra parte, o lograr que se retracte. Era mi segunda naturaleza. Me complacía que creyese que me tenía calibrado. Si se hacía la ilusión de tener algún poder sobre mí se pondría gallito y por tanto bajaría la guardia. Escogería el momento y le arrancaría el corazón de cuajo. A duras penas podría considerarse un objetivo difícil, allí tendido sobre la manga de su camisa. Todo aquel asunto tenía tanto que ver con nosotros dos como conmigo y Chrissie; en cierto sentido, ella era sólo el campo de batalla en el que se libraría nuestro duelo. La natural antipatía que sentimos desde nuestro primer encuentro se había incubado en el invernadero del trato habitual. En un tiempo asombrosamente corto había germinado hasta convertirse en un fruto maduro de odio.

Richard no se arrepentió de su inoportuno comentario. Muy al contrario, redobló su ataque, tratando de esculpir en mí la imagen adecuada a su odio. «Los holandeses fuimos a Sudáfrica. Vosotros, los británicos, nos oprimisteis. Nos metisteis en campos de concentración. Fuisteis vosotros los que inventasteis los campos de concentración, no los nazis. Les enseñasteis eso y el genocidio. Fuisteis muchísimo más eficaces con los maoríes en Nueva Zelanda que Hitler con los judíos. No estoy disculpando lo que hacen los bóers en Sudáfrica. Para nada. Jamás. Pero los británicos les metisteis el odio en el corazón, los embrutecisteis. La opresión engendra opresión, no entendimiento.»

Sentí crecer en mí un impulso de ira. Casi estuve tentado de lanzarme a un discurso sobre mi condición de escocés, no británico, y los escoceses como la última colonia oprimida del Imperio Británico. Pero es que no me lo creo; los escoceses se oprimen solos con esa obsesión por los ingleses, que engendra los extremos del odio, el temor, el servilismo, el desprecio y la dependencia. Además, no estaba dispuesto a dejarme arrastrar a una discusión con aquella maricona imbécil.

«No presumo de entender mucho de política, Richard. Pero sí te diré que tu análisis me resulta un tanto subjetivo.» Me incorporé, sonriendo a Chrissie, que había regresado con cartones de Häagen-Dazs coronados de *slagroom*.[1]

«¿Sabes lo que eres, Euan? ¿Lo sabes?», me pinchaba. Era evidente que Chrissie había estado repasando la lección mientras había ido a por los helados. Ahora nos castigaría con sus observaciones. Me encogí de hombros. «Mírale, el Hombre de Hielo. Yo ya he estado allí, eso ya lo he hecho yo. Estás igual que Richard y yo. Dando tumbos. ¿Adónde decías que querías ir algún día?»

«Ibiza», le dije, «o Rimini.»

«Por la movida de los *raves* o el éxtasis», apuntó ella.

«Es una buena movida», asentí. «Menos peligrosa que la del caballo.»

«Bien podría ser», dijo ella con presunción. «No eres más que Euroescoria, Euan. Todos lo somos. Aquí es donde el mar arroja toda la escoria. El puerto de Amsterdam. Un cubo de basura para la Euroescoria.»

Sonreí y abrí otra Heineken de la nevera de Richard. «Beberé por eso. ¡Por la Euroescoria!», brindé.

Chrissie entrechocó entusiasmada su botella con la mía. Richard se unió a regañadientes.

Mientras que era obvio que Richard era holandés, me resultaba difícil situar el acento de Chrissie. Si a veces tenía un deje de Liverpool, por lo general parecía un híbrido de inglés de clase media y francés, aunque estaba seguro de que era todo pose. Pero de ningún modo iba a preguntarle de dónde era sólo para que me dijera: De todas partes un poco.

Cuando volvimos a 'Dam[2] aquella noche, vi que Richard se

2. Nata batida, en holandés en el original. (*N. del T.*)
1. Amsterdam. (*N. del T.*)

31

temía lo peor. En el bar intentó atiborrarnos de copas en lo que evidentemente era un intento desesperado para anular e invalidar lo que iba a ocurrir. Tenía la cara encajada en una expresión de derrota. Yo me iba a casa con Chrissie; no habría quedado más claro aunque ella lo hubiera anunciado en el periódico.

«Estoy destrozada», bostezó. «El aire del mar. ¿Me acompañas a casa, Euan?»

«¿Por qué no esperas a que termine mi turno?», suplicó desesperadamente Richard.

«Ay, Richard, estoy completamente agotada. No te preocupes por mí. A Euan no le importa llevarme hasta la estación, ¿verdad que no?»

«¿Dónde vives?», intervino Richard, dirigiéndose a mí, intentando recuperar cierto grado de control sobre los acontecimientos.

Enseñé la palma dando el alto, y me volví hacia Chrissie. «Es lo mínimo que puedo hacer después de que Richard y tú me hayáis hecho pasar un rato tan bueno. Además, yo también debería echar una cabezada», proseguí, con un tono de voz bajo y empalagoso, dejando que una sonrisa pringosa y lánguida moldease mis facciones.

Chrissie le dio a Richard un besito en la mejilla. «Mañana te llamo, cariño», dijo ella, examinándole como una madre indulgente a un pequeño contrariado.

«Buenas noches, Richard», sonreí mientras nos disponíamos a salir. Le sostuve a Chrissie la puerta y mientras salía me volví hacia el atormentado necio de detrás de la barra, le guiñé el ojo y enarqué las cejas: «Dulces sueños.»

Paseamos por el barrio rojo, junto a los canales de Voorburg y Achterburg, disfrutando del aire y del bullicio. «Richard es increíblemente posesivo. Qué pesado», rumió Chrissie.

«Es indudable que tiene un buen corazón», dije.

Caminamos en silencio hasta Centraal Station, donde Chrissie cogía el tranvía hasta donde vivía, más allá del estadio del Ajax. Decidí que había llegado el momento de declarar mis intenciones. Me volví hacia ella y dije: «Chrissie, me gustaría pasar la noche contigo.»

Se volvió hacia mí con los ojos semicerrados y el mentón sacado. «Eso me parecía», contestó con presunción. Era de una arrogancia increíble.

Un traficante apostado en un puente sobre el canal de Achterburg nos apuntó con la mirada. Haciendo gala de un agudo sentido del oportunismo y el espíritu mercantil musitó: *«Ecstasy for the sex.»* Chrissie levantó una ceja e hizo ademán de detenerse, pero yo la conduje hacia adelante. La gente dice que los X son buenos para follar, pero a mí sólo me dan ganas de bailar y dar achuchones. Además, hacía tanto tiempo desde la última vez que tenía las gónadas como globos saltarines. Lo último que necesitaba era un afrodisíaco. Chrissie no me atraía. Me hacía falta un polvo; así de simple. El jaco tiende a imponer una moratoria sexual y el despertar poscaballo te machaca sin remisión; y si te pica te rascas. Estaba harto de meneármela sentado en el cuarto de estar de Rab/Robbie, del rancio y mohoso olor de mi lefa mezclándose con los vapores del hachís.

Chrissie compartía apartamento con una chica guapa y nerviosa llamada Margriet, que se comía las uñas, se mordía el labio inferior y hablaba el holandés con rapidez y el inglés con lentitud. Nos quedamos charlando un rato, y a continuación Chrissie y yo nos fuimos a la cama en su habitación de color pastel.

Empecé a besarla y a tocarla, y Richard nunca se alejaba de mis pensamientos. No quería preliminares, no quería *hacer el amor*, con aquella mujer no. Quería follármela. Ya. La única razón por la que le metía mano era Richard; pensaba que si me lo tomaba con calma y hacía un buen trabajo, tendría mayor dominio sobre ella y por tanto la oportunidad de fastidiarle mucho más.

«Fóllame...», murmuró. Levanté el edredón y me estremecí automáticamente al ver de reojo su vagina. Era fea; roja y con cicatrices. Estaba un poco avergonzada y me explicó tímidamente: «Una amiga y yo estuvimos jugando... con botellas de cerveza. Fue simplemente una de esas cosas que pasan cuando a una se le va la mano. Me duele tanto allá abajo...», se frotó la entrepierna, «Házmelo por detrás, Euan, me gusta. Aquí tengo la vaselina.» Se estiró para llegar al mueble que había junto a la cama y, revolviendo en un cajón, sacó un tarro de KY. Comenzó a engrasar mi polla erecta. «No te importa metérmela por el culo, ¿verdad? Copulemos como los animales, Euan..., eso es lo que somos, la Euroescoria, ¿recuerdas?» Se dio la vuelta y empezó a aplicarse la vaselina en el culo, empezando por la hendidura entre sus nalgas y, a continuación, metiéndosela directamente en el ojete. Cuando hubo terminado metí el dedo para ver si había mierda. Anal no me importa, pero la mierda ya me supera. Sin embargo estaba limpio, y desde luego era más bonito que su coño. Sería mejor polvo que aquel revoltijo deforme y lleno de cicatrices. Juegos de bolleras. Anda ya. ¿Con Margriet? ¡Seguro que no! Dejando aparte la estética, padecí ansiedad de castración, visualizando su chocho lleno aún de cristales rotos. Me conformaría con su culo.

Era evidente que lo había hecho antes, muchas veces, tanto daba de sí su ojete al horadarlo. Cogí sus pesadas nalgas con las dos manos mientras su repulsivo cuerpo se arqueaba frente a mí. Pensando en Richard, le susurré: «Creo que necesitas que te protejan de ti misma.» Empujé con premura y me llevé un susto al ver de reojo en un espejo de la pared mi rostro retorcido, burlón, feo. Frotándose con fuerza su coño lesionado, Chrissie se corrió, sus grasientos pliegues bamboleándose de un lado a otro mientras yo descargaba dentro de su recto.

Después del sexo, ella me dio auténtico asco. El mero hecho de estar tendido a su lado me costaba esfuerzo. Casi no pude dominar la náusea. Hubo un momento en que intenté darle la espalda, pero me envolvió con sus grandes y fofos brazos y me atrajo hacia su pecho. Permanecí tendido, sudando frío y sintiendo auténtico desprecio por mí mismo, aplastado contra sus tetas, que eran sorprendentemente pequeñas para su constitución.

Durante las semanas siguientes Chrissie y yo seguimos follando, siempre de la misma manera. El rencor que Richard sentía por mí aumentó en relación directa con estas actividades sexuales, pues, aunque estuve de acuerdo con Chrissie en no revelarle nuestra relación, era algo así como un secreto a voces. En cualquier otra circunstancia habría exigido que me clarificara el papel de aquella comadre en nuestro rollo. Sin embargo, ya planeaba dejar mi relación con Chrissie. Para ello, razoné, sería mejor que mantuviese próximos a Chrissie y Richard. Era extraño que no tuviesen un círculo más amplio de amistades; sólo conocidos como Cyrus, el tío que jugaba al flíper en el bar de Richard. Teniendo esto presente, lo que menos me convenía era que se distanciaran. Si eso sucedía, jamás me libraría de Chrissie sin causarle a aquella zorra inestable un montón de dolor. Cualesquiera que fuesen sus defectos, no se merecía más.

No engañé a Chrissie; esto no es meramente un intento retrospectivo de autojustificación por lo que estaba a punto de suceder. Estoy seguro de ello, pues recuerdo con claridad una conversación que tuvimos en un *coffee shop*[1] en Utrechtesstraat. Chrissie estaba muy ufana y empezaba a hacer planes para que nos fuéramos a vivir juntos. Aquello no tenía ningún sentido. Le dije abiertamente lo que le había estado diciendo solapadamente con mi comportamiento, si se hubiese tomado la molestia de reparar en él.

«No esperes nada de mí, Chrissie, no sé dar. No tiene nada que ver contigo. Soy yo. No puedo comprometerme. Nunca seré lo que tú quieres. Puedo ser tu amigo. Podemos follar. Pero no me pidas que dé. No sé.»

«Alguien ha debido hacerte muchísimo daño», dijo sacudiendo la cabeza mientras soltaba una bocanada de humo de hachís sobre la mesa. Intentaba convertir su evidente resentimiento en sentimientos de lástima por mí, y fracasaba miserablemente.

Recuerdo aquella conversación en aquel *coffee shop* porque tuvo el efecto opuesto al que yo deseaba. Se obsesionó aún más conmigo; yo era ahora un desafío mayor.

Y ésa era la verdad, pero quizá no toda. No podía dar *con Chrissie*. No se pueden imponer sentimientos donde no los hay. Pero para mí las cosas estaban cambiando. Me sentía más fuerte física y mentalmente, más dispuesto a abrirme a los demás, listo para desprenderme de mi inexpugnable coraza de amargura. Sólo necesitaba la persona adecuada.

Conseguí un empleo de recepcionista-portero-chico-para-todo en un pequeño hotel en el Damrak. El horario era largo y

1. Tiendas de consumo público de hachís y marihuana. (*N. del T.*)

poco regular y me sentaba en la recepción a ver la televisión o a leer, silenciando suavemente a los jóvenes huéspedes borrachos y fumados que se dejaban caer a cualquier hora. Durante el día comencé a asistir a clase de holandés.

Para alivio de Rab/Robbie, salí de su casa y me trasladé a una habitación en un hermoso apartamento en una casa del canal particularmente estrecha en Jordaan. La casa era nueva; había sido totalmente reconstruida debido al hundimiento del edificio anterior en el solar débil y arenoso de Amsterdam, pero fue edificada siguiendo el estilo tradicional de sus vecinas. Era sorprendentemente asequible.

Después de irme, Rab/Robbie volvió a parecerse al de antes. Era más amigable y sociable conmigo, quería que saliera a beber y fumar con él; a conocer a todos los amigos que había mantenido lejos de mí por preocupación, no fuera a ser que el yonqui ese los corrompiera. Eran típicos elementos años sesenta perdidos en el túnel del tiempo de Amsterdam, que fumaban mucho hachís y se cagaban de miedo con lo que ellos llamaban «drogas duras». Aunque yo no les aguantaba demasiado, estuvo bien volver a estar en pie de igualdad con Rab/Robbie. Un sábado por la tarde estábamos fumados en el café Floyd y nos sentimos lo bastante cómodos para poner nuestras cartas sobre la mesa.

«Me alegro de verte centrado, tío», dijo él. «Estabas fatal cuando llegaste aquí.»

«Fue verdaderamente estupendo que me acogieras, Rab... Robbie, pero no fuiste un anfitrión muy amistoso, todo hay que decirlo. Menudo careto ponías cuando llegabas por la noche.»

Sonrió. «Comprendo lo que dices, tío. Supongo que te puse aún más tenso de lo que estabas. Es que alucinaba un poco, ¿sabes? Todo el día trabajando como un cabrón y llegas a casa y ahí está el capullo demacrado ese intentando dejar el caballo..., quiero decir, que pensaba y tal: ¿Qué te has echado encima, tío?»

«Ya, supongo que abusé de tu confianza, y fui un poco sanguijuela.»

«Nah, tan malo no fuiste, tío», dijo cediendo, todo meloso. «Estaba demasiado crispado y eso. Es que, ya sabes, soy de esos que necesitan su propio espacio, ¿sabes?»

«Lo comprendo, tío», dije, tragándome un gran trozo de tarta espacial, y a continuación sonreí con vehemencia. «Capto las vibraciones cósmicas que emites, tío.»

Rab/Robbie sonrió y le dio una profunda calada a un peta. El polen estaba muy dulce. «Sabes, tío, me pillaste en un plan muy gilipollas. Toda esa mierda de Robbie. Llámame igual que siempre, como en Escocia. Como en Tollcross. Rab. Ése soy yo. Ése seré siempre. Rab Doran. Rebeldes de Tollcross.[1] T. C. R. Qué tiempos, ¿eh, tío?»

Fueron unos tiempos bastante desastrosos en realidad, pero el hogar siempre parece mejor cuando estás lejos, y más aún desde detrás de una neblina de hachís. Fui cómplice de su fantasía y recordamos viejas historias con unos cuantos porros más antes de irnos de bares y ponernos hasta el culo de alcohol.

A pesar del redescubrimiento de nuestra amistad, pasaba muy poco tiempo con Rab, principalmente a causa de los turnos de mi trabajo. Durante el día, si no iba a clases de idioma, empollaba o echaba una cabezadita antes de mi turno en el hotel. Una de las personas que vivía en el piso era una mujer llamada Valerie. Me ayudaba con el holandés, que mejoraba a pasos agigantados. Mis nociones de francés, español y alemán mejoraban también debido a los numerosos turistas con los que me relacionaba en el hotel. Valerie se convirtió en una buena amiga, y, lo más importante, tenía una amiga llamada Anna de la que me enamoré.

Fue una época hermosa para mí. Mi cinismo se evaporó y la vida me parecía una aventura de ilimitadas posibilidades. Ni que decir tiene que dejé de verme con Chrissie y Richard y raras veces me acercaba al barrio rojo. Representaban las huellas de una época más andrajosa y sórdida que creía haber dejado atrás. Ya no quería ni necesitaba embadurnarme la polla con aquella vaselina y hundirla en el fofo culo de Chrissie. Tenía una novia joven y hermosa con la que hacer el amor y eso es lo que hacía durante la mayor parte del día antes de salir tambaleándome para el último turno, colocadísimo de sexo.

1. Una zona «dura» del centro de Edimburgo. (*N. del T.*)

La vida fue poco menos que idílica durante el resto de ese verano. Esta situación cambió un día; un día claro y cálido en el que Anna y yo nos encontrábamos en la Plaza Dam. Me sobrecogí cuando vi que Chrissie se acercaba a nosotros. Llevaba gafas oscuras y parecía más hinchada que nunca. Estuvo empalagosamente agradable e insistió en que fuésemos a tomar una copa al bar de Richard en Warmoesstraat. Aunque me inquietaba, tenía la sensación de que de tratarla con frialdad provocaría un escándalo mayor.

Richard estaba encantado de que yo tuviera una novia que no fuese Chrissie. Jamás le había visto tan franco conmigo. Me sentí vagamente avergonzado por haberle atormentado. Hablaba de su ciudad natal, de Utrecht.

«¿Qué famosos son de Utrecht?», le dije para picarle un poco.

«Ah, mucha gente.»

«¿Ah, sí? Nómbrame a uno.

«A ver, eh, Gerald Vanenberg.»

«¿El del PSV?»

«Sí.»

Chrissie nos miró de un modo hostil. «¿Quién coño es Gerald Vanenberg?», saltó, volviéndose después hacia Anna y mirándola con las cejas enarcadas como si Richard y yo hubiésemos dicho algo ridículo.

«Un famoso futbolista internacional», gimoteó Richard. Tratando de amortiguar la tensión, añadió: «Salía con mi hermana.»

«Apuesto a que te gustaría que hubiera salido contigo», dijo Chrissie amargamente. Hubo un embarazoso silencio antes de que Richard nos suministrase más coscorrones de tequila.

Chrissie se dedicaba a hacerle zalamerías a Anna. Le acariciaba los brazos desnudos, diciéndole lo delgada y hermosa que era. Anna probablemente estaba avergonzada, pero lo llevaba bien. A mí me ofendía que aquella bollera gorda sobara a mi novia. Se volvió más hostil conmigo a medida que corría la bebida, preguntándome cómo me iban las cosas, a qué me dedicaba. Su voz había adoptado un tono de desafío.

«Sólo que ya no le vemos tanto últimamente, ¿no es así, Richard?»

«Déjalo, Chrissie...», dijo ansiosamente Richard.

Chrissie acarició la mejilla color melocotón de Anna. Anna le devolvió una sonrisa de incomodidad.

«¿Te folla como a mí? ¿Por tu hermoso culito?», preguntó. Sentí que me arrancaban la carne de los huesos. El rostro de Anna se retorció de desazón al volverse hacia mí.

«Creo que será mejor que nos marchemos», dije.

Chrissie me tiró encima un vaso de cerveza y empezó a insultarme. Richard la sujetaba desde detrás de la barra, de lo contrario me habría golpeado. «¡COGE A TU ASQUEROSA GUARRILLA Y LÁRGATE! ¡UNA MUJER DE VERDAD ES DEMASIADO PARA TI, JODIDA ALIMAÑA YONQUI! ¿LE HAS ENSEÑADO YA LOS BRAZOS?»

«Chrissie...», dije débilmente.

«¡A TOMAR POR CULO! ¡VETE A TOMAR POR CULO! ¡VETE A TIRARTE A TU NENITA, PUTO PEDERASTA! ¡YO SOY UNA MUJER DE VERDAD, UNA MUJER DE VERDAD, JODER!...»

Hice salir del bar a Anna. Cyrus me enseñó sus dientes amarillos y encogió sus anchos hombros. Me volví y vi a Richard confortando a Chrissie. «Soy una mujer de verdad, no una niñata.»

«Eres una mujer hermosa, Chrissie. La más hermosa», le oí decir consoladoramente.

En cierto sentido, fue como una bendición. Anna y yo fuimos a tomar una copa y le conté toda la historia de Chrissie y Richard, sin dejarme nada. Le conté lo hecho polvo y amargado que estaba, y cómo, aunque no le había prometido nada, había tratado a Chrissie bastante vilmente. Anna lo comprendió y nos olvidamos del episodio. Gracias a aquella conversación me sentí aún mejor y más desinhibido, mi último problemilla en Amsterdam quedaba aparentemente resuelto.

Era extraño, pero como Chrissie estaba tan jodida, casi pensé en ella unos días después cuando dijeron que habían pescado el cuerpo de una mujer en Oosterdok, junto a Centraal Station. Sin embargo, lo olvidé rápidamente. Disfrutaba de la vida, o al menos lo intentaba, aunque las circunstancias trabajaban en contra nuestra. Anna acababa de entrar en la universidad, para estudiar diseño de moda, y con mis turnos en el hotel éramos como barcos en la noche, así que estaba pensando en dejarlo y buscar otro trabajo. Había ahorrado un buen fajo de florines.

Sopesaba el asunto una tarde cuando oí que alguien aporreaba la puerta. Era Richard, y cuando le abrí me escupió a la cara. Estaba demasiado estupefacto para enfadarme. «¡Asesino de mierda!», me dijo con desprecio.

«Qué...» Lo sabía, pero no lo entendía. Mil impulsos recorrieron mi cuerpo dejándome petrificado.

«Chrissie está muerta.»

«Oosterdok..., era Chrissie...»

«Sí, era Chrissie. Supongo que ahora te sentirás feliz.»

«NO, TÍO... ¡NO!», protesté.

«¡Embustero! ¡Jodido hipócrita! La trataste como si fuera una mierda. Tú y otros como tú. No le hiciste ningún bien. La usaste como un trapo viejo y luego te deshiciste de ella. Te aprovechaste de su debilidad, de su necesidad de dar. La gente como tú lo hace siempre.»

«¡No! No fue así», supliqué, sabiendo muy bien que así había sido exactamente.

Se quedó de pie mirándome durante un rato. Era como si mirase más allá de mí, contemplando algo que no resultaba visible desde mi posición. Rompí un silencio que probablemente había durado sólo unos segundos, aunque parecieron minutos. «Quiero ir al funeral, Richard.»

Me sonrió cruelmente. «¿En Jersey? No irás hasta allí.»

«Las islas Normandas...», dije, dudando. No sabía que Chrissie era de allí. «Iré», le dije. Estaba decidido a ir. Me sentía lo bastante culpable. Tenía que ir.

Richard me escrutó despectivamente y entonces empezó a hablar en un tono de voz bajo, abrupto. «St Helier, Jersey. En casa de Robert Le Marchand, el padre de Chrissie. Es el próximo martes. Su hermana estuvo aquí, haciendo las gestiones para llevarse el cadáver.»

«Quiero ir. ¿Tú vas?»

Se burló de mí. «No. Está muerta. Yo quise ayudarla cuando vivía.» Se dio la vuelta y se marchó. Vi cómo su espalda se desvanecía hasta desaparecer, y a continuación entré otra vez en el piso temblando incontrolablemente.

Tenía que llegar a St Helier antes del martes. Ya me enteraría de los detalles del paradero de Le Marchand cuando llegase allí. Anna quería venir. Dije que no sería un buen compañero de viaje, pero insistió. En su compañía, y la de un sentimiento de culpa que parecía haberse filtrado hasta el coche de alquiler, conduje por las autopistas de Europa, atravesando Holanda, Bélgica y Francia, hasta el pequeño puerto de St Malo. Comencé a pensar, en Chrissie, claro, pero también en otras cosas que normalmente no me preocupan. Empecé a pensar en la política de la integración europea, en si era algo bueno o malo. Intenté casar la visión de los políticos con la paradoja que veía a lo largo de aquellos kilómetros de feas autopistas europeas; incompatibilidades absurdas con un inexorable destino compartido. La visión de los políticos parecía simplemente otro chanchullo más para sacar dinero u otro enorme flipe de poder. Devoramos todas aquellas monótonas carreteras antes de llegar a St Malo. Después de registrarnos en un hotel barato, Anna y yo nos emborrachamos a tope. A la mañana siguiente tomamos el ferry para Jersey.

Llegamos el lunes por la tarde y buscamos otro hotel. No había absolutamente ningún aviso de funeral en el *Jersey Evening Post*. Conseguí un listín y traté de localizar a Le Marchand. Había seis, pero sólo un R. Por el auricular salió una voz de hombre.

«Diga.»

«Hola. ¿Podría hablar con el señor Robert Le Marchand?»

«Al habla.»

«Siento mucho molestarle a estas horas. Somos amigos de Chrissie, venimos de Holanda para el funeral. Tenemos entendido que es mañana. ¿Le importaría que asistiéramos?»

«¿De Holanda?», repitió en tono de hastío.

«Sí. Estamos en el Hotel Gardener's.»

«Bueno, han recorrido un largo camino», declaró. Su pijo y suave acento inglés rechinaba. «El funeral es a las diez. La capilla de St Thomas, justo al volver la esquina de su hotel, de hecho.»

«Gracias», dije, mientras la línea se cortaba. *De hecho...* Por lo visto todo era una simple cuestión de hecho para el señor Le Marchand.

Me sentí absolutamente agotado. Sin duda la frialdad y hostilidad de aquel hombre eran debidas a ciertas suposiciones sobre los amigos de Chrissie de Amsterdam y las circunstancias de su muerte; su cuerpo estaba atiborrado de barbitúricos cuando lo pescaron en el puerto, aún más abotargado a causa del agua.

Durante el funeral me presenté a su madre y su padre. Su madre era una mujer pequeña y marchita, aún más menguada por la tragedia, que había alcanzando una fragilidad próxima a la nulidad. Su padre parecía que cargaba una enorme culpa que debía expiar. Pude percibir su sensación de fracaso y horror y ello me hizo sentirme menos culpable respecto de mi pequeño pero decisivo papel en el fallecimiento de Chrissie.

«No seré hipócrita», dijo. «No siempre nos gustamos, pero Christopher era mi hijo y le quería.»

Sentí un nudo en el pecho. Los oídos me zumbaban y parecía que me faltaba el aire. No distinguía ningún sonido. Logré asentir y me excusé, alejándome del racimo de deudos reunidos alrededor de la tumba.

Me quedé temblando de confusión, mientras los acontecimientos pasados se abismaban en mi mente. Anna me abrazó con fuerza, y los asistentes debieron de pensar que me encontraba sumido en el dolor. Una mujer se acercó a nosotros. Era una versión más joven, más delgada y más bonita de Chrissie... Chris...

«Lo sabéis, ¿verdad?»

Me quedé contemplando el vacío.

«No le digáis nada a mamá y papá. ¿No os lo dijo Richard?»

Asentí sin comprender.

«Mamá y papá se morirían del disgusto. No saben lo de su cambio... Yo traje el cuerpo a casa. Hice que le cortaran el pelo y le pusieran un traje. Les soborné para que no dijeran nada... sólo provocaría dolor. No era una mujer. Era mi hermano, ¿os dais cuenta? Era un hombre. Así nació y así lo han enterrado. Cualquier otra cosa sólo haría sufrir a los que se quedan. ¿No os dais cuenta?», suplicó. «Chris estaba confundido. Hecho un lío. Un lío aquí dentro», se señaló la cabeza. «Dios, lo intenté, todos lo intentamos. Mamá y papá podían con lo de las drogas, incluso con la homosexualidad. Todo eran experimentos con Christopher. Trataba de encontrarse..., ya sabéis cómo son.» Me miró con un desprecio embarazoso: «Quiero decir esa clase de personas.» Empezó a sollozar.

Estaba consumida por el dolor y la ira. En semejantes circunstancias había que concederle el beneficio de la duda, aunque ¿qué ocultaba? ¿Cuál era el problema? ¿Qué tenía de malo la realidad? Como ex yonqui conocía la respuesta. A menudo es mucho lo que la realidad tiene de malo. En cualquier caso, ¿la realidad de quién?

«No pasa nada», dije yo. Ella asintió en señal de agradecimiento antes de unirse al resto de su familia. No nos quedamos mucho. Había un ferry que coger.

Cuando volvimos a Amsterdam, busqué a Richard. Se disculpó por haberla tomado conmigo. «Te juzgué mal. Chrissie estaba confusa. Tuvo poco que ver contigo. Fue una faena dejarte marchar sin contarte la verdad.»

«Nah, me lo merecía. El mierda del año, ése era yo», dije tristemente.

Tomamos unas cervezas y me contó la historia de Chrissie. Las crisis, la decisión de reordenar radicalmente su vida y cambiar de sexo, gastándose una herencia considerable en el tratamiento. Empezó con hormonas femeninas, tanto estrógenos como progesterona. Éstas desarrollaron sus pechos, suavizaron su piel y redujeron el vello corporal. Su fuerza muscular menguó y la distribución de la grasa subcutánea se desvió en una dirección femenina. Se sometió a depilación eléctrica para suprimir el vello facial. A esto le siguió cirugía en la garganta, lo que tuvo como resultado la extracción de la nuez y la suavización de la voz tras una terapia de entrenamiento.

Anduvo así durante tres años, antes de someterse a la cirugía más radical. Ésta se llevó a cabo en cuatro etapas: penectomía, castración, reconstrucción plástica y vaginoplastia, la formación de una vagina artificial, construida mediante la creación de un hueco entre la próstata y el recto. La vagina fue formada mediante injertos de piel procedentes del muslo y revestida con piel del pene y/o el escroto, lo cual, explicó Richard, hacía posibles las sensaciones orgásmicas. La forma de la vagina se consolidó a base de llevar un molde durante varias semanas después de la operación.

A Chrissie la cirugía le había provocado fuertes dolores, y

por tanto tenía una enorme dependencia de los analgésicos, lo cual, dado su historial, no fue probablemente nada bueno. Ésa, pensaba Richard, era la auténtica clave de su fallecimiento. La vio salir andando desde su bar hacia la Plaza Dam. Se compró unos barbitúricos, los tomó, fue vista totalmente ida en un par de bares antes de acabar deambulando por el canal. Pudo haber sido suicidio o un accidente, o quizá la zona de penumbra que hay entre los dos.

Christopher y Richard habían sido amantes. Hablaba afectuosamente de Christopher, feliz de poder referirse a él ahora como Chris. Habló de todas sus obsesiones, ambiciones y sueños; todas las obsesiones, ambiciones y sueños *de ambos*. A menudo estuvieron a punto de encontrar su nicho; en París, Laguna Beach, Ibiza y Hamburgo; estuvieron a punto, pero nunca lo bastante cerca del todo. No eran Euroescoria, sólo gente que trataba de ir tirando.

Me metí el último chute en el retrete a bordo del ferry, y a continuación subí a popa. Era impresionante; la humedad en la cara mientras las gaviotas graznaban persiguiendo al barco; un prolongado flash recorriéndome el cuerpo. ¡Todos a cubierta! Me agarro a la barandilla y vomito una bilis acre en el Mar del Norte. Una mujer me echa una mirada de preocupación. Contesto con una sonrisa de agradecimiento. «Tratando de acostumbrarme a la vida de a bordo», grito, antes de retirarme al salón-bar para pedir un café solo que no tengo intención alguna de tomar.

La travesía está bien. Me encuentro aplatanado. Me siento en silencio, sin duda un cadáver inexpresivo para todos los demás pasajeros, pero inmerso en un diálogo interior pleno de significado. Rebobino historias recientes, proyectándome en un papel virtuoso, justificando las pequeñas atrocidades que he infligido a otros por ofrecerles importantes conocimientos y percepciones.

Empiezo a sufrir en el tren de enlace: Harwich − Colchester − Marks Tey − Kelvedon − Chelmsford − Shenfield ESTE TREN NO DEBERÍA PARAR EN EL PUTO SHENFIELD − Romford IMPULSO A ESTE TREN A LO LARGO DE CADA CENTÍMETRO DE VÍA FÉRREA (¿Qué pasa con Manningtree, a todo esto, dónde cojones ha ido a parar Manningtree?) HASTA LONDRES Liverpool Street. El metro va a todas partes excepto a Hackney. Demasiado cenagoso. Me bajo en Bethnal Green y de un brinco me subo al 253 hasta Lower Clapton Road. Desfilo calle abajo por Homerton Road y me adentro en el barrio de Kingsmead. Espero que Donovan siga en la casa ocupada del segundo piso. Espero que no me guarde rencor por el incidente de Stockwell, seguro que a estas alturas ya es agua pasada. Me abro paso a empujones entre unos hoscos niños asesinos-de-animales-domésticos que escriben con aerosol sobre la pared elegantes eslóganes ilegibles. Tan demodé, tan gueto.

«¡Cuidado! ¡Puto yonqui!»

¿Debería follarme a estas criaturas antes o después de matarlas?

No hago nada semejante. Es la hora esa.

Don sigue allí. Puerta reforzada. Ahora sólo tengo que preocuparme por si está en casa o no, y en caso de que esté, por si me dejará o no entrar. Golpeo la puerta con fuerza.

«¿Quién es?» La voz de Angie. Don y Ange. No me sorprende; siempre pensé que acabarían enrollándose.

«Abre, Ange, me cago en la hostia. Soy yo, Euan.»

Se abren una sucesión de cierres y Ange me mira, sus rasgos nítidos más prominentes que nunca, definidos y cincelados por el jaco. Me hace pasar y cierra la puerta.

«¿Está Don por ahí?»

«Nah, ha salido, ¿vale?»

«¿Hay algo de jaco?»

Su boca se tuerce hacia abajo y sus ojos oscuros se aferran a mí como los de un gato que ha acorralado a un ratón. Contempla la posibilidad de mentir y, a continuación, reparando en mi desesperación, se decide en contra.

«¿Qué tal por 'Dam?» Está jugando conmigo, la jodida vacaburra.

«Necesito un chute, Ange.»

Saca algo de mandanga y me ayuda a prepararla y a chutarme. Me recorre un flash, seguido de una marejada de náuseas. ¡Todos a cubierta! Vomito sobre un *Daily Mirror*. Paul Gascoigne está en portada, guiñando el ojo y levantando el pulgar, metido en una máquina de tracción y envuelto en escayola. El periódico es de hace ocho meses.

Ange se prepara un chute empleando mis herramientas. No me agrada demasiado pero tampoco puedo decir gran cosa. Miro sus fríos ojos de pez, engastados en esa carne cristalina. Podría uno hacerse mucho daño con su nariz, sus pómulos y su mandíbula.

Se sienta a mi lado, pero mira directamente hacia adelante en vez de volverse para darme la cara. Empieza a hablar sin parar sobre su vida con lenta y regular monotonía. Me siento como un sacerdote yonqui. Me cuenta que fue violada por una pandilla de tíos y que se sintió tan mal que ha estado enganchada desde entonces. Empiezo a tener una sensación de *déjà-vu*. Estoy seguro de que eso me lo ha contado antes.

«Duele, Euan. Duele por dentro, joder. La mandanga es lo único que me quita el dolor. Yo no puedo hacer nada. Estoy muerta por dentro. No podrías llegar a comprenderlo. Ningún hombre puede comprenderlo. Mataron una parte de mí, Euan. La mejor. Lo que estás viendo es un puto espectro. No importa demasiado lo que le pase a un puto fantasma.» Hace asomar una vena a base de golpecitos, pincha la diana y tiene una convulsión de agradecimiento cuando bombea la mandanga por su organismo.

Al menos, el subidón le cierra el pico. Tenía algo de inquietante hablando de ese modo como de ultratumba. Miro al *Mirror*. Hay varias moscas dándose un festín con Gazza.

«Esos violadores. Reúne una cuadrilla, y a por ellos», sugiero.

Se vuelve hacia mí, sacude lentamente la cabeza, y se vuelve otra vez. «No, las cosas no son así. No hay nadie mejor relacionado que estos tíos. Siguen haciéndoselo a otras mujeres. Uno de ellos liga en un club, se trae a la mujer. Los demás están esperando y se limitan a utilizarla como un puto kleenex hasta que se hartan.»

Supongo que para aproximarte a lo que se siente tendrías que pensar en una docena de tíos metiéndotela por el ojete.

«Eso era lo último», murmura con melancólica satisfacción. «Espero que Don traiga un poco cuando vuelva.»

«Los dos lo esperamos, muñeca, los dos.»

Podrían haber pasado horas o minutos, pero Donovan apareció por fin.

«¿Qué coño haces tú aquí, tío?» Se puso las manos sobre la cadera y adelantó la cabeza hacia mí.

«Yo también me alegro de verte, colega.»

Parecía como si a Donovan el caballo le hubiera diluido el tono de la piel. Michael Jackson probablemente ha pagado millones para obtener el mismo efecto que a Don le proporciona el jaco. Estaba como un granizado al que le habían succionado el hielo. Ahora que lo pienso, Ange tenía más color antes. Al parecer, si tomas jaco suficiente pierdes por completo cualquier rasgo racial. Verdaderamente, el jaco hace irrelevantes todas las demás características de una persona.

«¿Tienes mandanga?» Su acento pasó de un agudo y afeminado gañido norlondinense a un rico y espeso rasta jamaicano.

«Y una mierda. Estoy aquí para pillar.»

Don se volvió hacia Ange. Se notaba que no había pillado y que estaba a punto de subirse por las paredes porque ella me había dado lo último. Justamente cuando empezaba a hablar, se oyó un golpe en la puerta, y aunque ésta se mantuvo firme, después de un par de impactos más el marco se desprendió de la pared y todo el armatoste cayó hacia dentro. Se veía a dos tipos con almádenas en el pasillo. Parecían tan pirados que casi me sentí aliviado cuando un grupo de cerdos entró como un torbellino saltando a nuestro alrededor. Me fijé en la expresión de decepción en la cara de un puto veterano de la policía antidroga. Sabía que si hubiéramos tenido algo habríamos corrido hasta los lavabos para tirar la mandanga por la taza del wáter, pero ninguno de nosotros se había movido. Nadie llevaba nada. Pusieron la casa patas arriba por pura rutina. Uno de los polis recogió mis herramientas y me miró con expresión de desprecio. Enarqué las cejas y le sonreí perezosamente. «A la puta comisaría con esta basura», gritó. Nos botaron del piso, nos llevaron escaleras abajo y nos metieron en una tocinera. Hubo un sonoro impacto cuando una botella golpeó el techo de la furgoneta. Se detuvieron y salieron un par de polis, pero pasaron de perseguir a los chavales, que probablemente la habían arrojado desde un balcón. Nos estrujaron entre sus moles, murmurando oscuras amenazas de vez en cuando.

Miré a Don, sentado frente a mí. El coche pasó como una exhalación por delante de la comisaría de Lower Clapton Road, y después por delante de la de Dalston. Nosotros íbamos a la de Stoke Newington. Una comisaría renombrada. El nombre que teníamos en la cabeza Don y yo era, casi con toda certeza, el de Earl Barratt.

En la comisaría me pidieron que me vaciase los bolsillos. Lo hice, pero se me cayó al suelo un juego de llaves. Me agaché para recogerlas y la bufanda tocó el suelo. Un poli la pisó y me dejó inmovilizado en el sitio, impotente, doblado, incapaz de levantar la cabeza.

«¡Levántate!», soltó otro.

«Estás pisándome la bufanda.»

«¡Que levantes tu puto culo de yonqui asqueroso de una vez!»

«¡No puedo moverme, joder, me estás pisando la bufanda!»

«Ya te daré yo puta bufanda, pedazo de Jock cabrón.» Me dio una patada o un puñetazo en el costado y caí sobre el suelo, plegándome como una tumbona, más por el shock que por la fuerza del golpe.

«¡Levántate! ¡Levántate de una puta vez!»

Me puse en pie tambaleándome, la sangre me subió a la cabeza, y me llevaron a rastras a un cuarto de interrogatorios. Tenía una sensación confusa en el cerebro cuando empezaron a ladrar preguntas. Logré mascullar algunas débiles respuestas antes de que me arrojaran al calabozo de los borrachos. Era una gran habitación con baldosas blancas y bancos adosados y una colección de colchones de gomaespuma y vinilo en el suelo. Estaba lleno de privosos, manguis y camellos de cannabis. Reconocí a un par de tíos negros del Line, en Sandringham Road. Intenté evitar que nuestras miradas se cruzasen. Allí los camellos odian a los picotas. Los cerdos racistas les montan una bronca pidiéndoles jaco cuando ellos sólo trapichean con costo.

Afortunadamente, desvían su atención de mí cuando dos fornidos tíos blancos, uno de ellos con un marcado acento irlandés, empiezan a inflar a patadas a un travesti con una sola oreja. Cuando creyeron que ya le habían dado bastante, empezaron a mearse sobre su figura postrada.

Parece que lleve siglos allí, y estoy cada vez más chungo y cada vez más desesperado. Entonces arrojan dentro a Don, chungo y maltrecho. El poli que le ha traído a empujones ve que al chico de una sola oreja que está tendido en el suelo le han dado un repaso acojonante, pero se limita a sacudir la cabeza con desprecio y corre el cerrojo de la puerta. Don se sienta a mi lado en el banco, con la cabeza entre las manos. Al principio me fijo en la sangre que tiene en las manos, pero después veo que procede de la nariz y de la boca, que están muy hinchadas. Era evidente que había resbalado con algo y se había caído por unas escaleras. Eso solía ocurrirle a la clientela negra en la comisaría de Stokie. Como a Earl Barratt. Don está temblando. Me decido a hablar.

«Ya te digo, tío, estoy un pelín decepcionado con el sistema de justicia criminal de este país, al menos tal y como se administra aquí en Stokie.»

Se volvió hacia mí, mostrándome toda la magnitud de la tunda. Bastante vigorosa. «Yo de aquí no salgo, tío», dijo temblando, los ojos abiertos de miedo. Lo decía en serio. «Ya te enteraste de lo de Barratt. Este sitio es famoso por eso. Soy del puto color equivocado, especialmente para un yonqui. No saldré vivo.»

Estaba a punto de intentar tranquilizarle, pero no parecía que anduviese muy desencaminado. Se nos acercaron tres tíos negros. Habían estado mirando y escuchando.

«Eh, hermano, si andas por ahí con esta basura, te llevas lo que te mereces», se burló uno de ellos. Nos iban a currar. Los tíos empezaron que si el jaco que si los camellos, mentalizándose para el momento en que desencadenarían su furia sobre nosotros. Evidentemente, la paliza que los blancos le habían dado al travesti de una sola oreja les había abierto el apetito.

Polis al rescate. Cuando nos agarraron y nos sacaron a rastras, pensé en lo de la sartén y el fuego. Nos volvieron a meter en distintos cuartos de interrogatorio. En la habitación no había sillas, así que tuve que sentarme sobre la mesa. Me obligaron a esperar mucho rato.

Me levanté de golpe cuando entraron dos cerdos y se unieron a mí. Se trajeron unas sillas. Un cerdo de cabello plateado pero de rostro todavía juvenil me dijo que me sentara. «¿Quién te dio la mandanga? Venga, Jock. Euan, ¿no es así como te llamas? Tú no eres camello. ¿Quién trapichea con esta mercancía?», preguntó, con los ojos llenos de una compasión perezosa y cansina. Parecía un tío legal.

NO TIENEN UNA PUTA MIERDA A LA QUE AGARRARSE.

Otro poli, rechoncho, bovino y de cabello oscuro con una especie de corte de pelo de tazón, soltó: «Su puto amigo el negro. Aquel negrito del África tropical, ¿no es así, Jock? Pues más te vale empezar a hablar, hijo mío, porque tenemos aquí al lado al primer canario negro del mundo trina que te trina, y no te gustaría, repito, no te gustaría oír la canción que está cantando.»

Siguieron así durante un rato, pero no podían entrar en el lugar en que me había refugiado dentro de mi cabeza.

Entonces uno de ellos sacó una bolsa de polvo blanco. Parecía buena mandanga.

«Los chavalillos han estado usando esta mandanga en el colegio. ¿Quién se la proporciona, Euan?», pregunta el Chico Plateado de tus Sueños.

NO TIENEN UNA PUTA MIERDA A LA QUE AGARRARSE.

«Yo sólo me pico de vez en cuando. No tengo suficiente para mí, ya no digamos para cualquier otro capullo.»

«Veo que aquí nos va a hacer falta un jodido intérprete. ¿Hay algún capullo de guardia esta noche que hable escocés?», pregunta el cabrón de pelo negro. La Máquina de los Sueños Plateados le ignora. Él sigue con lo suyo. «Eso es lo que pasa con la escoria como vosotros. Todos os metéis, ¿no? Nadie la vende. Será que crece en los árboles, ¿no?»

«Nah, en el campo», dije, lamentándolo inmediatamente.

«¿Qué cojones has dicho?», se incorporó, pálidos nudillos sobre la mesa.

«Campos de adormidera. Opio. Crece en campos», masculé.

Su mano va a parar detrás de mi cuello y aprieta. No deja de apretar. Es como si estuviese viendo cómo estrangulan hasta morir a algún otro cabrón. Le agarro el brazo con ambas manos, pero no puedo romper su presa. Lo hace Chico de Plata. «Déjalo, George. Ya basta. Recupera el aliento, hijo.» La cabeza me late implacablemente y me siento como si nunca más fuera a poder llenar mis pulmones a plena capacidad.

«Conocemos el percal, hijo; te hemos preparado una declaración para que la firmes. Ahora bien, yo no quiero que firmes algo con lo que no estés satisfecho. Tómate tu tiempo. Mírala bien. Léela. Asimílala. Como te he dicho, tómate tu tiempo. Cualquier cosa que quieras cambiar, podemos cambiarla», bisbiseó dulcemente.

El tío más moreno dejó a un lado su tono hostil. «Entréganos al *wog*,[1] hijo, y te puedes marchar de aquí ahora mismo con esto. La mejor mandanga farmacéutica, ¿eh, Fred?» Agitó el jaco provocativamente delante de mí.

«Eso me han contado, George. Venga, Euan, no te compliques la vida. Pareces un tipo bastante decente, a pesar de las apariencias. Estás metido en un follón bastante gordo, macho.»

«Jocks, ingleses, qué más da, ¿no es así? Somos todos blancos. ¿Vas a pasarte una temporada a la sombra por un maldito *Congo*?[2] Espabila, Jock. Enchironan a un puto piel de caca más, ¿y a ti qué, eh? No es que escaseen precisamente, ¿verdad?»

La *Met*.[3] Los cabrones de camisa blanca. Le dieron una somanta a Drew, cuando bajó desde Monktonhall a Orgreave durante la huelga del 84. Ahora querían a Donovan. El color de piel equivocado. Van a hacerle pasar por un Capo. Esta declaración parece sacada de Agatha Christie. ¿Qué pasa con Ange? Probablemente se haya ido de la lengua con todo dios para salvar el pellejo. Estoy empezando a encontrarme chungo, chungo de verdad. Si firmo me dan el jaco, puedo montármelo bien. Contar a los periódicos la historia de cómo obtuvieron la confesión. NO TIENEN UNA PUTA MIERDA A LA QUE AGARRARSE. Dolor. Envenenar a Don. ECHARLE HUEVOS dolor jaco DAME LA PUTA PLUMA meterán a Don en la trena, le meterán en la trena por nada Agatha Christie de mierda DAME LA PUTA PLUMA.

«Dame la pluma.»

«Sabía que entrarías en razón, Jock.»

Me metí el paquete de polvos, mis treinta monedas de plata, en el bolsillo. Rompieron en pedacitos la hoja de cargos.

---

1. Término racista que designa a negros e indios. (*N. del T.*)
2. Término racista. (*N. del T.*)
3. La Policía Metropolitana. (*N. del T.*)

Era libre de marcharme. Cuando llegué a recepción, Ange estaba allí sentada. Sabía que ella también se había vendido. Me miró con amargura.

«Venga, vosotros dos», dijo un poli chupatintas. «Podéis iros, y no os metáis en líos otra vez.» Los dos polis que me habían interrogado estaban allí de pie, detrás de él. Me alegré de marcharme. Ange estaba tan ansiosa que se fue directamente contra la puerta de cristal blindado precisamente cuando el poli nos decía que anduviéramos con ojo. Se produjo un ¡zas! cuando el cristal y su cabeza chocaron. Pareció salir rebotada, vibrando, como los personajes de los dibujos animados. Yo me reí de puro nerviosismo, uniéndome a las carcajadas de los polis.

«Estúpida guarra de mierda», se burló el poli moreno.

Ange estaba muy afligida cuando la saqué al aire libre. Las lágrimas le caían por la cara como un reguero. Se le estaba haciendo un huevo en la frente. «Le has vendido, ¿no? ¿NO?» Se le estaba corriendo el rímel. Parecía Alice Cooper.

El numerito no convencía, sin embargo. «¿Y tú no?»

Su silencio lo decía todo, y a continuación confesó, hastiada.

«Sí, bueno, de momento no había más remedio, ¿no? Quiero decir, tenía que salir de ahí. Lo estaba pasando fatal allí dentro.»

«Sé lo que quieres decir», asentí. «Más tarde lo arreglaremos. Iremos a ver a un abogado. Le diremos al cabrón que firmamos esas declaraciones bajo coacción. Don saldrá riéndose. Hasta tendrán que indemnizarle. Eso es, lo arreglamos, nos desenganchamos, ponemos las cosas en regla y vamos a ver a un abogado. A la larga una temporada en prisión preventiva le hará bien. Podrá desengancharse. ¡Joder, nos lo acabará agradeciendo!»

Ya mientras lo decía, sabía que era prometer la luna. Yo desaparecería; dejaría a Don en manos del destino que le tocara. Pero pasar por aquella pantomima me hacía sentir mejor.

«Sí, así se desenganchará», asintió Ange.

Fuera de la comisaría había un grupo de manifestantes. Al parecer habían estado toda la noche de vigilia. Protestaban por el tratamiento que la *Old Bill*[1] local daba a la juventud negra, y en particular por Earl Barratt, un tío que entró en la comisaría de Stokie una noche y al día siguiente salió tieso en una bolsa de plástico. Muy resbaladizas, esas putas escaleras.

Reconocí a un tío de la prensa negra, *The Voice*, y me fui hacia él. «Escucha, colega, tienen a un tío negro allí dentro. Le han forrado pero de qué manera. Nos obligaron a firmar una declaración.»

«¿Cómo se llama?», preguntó el tío con una pija voz angloafricana.

«Donovan Prescott.»

«¿El tío de Kingsmead? ¿El picota?»

Me quedé mirándole mientras se le endurecían las facciones.

«No ha hecho nada malo», intercedió Ange.

Le apunté con el dedo, proyectando hacia él la ira que sentía contra mí mismo. «¡Joder, publícalo y a la mierda, pedazo de capullo! ¡Da igual lo que sea, tiene el mismo derecho que cualquier otro cabrón!»

«¿Cómo te llamas, *mon*?»,[2] preguntó un compinche.

«¿Y eso qué tiene que ver?»

«Bájate a la redacción. Te sacaremos la foto», sonrió el tío africano. Él sabía que eso no era posible. Yo no pensaba decirle nada a ningún cabrón; si lo hacía, la policía me levantaría la veda.

«Haced lo que os dé la gana, joder», dije, volviéndome.

Una mujer corpulenta se me acercó y empezó a gritar: «¡Allí dentro tienen a buenos chicos cristianos. Leroy Ducane y Orit Campbell. Chicos que nunca han hecho nada malo. Hablamos de esos chicos, no de ningún asqueroso demonio drogadicto.»

Un rasta alto con gafas a lo John Lennon agitó amenazadoramente una pancarta en mis narices. En ella podía leerse:

---

1. Vieja denominación cockney de la policía. (*N. del T.*)
2. Pronunciación jamaicana de *man* («hombre»/«tío»). (*N. del T.*)

Me volví hacia Ange y me escabullí, temblando, lejos de allí, mientras me llegaban a los oídos algunos insultos y amenazas. Durante un rato pensé que nos seguían. Nos alejamos en silencio y no hablamos hasta que llegamos a la estación de Dalston Kingsland. Paranoia City.

«¿Adónde vas?», preguntó Ange.

«Voy a coger el cercanías, la línea North London a casa de un colega de Kentish Town que se llama Albie. Voy a apañarme con esta mandanga porcina, y de ahí me voy para el Bush. Allí son civilizados, ¿sabes? Ya estoy hasta los cojones de Hackney, es peor que aquello. Demasiada estrechez mental. Demasiados cabrones santurrones y entrometidos. El aislamiento, ése es el problema que tiene. No tiene metro. No hay suficiente contacto social con el resto de Londres. Una puta zona de estancamiento urbano.»

Estaba despotricando. Chungo y despotricando.

«Tengo que ir contigo. El piso estará jodido. A estas alturas ya le habrán pegado fuego. Los cerdos no quisieron molestarse en cerrar la puerta.»

No quería llevar a Ange a remolque, tenía un terrible virus de la mala suerte. Normalmente, el virus de la mala suerte se transmite por contacto estrecho con quienes lo padecen habitualmente. No obstante, no pude decir nada cuando el tren se detuvo y subimos a él, sentándonos el uno frente al otro en un silencio chungo y opresivo.

Mientras el tren arrancaba le eché una mirada furtiva. Espero que no pretenda que me acueste con ella. En este momento el sexo no me va. Quizá Albie estaría dispuesto, si ella quisiera. Era un pensamiento perturbador, pero sólo porque pensar en cualquier cuestión ajena me perturbaba. De todos modos pronto estaría libre de todo; libre de su quejumbrosa persistencia, pensé, manoseando el paquete que llevaba en el bolsillo del pantalón.

---

1. *Hands off the Black Youth* («Fuera las manos de la juventud negra»), de nuevo, imitando el habla jamaicana. (*N. del T.*)

Fiona llevaba una temporada indecentemente larga incordiando a Valerie para invitarnos a cenar a su casa y la de Keith. Dejamos correr las cosas, como hace la gente, pero finalmente nos dio vergüenza seguir poniendo excusas; de hecho parecía menos incordiante fijar una fecha y pasarnos por su casa una tarde.

Encontramos a Fiona animadísima. Había conseguido un ascenso en su trabajo en una aseguradora de corporaciones, vendiendo pólizas a grandes compañías. Vender pólizas a ese nivel es un noventa por ciento de relaciones públicas, lo cual, a su vez, como cualquier relaciones públicas indiscreto te dirá, es un noventa y cinco por ciento de hospitalidad y un cinco por ciento de información. El problema que tenía Fiona, como mucha gente entregada a su profesión, es que era incapaz de apagar el interruptor de su rol ocupacional y podía por consiguiente ser aplastantemente aburrida.

«¡Adelante! ¡Qué maravilloso veros! ¡Cielos! ¡Un traje precioso, Val! ¿Dónde lo has comprado? Crawford, te veo muy ancho. Pero te sienta bien. ¿Ha estado haciendo pesas, Val? ¿Has hecho *pesas*, Crawford? ¡Tenéis un aspecto espléndido, los dos! Voy a por las bebidas. Vodka con tónica para ti, Val, sentaos, sentaos, quiero que me contéis todas vuestras aventuras, todo, cielos, si tendré yo cosas que contaros... Supongo que querrás un Jack Daniels, Crawford.»

1. *Vat* significa cuba o tinaja y VAT '69 es el nombre de una marca de whisky. (*N. del T.*)

«Eh, una lata de cerveza estaría muy bien.»

«Ay, cerveza. Ay. Lo siento. Cielos. La cerveza se nos ha acabado. Ay, Dios. ¡Crawford y su cerveza!»

Después de haber armado semejante revuelo, me reprendió por el pecado capital de pedir una cerveza. Me conformé con un Jack Daniels, que Fiona había traído *especialmente* para mí.

«Ay, Val, cielos, te tengo que hablar del tío tan extraordinario que he conocido...», empezó Fiona, antes de reparar en nuestra sorpresa e incomodidad.

Realmente, no hacía falta que dijésemos: ¿Dónde está Keith?, pues nuestros ojos debieron de hablar por sí solos.

«Cielos, no sé muy bien cómo deciros esto. Me temo que hay noticias bastante malas en cuanto a Keithy-weithy-woo». Cruzó la amplia habitación y levantó la cubierta de un tanque de vidrio que estaba apoyado contra la pared. Encendió una luz a un lado del tanque y dijo: «¡Despierta, despierta, han venido Valerie y Crawford!»

Al principio pensé que se trataba de una pecera, que Keith se había dado el piro y que Fiona, hecha polvo, había transferido sus energías emocionales a un animal doméstico en forma de pez tropical. Mirándolo retrospectivamente, reconozco que era una idea poco sólida.

Entonces advertí que dentro del tanque había una cabeza. Una cabeza humana, sin cuerpo, decapitada. Además, la cabeza parecía estar viva. Me aproximé más. Los ojos que había en la cabeza se movían. El pelo estaba desparramado a su alrededor, como el de la Medusa, ingrávido por el fluido amarillo y acuoso en el que estaba sumergido. Varias tuberías, tubos y cables penetraban en la cabeza, principalmente a la altura del cuello, pero también en otros puntos. Debajo del tanque había un panel de control, con esferas, interruptores y luces.

«Keith...», balbuceé.

La cabeza me guiñó un ojo.

«No esperes demasiada conversación», dijo Fiona. Bajó la vista hacia el tanque: «Pobrecito mío. No puede hablar. No tiene pulmones, sabes.» Le dio un beso al tanque, y a continuación hizo aspavientos por la mancha de pintalabios que había dejado.

«¿Qué le ha pasado?» Valerie dio un paso adelante y dos pasos atrás.

«Esta máquina le mantiene vivo. Maravillosa, ¿no? Nos costó cuatrocientas treinta y dos mil libras.» Pronunció la cifra rimbombantemente, con deliberada e intrigante dilación y conmoción fingida. «Lo sé, lo sé», prosiguió, «os preguntaréis cómo podemos permitírnoslo.»

«De hecho», dije gélidamente, «nos preguntábamos qué le ha pasado a Keith.»

«¡Ay, cielos, sí, cuánto lo siento! Ha debido ser un golpe horrible para vosotros. Keith iba a toda pastilla por la M25 en dirección a Guildford cuando el Porsche se salió de la carretera. Un reventón. Al parecer, el coche atravesó dos carriles, la mediana y fue a parar frente al tráfico que venía en dirección contraria. Así que se produjo un choque frontal con un enorme camión con remolque; el Porsche quedó completamente destrozado, como cabría esperar. Casi acaba con Keith, bueno en cierto sentido lo hizo. Pobre Keithy-weithy-woo.» Bajó la vista hasta el tanque, con una expresión ligeramente tirante y triste por vez primera.

«El agente del seguro médico me dijo: En cierto sentido, su marido está muerto. Su cuerpo ha quedado hecho papilla. La mayoría de los órganos principales están inservibles. No obstante, su cabeza y su cerebro siguen intactos. Tenemos una nueva máquina desarrollada en Alemania y probada en los Estados Unidos. Quisiéramos que nos diese su consentimiento para tratar a Keith. Es muy costosa, pero podemos llegar a un acuerdo con el seguro de vida porque técnicamente él está muerto. Es una cuestión difícil, dijo el hombre de la asistencia sanitaria, y dejaremos la parte ética del asunto a los filósofos. Después de todo, para eso pagamos impuestos, para que se sienten a meditar en sus torres de marfil. Eso fue lo que dijo. La verdad es que me gustó aquello. De todas formas, me dijo que sus especialistas legales aún tenían que poner algunos puntos sobre las íes, pero que confiaban, así me lo dijo, en lograrlo. ¿Nos da usted su consentimiento?, me preguntó. Bueno, cielos, ¿qué podía decirle?»

Miré a Val, y después a Keith. No había gran cosa que decir. Quizá algún día, con los progresos de la ciencia médica, encontrarían un cuerpo con una cabeza inservible y serían capaces de realizar un trasplante. La verdad es que no faltan; pensaba en varios políticos. Di por sentado que la finalidad de aquel sórdido y estrafalario despliegue de medios era hallar un cuerpo sano al que pegar la cabeza. La verdad es que no quería saberlo.

Nos sentamos a cenar. Puede que Fiona dijera que la velada había sido un éxito, como podría serlo una misión en el trabajo o un proyecto que había que finalizar. Hubo una o dos grandes meteduras de pata, como cuando yo me negué a tomar un vaso de vino.

«Conduzco yo, Fiona, más vale no perder la cabeza...» Miré hacia lo que quedaba de Keith en el tanque y articulé una disculpa. Keith parpadeó.

Mientras Fiona salía disparada de un lado a otro, entrando y saliendo de la cocina, Valerie le pedía que se sentara y se calmara. Casi le dijo que andaba por allí como un pollo sin cabeza, pero logró convertirlo a tiempo en mosca culiazulada.

No obstante, la velada no resultó demasiado insufrible y la cena estaba comestible. Charlamos durante el resto de la noche. Cuando nos disponíamos a salir, le hice tímida y azoradamente a Keith la señal de la victoria. Volvió a guiñar el ojo.

Valerie le susurró a Fiona en el pasillo: «Hay algo que no nos has contado ¿quién es ese nuevo hombre tan bárbaro?»

«Ay, cielos..., es tan extraño cómo resultan las cosas. Es el tipo de la compañía del seguro médico que propuso el tratamiento para Keith. Cielos, Val, es un semental. El otro día me agarró sin más, me tiró sobre el sofá y me tomó allí mismo...» Se llevó la mano a la boca. «¡Ay, cielos! No te estaré avergonzando, ¿verdad, Crawford?»

«Sí», mentí poco convincentemente.

«¡Me alegro!», dijo ella jocosamente, llevándonos a continuación de vuelta a la habitación. «Una última cosa sobre la que necesito vuestro consejo: ¿creéis que Keithy-kins estaría mejor al otro lado de la habitación, al lado del compact?»

Val me miró nerviosa.

«Sí», empecé, reparando en que el sofá estaba colocado justamente enfrente del tanque de Keith, «decididamente creo que sí.»

UN BLANDENGUE

Durante un tiempo las cosas fueron bien con Katriona, pero conmigo se pasó. Y eso no se puede olvidar así como así. El otro día entró en el pub, mientras yo jugaba a la tragaperras y tal. Era la primera vez en siglos que la veía.

«Veo que sigues jugando a las tragaperras, John», dice con ese tono de voz suyo nasal y mangui.

Iba a decir algo así como: Nah, estoy nadando en la puta piscina municipal, pero me limité a decir: «Sí, eso parece.»

«¿No tendrás dinero como para invitarme a una copa, John?», me preguntó. Katriona parecía hinchada; más hinchada que nunca. Puede que estuviera embarazada otra vez. Le gustaba tener bombo, y todas las zalamerías que hace la gente. Para los críos nunca tenía tiempo, pero le gustaba llevar bombo. El caso es que la gente armaba menos revuelo cada vez. Aburría ya; además, ya sabían cómo era.

«¿Ya estás en estado otra vez?», pregunté, concentrándome en sacarle algo a la tragaperras. Las uvas. Por su sitio.

Apueste.

Recoja.

Pulse recoja.

Fichas. Siempre las putas fichas. Creía que Colin me había dicho que la máquina nueva pagaba en metálico.

«¿Tanto se nota, Johnny?», suelta ella, se levanta la blusa a cuadros y se baja las mallas, dejando ver una abultada tripa. Entonces pensé en sus tetas y su culo. No me puse a mirarlas, no me quedé mirándola ni nada de eso; sólo pensé en ellas. Katriona tenía un estupendo par de tetas y un culo de miedo. Eso es lo que me gusta en una periquita. Tetas y culo.

«Estoy jugando», dije, sorteándola hasta llegar al billar. El chico de la Panadería Crawford le había ganado a Bri Ramage. No debe de ser mal jugador. Saqué las bolas y las coloqué. El chico de Crawford's parecía bueno.

«¿Cómo está Chantel?», suelta Katriona.

«Bien», digo yo. Debería pasarse por casa de mi madre y ver a la cría. No es que allí la vayan a recibir con los brazos abiertos, sabes. Pero es su cría, y algo querrá decir. Ahora que caigo, yo también tendría que ir. También es mi cría, pero yo la quiero. Todo el mundo lo sabe. Pero una madre, una madre que abandona a su criatura, que no se preocupa por su criatura, eso no es una madre, no una madre de verdad. Para mí no. Eso es una puta guarra, una marrana, eso es lo que es. Una ordinaria, como dice mi madre.

Me pregunto de quién será la criatura que espera. Probablemente de Larry. Espero que sí. Se lo tendrían merecido los muy cabrones; los dos. Eso sí, lo siento por la criatura. Abandonará a esa criatura igual que a Chantel; igual que a los otros dos críos que tuvo. Otros dos críos de los que yo no supe nada hasta que los vi en la boda.

Sí, mi madre tenía razón. Es vulgar, dijo mamá. Y no sólo porque era una Doyle. Era su manera de beber; no lo hacía como una chica, pensaba mamá. Eso sí, a mí me gustaba. Me gustaba al principio, hasta que me dieron el finiquito y empezó a escasear la guita. Entonces sí que fue difícil salir adelante. Entonces llegó la cría. En ese momento su afición a la bebida se convirtió en un dolor absoluto; un puto dolor de cabeza total.

Siempre se reía de mí a mis espaldas. Veía de reojo su retorcida sonrisa cuando pensaba que no la miraba. Eso ocurría cuando estaba con sus hermanas. Las tres se echaban a reír cuando jugaba a las tragaperras o al billar. Yo sentía sus miradas. Después de un tiempo, dejaron de hacer como que no se reían.

Nunca se me dio bien la cría; quiero decir cuando era pequeña y tal. Parecía adueñarse de todo; tanto ruido en una cosa tan pequeña. Así que supongo que entonces empecé a salir mucho. Quizá en parte fuera culpa mía, no digo que no. Pero a ella también le pasaba algo. Como la vez que le di aquel dinero.

Estaba pelada, así que le doy veinte billetes y le digo: Tú sal por ahí, muñeca, y disfruta. Sal con tus colegas. Me acuerdo muy bien de aquella noche porque va y se arregla como si fuera una puta. Maquillaje, montones de maquillaje, y aquel vestido. Le pregunté adónde iba así vestida. Se quedó de pie, sonriéndome. Adónde, digo. Querías que saliera, pues voy a salir, joder, me cuenta. Pero ¿adónde?, le pregunté. Quiero decir, tenía derecho a saberlo. Se limitó a ignorarme, a ignorarme y a marcharse, riéndose en mi cara como una puta hiena.

Cuando volvió iba llena de chupones. Le eché una mirada al bolso cuando estaba en el retrete echando una larga meada de bolinga. Cuarenta libras tenía. Yo le di veinte y al volver tiene cuarenta putas libras en el bolso. Me volví loco que te cagas. Voy y digo: ¿Esto qué es, eh? No hizo más que reírseme. Yo quería comprobarle el chocho, a ver si se la habían follado. Empezó a gritar y a decir que si la tocaba, vendrían sus hermanos. Se les va la olla, a los Doyle, no hay menda en el barrio que no lo sepa. A mí se me tuvo que ir también, a decir verdad, para haberme liado jamás con una Doyle. Eres un blandengue, hijo, me dijo una vez mamá. Esa gente lo ve. Saben que eres trabajador, saben que para ellos eres presa fácil.

Lo curioso es que los Doyle pueden hacer lo que quieran, pero yo pensaba que si me emparentaba con ellos también podría hacer lo que quisiera. Y durante un tiempo fue así. Ningún cabrón se metía conmigo; lo tenía bien montado. Entonces empezaron a sangrarme; me gorroneaban pitillos, copas, pasta. Después me tuvieron, o más bien el cabrón de Alec Doyle me tuvo, guardándole cosas. Drogas. No era hachís ni nada de eso; hablamos de caballo.

Podrían haberme enchironado. A la sombra; un montón de putos años podrían haber sido. Años a cuenta de los Doyle y la zorra de su hermana. De todas formas, yo nunca me la jugué con los Doyle. Nunca jamás. Así que no toqué a Katriona aquella noche y dormimos en habitaciones distintas; yo en el sofá y tal.

Fue justamente después cuando empecé a salir por ahí con

Larry, el de arriba. Su mujer acababa de dejarle y estaba solo. Para mí era, cómo te diría, cuestión de seguridad: Larry era un majarón, uno de los pocos tíos que vivían en el barrio al que hasta los Doyle respetaban un poco.

Estaba trabajando en lo de la Formación para el Empleo. Pintura. Estaba pintando las viviendas de protección oficial para la gente mayor y tal. Pasaba fuera la mayor parte del tiempo. El caso es que, cuando volvía, o me encontraba a Larry en nuestra casa o a ella en la suya. Siempre medio pedos; los dos. Sabía que él se la follaba. Entonces ella empezó a quedarse arriba algunas noches. A continuación se fue a vivir con él del todo, dejándome a mí abajo con la cría. Eso supuso tener que dejar de pintar; por el bien de la cría y tal, ¿sabes?

Cuando me llevaba a la cría a casa de mi madre o de compras en su carrito, a veces los veía a los dos en la ventana. Se reían de mí. Un día vuelvo a casa y veo que alguien ha forzado la puerta; la tele y el vídeo no están. Sabía quién se los había llevado, pero no podía hacer nada. No contra Larry y los Doyle.

El ruido que hacían no nos dejaba dormir, ni a mí ni a la cría. Su cría. El ruido que hacían cuando follaban, cuando discutían, cuando estaban de fiesta.

Entonces un día llaman a la puerta. Era Larry. Entró en el piso sin más, apartándome de un empujón, cascando de esa forma excitada y rápida que tiene él. Todo bien, colega, dice. Escucha, necesito que me hagas un pequeño favor. Los cabrones de la electricidad acaban de cortarme la luz, eh.

Se acerca a la ventana del cuarto de estar, la abre e introduce el cable ese que cuelga desde arriba, de su cuarto de estar. Lo coge y lo encaja en uno de mis enchufes. Ya está, todo arreglado, dice sonriéndome. Eh, salgo yo. Me dice que arriba tiene una alargadera con un ladrón, y que sólo necesita acceso a una toma de corriente. Le digo que se está pasando, que es mi electricidad la que está usando y me acerco a quitarla. Suelta él: «Como toques ese puto cable o ese puto interruptor, ¡eres hombre muerto, Johnny! ¡Te lo advierto!» Lo dice en serio.

Entonces Larry empieza a contarme que todavía considera que somos colegas, a pesar de todo. Me dice que iremos a medias con los recibos, lo cual yo sabía que no sucedería. Yo dije que sus recibos serían mayores que los míos porque a mí ya no me queda nada en casa que gaste electricidad. Pensaba en el vídeo y en la tele que sabía que él tenía arriba. Va y dice: ¿Y eso qué se supone que quiere decir, Johnny? Yo no digo más que: Nada. Él dice: Más vale que no quiera decir nada, joder. Después de eso no dije nada porque Larry está loco; un pirado total.

Entonces le cambió la expresión y le asomó a la cara una especie de sonrisa. Cabeceó en dirección al techo. ¿No tiene mal polvo, eh, Johnny? Siento haber tenido que ir a por ella, colega. Pero así es la vida, ¿eh? Me limité a asentir. Eso sí, hace unas mamadas guays, dice. Me sentí como una mierda. Mi electricidad. Mi mujer.

¿Se la has metido por el culo alguna vez?, preguntó. Me encogí de hombros. Se cruzó de brazos. He empezado a darle lo suyo así, dijo, es que no quiero que se quede preñada. Loca por los críos, esa capulla. Una vez que dejas un chocho preñado, se creen que tienen la mano metida en tu bolsillo para el resto de tu vida. Tu pasta ya no te pertenece. Eso no me va, joder, a ti te lo puedo decir. Mi dinero me lo guardo yo. Te diré una cosa, Johnny, se rió, espero que no tengas el sida o algo así, porque si lo tienes, a estas alturas me lo habrás pegado. Nunca uso goma cuando se la meto por ahí. Ni hablar. Para eso me hago una puta paja, tío.

Nah, no tengo ninguna cosa de ésas, le dije, deseando tenerlo por primera vez en mi vida.

Menos mal, pedazo de cochino capullín, se rió Larry.

Entonces se acercó al parquecito y le acarició la cabeza a Chantel. Empecé a ponerme enfermo. Si intentaba tocar a la cría otra vez, apuñalaba a ese cabrón; no me importaba quién fuera. Me daba igual. No pasa nada, sale él, no voy a llevarme a tu cría. Ella la quiere, eso sí, y supongo que una cría debería estar con su madre. El caso es, John, como te decía, que no me va eso de tener críos por casa. Así que lo de que aún tengas a la cría me lo tienes que agradecer a mí, míralo así. Cambió de humor y se señaló a sí mismo. Míralo así antes de empezar a acusar a los demás. Entonces se puso contento otra vez; este cabrón puede cambiar así de golpe, y dice: ¿Has visto el sorteo de los cuartos de final? Los vencedores del partido entre el St Johnstone y el Kilmarnock. En Easter Road y tal, me sonríe, y a continuación recorre la habitación con la vista. Un puto agujero esto, dice, antes de volver la espalda para marcharse. Justamente al llegar a la puerta principal se para y se vuelve hacia mí. Una cosa más, John, si te apetece metérsela otra vez, señalando al techo, no tienes más que pegarme un grito. Para ti uno de diez. Para que lo sepas y tal.

Me acuerdo de todo eso porque justamente después me llevé a la cría a casa de mi madre. Asunto concluido. Mamá se fue a hablar con los de asistencia social; arregló las cosas. Ellos fueron a verla; ella no quiso saber nada. Me llevé una tunda por eso, de parte de Alec y Mikey Doyle. Me llevé otra, muy gorda, de parte de Larry y Mikey Doyle cuando me cortaron la luz. Me cogieron por la escalera y me llevaron a rastras hasta dentro. Me tiraron al suelo y empezaron a patearme. Yo estaba preocupado porque tenía un poco de dinero que había ganado en la tragaperras. Me estaba cagando por si me registraban los bolsillos. Quince libras le había sacado a la tragaperras. Pero sólo me dieron un pateo. Me patearon y ella gritaba: ¡MATAD A ESE CAPULLO! ¡MATAD A ESE CAPULLO! ¡NUESTRA JODIDA ELECTRICIDAD! ¡ERA NUESTRA JODIDA ELECTRICIDAD! ¡TIENE A MI PUTA CRÍA! ¡LA VIEJA ZORRA DE SU MADRE TIENE A MI PUTA CRÍA! ¡VUELVE A CASA DE TU PUTA MADRE! ¡CÓMELE EL COÑO A TU MADRE, CACHO CABRÓN!

Copón, menos mal que se fueron sin mirarme los bolsillos. Yo pensé: De todas formas, eso les habrá amargado la jeta a esos cabrones, mientras iba tambaleándome a casa de mi madre para limpiarme. Tenía la nariz rota y dos costillas fracturadas. Tuve que ir a urgencias. Mamá dice que nunca debí haberme liado con Katriona Doyle. Ahora es fácil de decir, le dije, pero fíjate, si no lo hubiera hecho, por hablar y tal, supongamos que no lo hubiera hecho; nunca habríamos tenido a la pequeña Chantel y eso. Tienes que mirarlo así. Sí, tienes razón, dijo mamá, está hecha una princesita.

La cosa es que algún capullo de nuestra escalera había llamado a la poli. Estaba yo pensando que podría haber un dinero para mí por la agresión. Les di una descripción falsa de dos tíos que no se parecían en nada a Larry y Mikey. Pero entonces los polis me hablaron como si pensaran que el criminal era yo, que yo era el cabrón que tenía la culpa. Yo, con la cara como un pedazo de fruta pasada, dos costillas fracturadas y la nariz rota.

Larry y ella se marcharon del piso de arriba después de eso y yo no pensé más que: Que se vayan con viento fresco. Creo que el ayuntamiento les expulsó por atrasos en los pagos; los realojó en otro barrio. La cría estaba mejor en casa de mamá y yo conseguí un empleo, un trabajo como tiene que ser, no en un cursillo de formación. Era en un supermercado; amontonar cosas en los estantes y comprobar las existencias, ese tipo de cosas. No estaba mal: te ofrecían mogollón de horas extra. El dinero no era una maravilla, pero me mantenía alejado del pub, sabes, con eso de trabajar tantas horas y tal.

Las cosas marchan bastante bien. He estado follándome a un par de periquitas últimamente. Está la chica esta del supermercado, está casada, pero no vive con el tío. Está bien, una chica limpia y tal. Y también están las periquitillas de por el barrio, algunas aún van al colegio. Suben un par de ellas a la hora de cenar si no tengo turno de tarde. Una vez que llegas a conocer a una ya estás metido. Vienen todas; sólo buscan un sitio donde juguetear porque no tienen nada que hacer. Puedes sacarles un magreo o una mamada. Como te digo, algunas, especialmente la pequeña Wendy esa, están por la labor de echar un polvo. Pero ni de coña quiero yo meterme en nada fuerte otra vez.

En cuanto a ella, es la primera vez en siglos que la veo.

«Cómo está Larry?», le pregunto, inclinándome para golpear sobre una rayada parcialmente oculta. Un tío está mirando de soslayo y dice que eso no vale. El chico de la Panadería Crawford va y dice: «¡Eh, tú! ¡El puto almirante Nelson! Deja al chaval que juegue a su manera. ¡Nada de consejos desde las líneas de banda!»

«Ah, él», suelta ella mientras el taco golpea la rayada y se encamina hacia la red del fondo. «Lo van a enchironar otra vez. Yo he vuelto a casa de mi madre.»

Me la quedo mirando.

«Se enteró de que estaba embarazada y se fue a tomar por culo», dice ella. «Andaría en tratos con alguna puta guarra», suelta ella. A mí me entraron ganas de decir: Anda que no lo sé yo, joder; me la quedo mirando a la puta cara.

Pero no digo palabra.

Entonces le sale una voz aguda y rara, como siempre que quiere algo. «¿Por qué no salimos a tomar unas copas esta noche, Johnny? ¿Qué tal si vamos al centro? Estábamos bien, los dos juntos. Todo el mundo lo decía, ¿te acuerdas? ¿Te acuerdas cuando íbamos al Bull and Bush allí en Lothian Road, Johnny?»

«Supongo que sí», digo yo. El caso es que supongo que seguía queriéndola; supongo que nunca dejé de hacerlo. Me gustaba ir al Bull and Bush. Siempre tuve un poquitín de suerte con la tragaperras que tenían allá. Pero probablemente haya una nueva; da igual.

EL ÚLTIMO REFUGIO EN EL ADRIÁTICO[1]

Nunca supuse, ¡por Dios!, que todo seguiría tan fresco en mi memoria; eso parece perfectamente adecuado con lo que planeo hacer. Quiero decir, casi espero ver a Joan en el barco, poco menos que encontrármela de bruces en cubierta, en el comedor, el bar, o incluso en el casino. Cuando me pongo a pensar en ella de esa forma, se me acelera el pulso y siento vértigo y, normalmente, tengo que retirarme a mi camarote. Cuando hago girar la llave llego a pensar que a lo mejor me la encuentro allí, quizá en la cama, leyendo. Ya sé que todo esto es ridículo, endiabladamente ridículo.

Llevo dos semanas en este transatlántico; dos solitarias semanas. Cuando uno se siente como yo, el espectáculo de la gente pasándoselo bien puede llegar a ser tan doloroso, tan insultante. No hago otra cosa que deambular por el barco; como si fuera en busca de algo. Eso y las pesas, claro. No puedo esperar encontrarme a Joan aquí; seguro que no. No me puedo relajar. No puedo tumbarme en cubierta con Harold Robbins o Dick Francis o Desmond Bagley. No puedo sentarme en el bar y emborracharme. No puedo tomar parte en ninguna de esas conversaciones banales sobre el tiempo o el itinerario. Ya me he salido de dos películas a mitad de proyección. *Otra vez muerto*, con ese tipo británico que hace de detective americano. Horrorosa. Había otra con el americano ese, el tío de pelo canoso que antes era gracioso pero que ahora ya no lo

1. «*The Last Resort On The Adriatic*». Se trata de un juego de palabras entre *resort*, «punto de veraneo», y *resort*, «recurso». (*N. del T.*)

es. Quizá sea yo: hay muchas cosas que ya no me resultan graciosas.

Voy a mi camarote y preparo la bolsa de deporte para otra excursión al gimnasio. El único bendito lugar al que tengo algún interés en acudir.

«Debe ser usted el hombre más en forma que hay en este barco», me dice el monitor. Me limito a sonreír. No quiero darle conversación a ese tipo. Un tío raro, ya me entiendes. No es que tenga nada en contra de ellos, vive y deja vivir y todo eso, pero ahora mismo no quiero hablar con nadie, mucho menos con un bendito mariquita.

«Siempre está usted aquí», insiste, asintiendo brevemente en dirección a un hombre gordo y resollante de cara colorada que monta en una bicicleta estática. «¿Es usted el señor Banks?»

«Excelentes instalaciones», le contesto secamente, inspeccionando las pesas que están libres y cogiendo dos mancuernas.

Afortunadamente el monitorcillo se ha fijado en una obesa dama vestida con mallas escarlatas que intenta hacer abdominales. «¡No, no, no, señora Coxton! ¡Así no! Está usted sobrecargándose excesivamente la espalda. Siéntese más arriba y doble esas rodillas. En cuarenta y cinco grados. De maravilla. Y uno... y dos...»

Cojo un par de platos de la mancuerna y los meto subrepticiamente en mi bolsa de deportes. Ejecuto los movimientos, pero no me hace falta el ejercicio. Estoy sobradamente en forma. Joan siempre decía que tenía buen cuerpo; fibroso, solía decir. Eso es lo que te aporta toda una vida en la construcción, si le añades buenas costumbres. He de confesar que tengo una pequeña panza, pues me he abandonado desde lo de Joan. No parecía tener sentido ya. Ahora, desde la jubilación, bebo más que nunca en la vida. Bueno, nunca me aficioné al golf.

De vuelta en el camarote me echo y me dejo llevar a ese reino que está entre la reflexión y el sueño, pensando en Joan. Fue una mujer tan maravillosa y decente, todo lo que cabría esperar en una esposa y madre.

¿Por qué, Joan? ¿Por qué, cariño, por qué? Éstos podrían

haber sido los mejores años de nuestra vida. Paul está en la universidad, Sally en la residencia de enfermeras. Por fin abandonaron el nido, Joan. Podría haber sido todo nuestro. Cómo lo encajaron, Joan, te honraron ambos. Nos hicieron honor a los dos. ¿Yo? Pues morí contigo, Joanie. No soy más que un bendito fantasma.

No estoy dormido. Estoy despierto y hablando conmigo mismo y llorando. Diez años después de Joan.

Para cenar estoy solo en la mesa con Marianne Howells. Los Kennedy, Nick y Patsy, una pareja joven muy simpática y extrovertida, no se han presentado. Es una estratagema deliberada. Patsy Kennedy tiene gusto por la conspiración. Marianne y yo estamos a solas por vez primera durante el crucero. Marianne: soltera, aquí para olvidar su propia pérdida, la reciente muerte de su madre viuda.

«Así que te tengo todo para mí, Jim», dijo ella, de un modo demasiado guasón y autocensurador como para resultar coqueto. No hay duda alguna, sin embargo, de que Marianne es una mujer hermosa. Alguien debería haberse casado con una mujer así. Un desperdicio. No, vaya una forma tan espantosa de pensar. Ya está el viejo machista de Jim Banks dale que te pego otra vez. Quizá así fuese como Marianne quiso que fuera, quizá así le sacara a la vida lo mejor. Quizá si Joanie y yo no hubiésemos... No. El marisco, el marisco.

«Sí», sonrío, «esta ensalada de marisco es excelente. Bien mirado, si no puedes conseguir buen marisco en alta mar, ¿dónde vas a conseguirlo, eh?»

Marianne sonríe y charlamos de cosas intrascendentes durante un rato. Entonces ella dice: «Es una tragedia lo de Yugoslavia.»

Yo me pregunto si se refiere a que no podemos atracar allí a causa del conflicto, o a la miseria que el conflicto ha provocado en la población. Decido optar por la interpretación compasiva. Marianne parece una persona de talante humanitario. «Sí, un sufrimiento terrible. Dubrovnik fue uno de los momentos culminantes del viaje cuando estuve aquí con Joan.»

«Ah, sí..., tu esposa..., ¿qué le sucedió, si no te molesta la pregunta?»

«Eh, un accidente. Si no te importa, preferiría no hablar de ello», dije, llevándome un tenedor lleno de lechuga a la boca. Estoy seguro de que, más que para comérsela, está allí como adorno, algo que ver con el lugar que ocupa en el plato. La etiqueta nunca fue lo mío. Joanie, tú me habrías enmendado la plana.

«Lo siento de veras, Jim», dice ella.

Sonrío. Un accidente. En este barco, en este crucero. ¿Un accidente? No.

Llevaba algún tiempo hundida. Deprimida. La menopausia, o ¿quién sabe? No sé por qué. Eso es lo más horrible de todo, que yo no sepa por qué. Pensé que el crucero le sentaría a las mil maravillas. Y así pareció, durante un tiempo. Justamente cuando salíamos del Adriático, de vuelta al Mediterráneo, se tomó las pastillas y se confundió en la noche por uno de los costados del barco. En el mar. Me desperté solo; he estado solo desde entonces. Fue culpa mía, Joan, todo el bendito montaje. Si hubiese intentado comprender cómo te sentías. Si no hubiese hecho la reserva para este puñetero crucero. Así de puñeteramente idiota es el viejo Jim Banks. La salida fácil. Debí haberme sentado a hablar, hablar y vuelta a hablar. Podríamos haberlo arreglado todo, Joan.

Siento una mano sobre la mía. La de Marianne. Tengo lágrimas en los ojos, como si fuera un maldito tipo rarito de ésos.

«Te he disgustado, Jim. De verdad, cuánto lo siento.»

«No, en absoluto», sonrío.

«De verdad que te entiendo, sabes que sí. Mamá... era tan difícil.» Ahora es ella quien se echa a llorar. Vaya una pareja de benditos. «Hice todo lo que pude. Tuve mis oportunidades de vivir una vida diferente. No sabía realmente lo que quería. Una mujer siempre tiene que escoger, Jim, escoger entre el matrimonio y los hijos y una profesión. En algún momento. No sé. Mamá siempre estaba allí, necesitada. Ganó por defecto. La profesional se convirtió en la solterona, ya ves.»

Parecía muy dolida y trastornada. Mi mano se afianzó sobre la suya. La forma en que mira al suelo y levanta repentinamente la cabeza para encontrarse con mi mirada: me recuerda a Joan.

«No te subestimes», le digo. «Eres una mujer excepcionalmente valiente y muy hermosa, además.»

71

Sonríe, ya más tranquila: «Eres todo un caballero, Jim Banks, y dices unas cosas muy bonitas.»

Lo único que puedo hacer es devolverle la sonrisa.

Disfrutaba con Marianne. Hacía mucho tiempo que no me encontraba así con una mujer, que sentía semejante intimidad. Hablamos toda la noche. No había temas tabú y fui capaz de hablar de Joan sin resultar sensiblero y deprimir a mi acompañante, como habría sucedido de haber estado presentes los Kennedy. La gente no quiere oír todas esas cosas cuando está de vacaciones. Sin embargo, con Marianne, dada su pérdida, podía simpatizar.

Hablé y hablé, tonterías fundamentalmente, pero para mí bellos y dolorosos recuerdos. Jamás había hablado así antes con nadie. «Recuerdo cuando estaba en el barco con Joanie. Me metí en un lío terrible. Había unos holandeses, gente estupenda, en la mesa de al lado. Compartimos mantel con un francés más bien circunspecto y una encantadora muchacha italiana. Con pinta de auténtica estrella. Aunque parezca mentira, el francés no estaba interesado. Creo que quizá fuese, bueno, así, ya sabes lo que quiero decir. De todas formas, aquello era toda una Liga de Naciones. El caso es que había una pareja mayor de Worcester a la que los alemanes no les gustaban un pelo, echando la vista atrás, hacia los años de la guerra y todo eso. Bueno, a mí me parece que es mejor dejar esas cosas a un lado. Así que aquí el viejo Jim Banks decidió hacer de pacificador...»

Dios, cómo me enrollé. Mis inhibiciones parecían disolverse con cada trago de vino, y al cabo de poco rato ya íbamos por la segunda botella, y Marianne hizo un gesto cómplice con la cabeza cuando la pedí. Tras la cena pasamos al bar, donde tomamos algunas copas más.

«Me lo he pasado verdaderamente bien esta noche, Jim. Sólo quería decírtelo», dijo ella, sonriendo.

«Ha sido una de las mejores noches... en años», le dije. Estuve a punto de decir: desde lo de Joanie. Lo ha sido. Esta maravillosa dama me ha hecho sentirme un bendito ser humano de nuevo. Es una excelente persona, de verdad.

Me cogió de la mano mientras nos miramos durante unos segundos.

Me aclaré la garganta con un trago de scotch. «Una de las cosas estupendas de hacerse mayor, Marianne, es que la inminente presencia de la dama de la guadaña concentra un tanto la mente. Me siento muy atraído por ti, Marianne, y por favor no te ofendas, pero quisiera pasar la noche contigo.»

«No me ofendes, Jim. Eso me parecería maravilloso», dijo con gesto cálido.

Eso hizo que me sintiera un poco cohibido. «Quizá resulte algo menos que maravilloso. He perdido un poco la práctica para estas cosas.»

«Dicen que es como nadar o montar en bicicleta», dijo sonriendo afectadamente, un poco bebida.

Bueno, si ése era el caso, el viejo Jim Banks estaba a punto de volver a montar después de un lapso de diez años. Fuimos a su habitación.

Pese al alcohol, no tuve problema alguno en conseguir una erección. Marianne se quitó el vestido para mostrar un cuerpo que habría hecho justicia a mujeres varias décadas, no digamos años, más jóvenes. Nos abrazamos durante un ratito, antes de deslizarnos bajo el edredón y hacer el amor, primero lentamente y con ternura, después cada vez con más pasión. Me perdí. Me marcó la espalda con las uñas y empecé a gritar: «Por Dios, Joanie, por Dios...»

Ella se quedó petrificada debajo de mí cómo un cadáver rígido, y le dio un puñetazo de frustración al colchón mientras sus ojos se desbordaban de lágrimas. Me aparté de ella: «Lo siento», medio gemí, medio lloriqueé.

Ella se incorporó, encogiéndose de hombros y mirando fijamente al vacío. Habló en un tono apagado, metálico, pero sin amargura, como si estuviese pronunciando un epitafio frío y desapasionado. «Encuentro a un hombre que me importa y cuando estamos haciendo el amor se imagina que soy otra.»

«No ha sido así, Marianne...»

Empezó a sollozar; la rodeé con el brazo. Bueno, Jim Banks, pensé, acabas de meterte en otro bendito embrollo, ¿no es así?

«Lo siento», dijo ella.

Empecé a ponerme la ropa. «Será mejor que me vaya», dije. Me fui hacia la puerta, y entonces me volví: «Eres una mujer maravillosa, Marianne. Espero que encuentres a alguien que pueda darte lo que mereces. El viejo Banksie este», me señalé a mí mismo tristemente, «sólo estoy engañándome a mí mismo. Soy hombre de una sola mujer.» Salí, dejándola con sus lágrimas. Ahora tenía que ocuparme de lo mío. No habría indulto después de todo. Sabía que era lo mejor; ahora lo sabía mejor que nunca. Los chicos, Paul y Sally, eran lo bastante fuertes. Lo entenderían.

De vuelta en mi camarote le dejé a Marianne una nota. Había dejado cartas para los chicos en el correo del barco con una grabación en vídeo explicando lo que pensaba hacer. La nota para Marianne no decía gran cosa. Sólo le dije que había venido aquí por un motivo concreto; lamentaba que nos hubiéramos complicado tanto. Tenía que cumplir mi destino, así es como yo lo veía.

Según los mapas que había consultado, en ese momento estábamos en el Adriático, sin duda alguna. Pasé el trozo de cuerda por los agujeros de las pesas y me las eché sobre el hombro. Resultó difícil pasar los pantalones de chándal elásticos y el resto de la ropa sobre las pesas. Peleé para enfundarme el impermeable, y apenas podía andar cuando salí de mi camarote.

Me deslicé por la cubierta vacía, luchando para mantenerme erguido. El mar estaba en calma y la noche era suave. Una pareja de enamorados que disfrutaba de la luz de la luna me miró con suspicacia cuando pasé por delante de ellos hasta mi lugar a estribor. Diez años, casi exactamente, Joan desde que te escabulliste y te alejaste de mí, lejos del dolor y el sufrimiento. Levanto una pierna, con esfuerzo sobrehumano, por encima de la barrera. Sólo voy a recuperar mi bendito aliento, echar una última y larga mirada al cielo púrpura, y después cargaré mi peso y me dejaré caer desde esta barandilla al Adriático

CUARTETO DE DESASTRES SEXUALES

UN BUEN HIJO

Él era un buen hijo y, como todos los buenos hijos, quería mucho a su madre. Es más, adoraba por completo a aquella mujer.

Y, sin embargo, no podía hacerle el amor; no mientras su padre estaba allí sentado, mirándoles.

Salió de la cama y envolvió su pudorosa desnudez con un salto de cama. Cruzándose con su padre al salir de la habitación, oyó cómo el viejo le decía: Vaya, Edipo, eres un complejo hijo de puta, ya lo creo.

LA HIJA DE PUTA CRUEL Y EL CABRÓN EGOÍSTA SE LO MONTAN

Ella era una hija de puta cruel; él un cabrón egoísta. Tropezaron literalmente el uno con el otro en un pub del Grassmarket. Se conocían vagamente de algún lugar que ninguno de los dos podía recordar. O al menos eso se contaron el uno al otro y a sí mismos.

Ella estuvo de lo más grosero, pero a él no le importaba puesto que todo le resultaba indiferente salvo la pinta de *eighty shillings*[1] que se estaba echando al coleto. Decidieron volver a casa de ella para echar un polvo. Él no tenía sitio propio;

---

1. Variedad de cerveza así llamada porque originariamente pagaba ochenta chelines de impuestos por barril. Equivale a la export. (*N. del T.*)

puesto que sus padres se lo daban todo hecho, no veía demasiadas razones para buscarse uno.

Incorporada en la cama, ella lo contempló mientras se desnudaba. Frunció el ceño con un gesto desdeñoso cuando él se quitó sus calzones color púrpura. «¿A quién esperas satisfacer con eso?», preguntó ella.

«A mí mismo», dijo él, metiéndose en la cama junto a ella.

Después del evento, ella menospreció amargamente su actuación con un vitriolo que hubiera hecho jirones el frágil ego sexual de la mayoría de los hombres. Él apenas escuchó una palabra de lo que dijo. Sus últimos pensamientos, mientras caía en un sopor alcohólico, tenían que ver con el desayuno. Esperaba que ella tuviese abundantes provisiones en casa y que supiera hacer una buena fritanga.

En cuestión de pocas semanas estaban viviendo juntos. La gente dice que parece irles bien.

MUCHA RISA Y MUCHO SEXO

Tú dijiste, cuando nos embarcamos en esta gran aventura juntos, que en una relación era esencial que hubiese mucha risa.

Yo estuve de acuerdo.

También hiciste notar que eran igualmente importantes grandes dosis de sexo.

De nuevo, yo estuve de acuerdo. De todo corazón.

De hecho, me acuerdo de tus palabras exactas: la risa y el sexo son el barómetro de una relación. Ésa fue tu afirmación, si no recuerdo mal.

No me entiendas mal. No podría estar más de acuerdo. Pero no al mismo tiempo, vacaburra de mierda.

ROBERT K. LAIRD: UN HISTORIAL SEXUAL

Rab no ha echado un polvo en la vida; pobre capullín. Eso sí, no parece que le importe mucho.

SNUFF[1]

La pantalla del televisor parpadeó luminosamente en la oscuridad cuando aparecieron los títulos de crédito al final de la película. Ya queda menos, observó Ian Smith, estirándose para alcanzar su manoseada copia de *Halliwell's Film Guide*. Con un rotulador amarillo fluorescente, subrayó el titular en grandes letras de imprenta: *Uno de los nuestros*. En el margen escribió con mayúsculas pequeñas:

8. MAGNÍFICA, OTRA FASCINANTE ACTUACIÓN DE DE NIRO. SCORSESE, MAESTRO INDISCUTIBLE EN SU GÉNERO.

A continuación quitó la cinta de vídeo e introdujo otra, *Mad Max: Más allá de la Cúpula del Trueno*. Pulsando el botón de *fast-forward* para dejar atrás los trailers, escrutó el rostro inexorablemente serio del disc jockey de Radio One que describía la clasificación de la película. Al hallar la entrada adecuada en el recentísimo pero ya muy desgastado número de *Halliwell's*, Smith se sentía tentado de subrayarla ya, antes de ver la película. Resistió el impulso, estimando que lo razonable sería ver la película primero. Había tantas cosas que podían suceder para interrumpirte. Podía molestarte el teléfono o una llamada a la puerta. El vídeo podría estropearse y comerse la cinta. Podías ser abatido por un fulminante paro cardíaco. Para él, meditó, tales sucesos eran todos improbables, pero, aun así, se aferró a su superstición.

---

1. Se denomina así a aquellas películas pornográficas en las que muere realmente algún protagonista. (*N. del T.*)

En la oficina donde trabajaba le llamaban el Niño del Vídeo, pero sólo a sus espaldas. No tenía verdaderos amigos y poseía esa clase de personalidad que se resiste a estrechar relaciones. No es que fuese desagradable o agresivo, muy al contrario. Ian Smith, el Niño del Vídeo, era sólo extremadamente reservado. Aunque llevaba cuatro años trabajando en el Departamento de Planificación del Ayuntamiento, la mayoría de sus colegas sabían poco de él. No alternaba con ellos, y el alcance de lo que revelaba sobre sí mismo era extremadamente limitado. Puesto que Smith no se interesaba por sus compañeros de trabajo, ellos hacían lo propio, y aquella persona tan discreta no les preocupaba tanto como para detectar en su silencio un matiz enigmático.

Todas las tardes Smith alquilaba entre dos y cuatro cintas de vídeo en la tienda por la que pasaba de camino a casa desde el trabajo. El número exacto de las que alquilaba dependía de lo que hubiera en la televisión, y como usuario de satélite tenía muchas opciones. Además, era socio de diversos clubs de vídeo especializados, que se dedicaban a las películas viejas, raras, extranjeras, de arte y ensayo y pornográficas que no podían obtenerse en las tiendas pero que venían en los listados de *Halliwell's*. La pausa que tenía para comer la pasaba haciendo la programación de los visionados futuros, de la que no se desviaba jamás, una vez perfilada.

Aunque en ocasiones Ian Smith veía algunos culebrones y un poco de fútbol en Sky Sport, lo hacía sólo para matar el tiempo si no había nada satisfactorio en el Sky Movie Channel, en el videoclub, o que hubiese llegado por correo. Siempre llevaba encima el último número de *Halliwell's Film Guide*, del que tachaba religiosamente con un rotulador amarillo fluorescente todas las películas que había visto, dándoles además su propia puntuación en una escala del 0 al 10. Por añadidura, llevaba un cuaderno para apuntar cualquier oferta demasiado novedosa para haber llegado hasta la «biblia». Cada vez que salía un número de *Halliwell's*, Smith tenía que transferir las cabeceras subrayadas al texto nuevo y tirar el viejo. A menudo sentía el impulso de pasar sus horas de comer realizando aquella banal tarea. Ya dejaba muy pocas películas sin subrayar.

En un sentido más amplio, más allá de la rutina del trabajo, de ver y de dormir, el tiempo se había convertido en algo insignificante para Smith. Las semanas y los meses que pasaban volando no podían ser definidos por cambios o acontecimientos en su vida. Tenía un control casi absoluto sobre el estrecho proceso que imponía a su existencia.

A veces, sin embargo, Smith perdía el hilo de la película y se veía forzado a contemplar su vida. Le sucedió durante *Mad Max: Más allá de la Cúpula del Trueno*. La película resultó decepcionante. Las dos primeras producciones Max se convirtieron en un par de clásicos de culto de bajo presupuesto. La continuación fue un intento de darle a Max el toque Hollywood. Luchaba por retener la atención de Smith, cuya intensidad siempre decrecía a medida que avanzaba la noche. Pero tenía que verla; era otra tachadura en su libro y ya no quedaban muchas. Aquella noche estaba cansado. Aunque era cualquier cosa menos reflexivo, cuando Smith estaba cansado, los pensamientos que normalmente reprimía podían desbordarse y alcanzar el ámbito de la actividad cerebral consciente.

Su esposa le había dejado hacía casi un año. Smith estaba sentado en su sillón, intentando permitirse sentir la pérdida, el dolor, pero de algún modo no podía. No podía sentir nada, salvo una tenue sensación de incómoda culpabilidad ante el hecho de no sentir nada. Pensó en su cara, en tener relaciones sexuales con ella, y se excitó y logró correrse con una mínima masturbación, pero no sintió nada aparte de la consiguiente disminución de la tensión. Su esposa no parecía existir más allá de una imagen fugaz en su mente, imposible de distinguir de aquellas con las que se aliviaba en las películas más pornográficas que alquilaba. Nunca había llegado al orgasmo tan fácilmente estando efectivamente con ella.

Ian Smith volvió a centrar su atención sobre la película. Algo en su mente parecía clausurar siempre el hilo de los pensamientos antes de que pudiese incomodarle; una especie de control de calidad psíquico.

A Smith no le gustaba hablar de su hobby en el trabajo; después de todo, no le gustaba conversar. Un día en la oficina, sin embargo, Mike Flynn le pilló subrayando compulsivamente su *Halliwell's* e hizo un comentario que Smith no percibió del todo, aunque sí captó las risas burlonas de sus colegas. Espoleado, se encontró, sorprendentemente, enrollándose de modo poco típico en él, casi sin control, sobre su pasión y el alcance de la misma.

«Deben gustarte los vídeos», dijo Yvonne Lumsden, arqueando sugerentemente las cejas.

«Siempre me ha gustado el cine», se encogió de hombros Smith.

«Dime, Ian», le preguntó Mike, «¿qué vas a hacer cuando hayas visto todas las películas de la lista? ¿Qué pasará cuando las hayas tachado todas?»

Esas palabras golpearon a Smith en mitad del pecho. No podía pensar con claridad. El corazón le palpitó con fuerza.

¿Qué pasará cuando las hayas tachado todas?

Julie le había dejado porque se aburría con él. Se fue a recorrer Europa a dedo con una amiga promiscua por la que Smith sentía cierto resentimiento al considerarla un factor contributivo en la ruptura de su matrimonio. Su único consuelo eran las alabanzas de Julie hacia sus proezas sexuales. Aunque a él siempre le resultó difícil llegar al orgasmo con alguien, ella tenía orgasmo tras orgasmo, frecuentemente a su pesar. Inmediatamente después, Julie se sentía una inepta, preocupada por su incapacidad para dar a su marido aquel placer último. La inseguridad venció al raciocinio, obligándola a mirar dentro de sí; no se paró a ponderar la simple evidencia de que el hombre con el que se había casado era una aberración en términos de sexualidad masculina. «¿Te has quedado bien?», le preguntaba ella.

«Muy bien», respondía Smith, intentando proyectar pasión a través de su indiferencia y fracasando invariablemente. A continuación solía decir: «Bueno, es hora de apagar la luz.»

Julie odiaba la expresión «apagar la luz» más que cualquier otra que saliera de sus labios. La enfermaba casi físicamente. Smith apagaba el interruptor de la mesilla de noche y caía en un profundo sueño casi instantáneo. Ella se preguntaba por qué seguía con él. La respuesta yacía dentro de su sexo palpitante y su cuerpo rendido; la tenía como un caballo y podía follar toda la noche.

Pero eso no bastaba. Un día Julie entró como si tal cosa en el cuarto de estar, donde Smith se disponía a ver un vídeo, y dijo: «Ian, te dejo. Somos incompatibles. No quiero decir sexualmente, el problema no está en la cama. De hecho, me has proporcionado más orgasmos que nadie..., lo que intento decir es que eres bueno en la cama, pero inútil en todo lo demás. No hay emoción en nuestras vidas, nunca hablamos..., quiero decir... ay, ¿de qué sirve? Quiero decir, no podrías cambiar aunque quisieras.»

Smith respondió con calma. «¿Seguro que lo has pensado bien? Es un paso muy grande.»

Durante todo ese tiempo, la perspectiva de poder instalar aquella antena parabólica a la que su mujer se había resistido le llenaba de emoción.

Esperó a que hubiera pasado un período de tiempo prudente, y entonces, convencido de que no volvería, hizo que la instalaran.

La vida social de Smith no había sido precisamente febril antes de la partida de Julie y la adquisición de la antena parabólica. Tras estos acontecimientos, sin embargo, los mínimos y testimoniales lazos sociales que tenía con el mundo exterior quedaron truncados. Salvo para ir a trabajar, se convirtió en un recluso. Dejó de visitar a sus padres los domingos. Para ellos fue un alivio, agotados por sus intentos de forzar la conversación, nerviosos durante los embarazosos silencios a los que Smith parecía resultar ajeno. Sus infrecuentes visitas al pub también cesaron. Su hermano Pete y su mejor amigo, Dave Carter (o más bien, el padrino de su boda), no repararon realmente en su ausencia. Uno de los habituales dijo: «Ya no se ve a como-se-llame por aquí.»

«Sí», dijo Dave. «No sé en qué andará.»

«Probablemente proxenetismo, chantaje y asesinatos por encargo», se rió Pete irónicamente.

En el bloque de pisos donde vivía Smith, los niños de los Marshal estaban siempre chillando, crispando aún más los nervios de su turbada y solitaria madre. Peter y Melody Syme estarían follando con todo el ardor de una pareja recién llegada de su luna de miel. La vieja señora McArthur estaría haciendo un té o mimando a su gato blanco y anaranjado. En la puerta de enfrente Jimmy Quinn habría traído a unos colegas y estarían fumando costo. Ian Smith estaría viendo vídeos.

En el trabajo había una noticia que soliviantaba especialmente a la gente. Una niña de seis años llamada Amanda Heatley había sido raptada en la calle e introducida en un coche a escasos metros de su colegio.

«¿Qué clase de animal hace eso?», preguntó Mike Flynn, en un estado de rabiosa indignación. «Si pudiera ponerle la manos encima a ese hijo de puta...» Dejó debilitar amenazadoramente su voz.

«Es evidente que necesita ayuda», dijo Yvonne Lumsden.

«Ya le daría yo ayuda. Un balazo entre ceja y ceja.»

Discutieron desde posturas encontradas, uno haciendo hincapié en la suerte de la niña secuestrada, la otra en las motivaciones del secuestrador. En un momento de impasse, se volvieron hacia un Smith de incómoda expresión en busca de arbitrio.

«¿A ti que te parece, Ian?», preguntó Yvonne.

«No sé. Sólo espero que encuentren ilesa a la chica.»

Yvonne pensó que el tono de Ian Smith indicaba que no tenía grandes esperanzas de que así fuera.

Fue poco después de esta discusión cuando Smith decidió pedirle a Yvonne una cita. Ella dijo que no. A él ni le sorprendió ni le desilusionó. En realidad, sólo se la había pedido porque pensaba que era algo que debía hacer, más que algo que quisiera hacer. Había llegado por correo una invitación para la boda de un primo. Smith pensaba que debía asistir acompañado. Como de costumbre, se retiró a pasar un fin de semana rodeado de vídeos. Decidió rehusar la invitación, aduciendo una enfermedad como excusa. Había una gripe pululando por ahí.

Aquel sábado por la tarde su hermano Pete vino a verle a casa. Smith escuchó el timbre pero decidió no hacer caso. No quiso tomarse la molestia de congelar la imagen de *Le llamaban Bodhi*, pues se encontraba en una escena clave en la que el agente secreto del FBI Keanu Reeves estaba a punto de entablar amistad con el surfista Patrick Swayze e iban a hacer causa común contra unos adversarios supercachas. A la tarde siguiente sonó el timbre otra vez. Smith hizo caso omiso, pues estaba inmerso en *Terciopelo azul*.

Una nota se coló por la rendija de la puerta, y Smith no la descubrió hasta el lunes por la mañana, cuando estaba a punto de salir hacia el trabajo. Decía que su madre había sufrido una trombosis y estaba muy grave. Llamó por teléfono a Pete.

«¿Cómo está mamá?», preguntó, sintiéndose culpable por ser incapaz de infundir un tono de mayor preocupación a su voz.

«Murió anoche», le dijo la voz sepulcral y desafinada de Pete.

«Ah..., bueno...», dijo Smith, colgando a continuación el auricular. No sabía qué otra cosa podía decir.

Desde el año en que se había abonado a la televisión por satélite, Ian Smith había engordado unos veinte kilos, simplemente sentándose en el sillón masticando galletas, barras de chocolate, helados, cenas a base de *fish and chips*, pizzas, comida china a domicilio y aperitivos preparados en el microondas. Incluso empezó a tomarse días de baja por enfermedad de vez en cuando para poder quedarse viendo vídeos mañana y tarde. No obstante, la mañana que supo que había muerto su madre, fue a trabajar.

Sintió una leve congoja en el pecho durante el funeral; contrastaba con el estupefacto dolor de su hermano y la incrédula histeria desplegada por su hermana. El dolor de Smith alcanzó su punto álgido cuando recordó el amor que ella le había dado de niño. Sin embargo, imágenes de película se intercalaban constantemente entre aquellos recuerdos, anestesiando el dolor. Por mucho que lo intentara, Smith era incapaz de soportar aquellas reflexiones hasta el punto de que su patetismo pudiese herirle. En cuanto se presentó la oportunidad, se escabulló del funeral y se fue a casa, no sin pasar antes por dos tiendas de alquiler de vídeos, con el pecho retumbándole y la boca salivando de anticipación al poder tachar otro par de entradas de *Halliwell's*. Estaba cada vez más cerca.

A lo largo de los siguientes días, se aprovechó de su pérdida empleando el permiso especial para ver más vídeos. Apenas dormía, se quedaba despierto toda la noche y la mayor parte del día. En ocasiones, tomaba anfetaminas, que le había pillado a su vecino Jimmy Quinn, a fin de mantenerse despierto. Su mente no gozaba de su habitual tranquilidad, sin embargo; entre cada uno de sus pensamientos conscientes parecían emparedarse imágenes de Julie. En ningún momento pensó en su madre; era como si nunca hubiese existido. Finalmente acabó habitando un área que abarcaba el pensamiento consciente, los sueños y la contemplación pasiva de la pantalla del televisor, pero en la que no resultaba fácil discernir los confines entre estos estados.

Resultó demasiado, incluso para Ian Smith. Al margen del trabajo, sus únicas excursiones fuera del piso consistían en fugaces visitas a los videoclubs. Un atardecer apagó el vídeo y se fue a dar una vuelta por Water of Leith, inquieto e incapaz de concentrarse en la ración de visionados de aquella tarde. Junto a la ribera ajardinada del río estancado una hilera de cerezos en flor desprendía un agradable aroma. Smith continuó paseando mientras el crepúsculo daba paso a la oscuridad. Sus pasos molestaron a un grupo de jóvenes encapuchados que bajaron el volumen de sus voces y le echaron miradas furtivas al principio y descaradamente amenazadoras después. Smith, ciego ante su presencia e inmerso en sus reflexiones, pasó de largo. Se cruzó con los borrachos resollantes de los bancos, cuyos gruñidos estentóreos atacaban a demonios rememorados o imaginados; las latas vacías de superlager; los vidrios rotos; los condones usados y las mierdas de perro. A cien metros de distancia un viejo puente de piedra se arqueaba tenebrosamente a lo largo de aquellas inmóviles y rancias aguas.

Había alguien de pie sobre el puente. Smith aceleró sus pasos, observando su silueta a medida que se hacía visible. Aproximándose a ella, se quedó quieto viéndola fumarse un cigarrillo. Su rostro cetrino se torcía hacia dentro al inhalar con fuerza. Tenía la extraña impresión de que el consumidor era el tabaco y la silueta el producto a consumir: ella se gastaba con cada calada. Pensándolo bien, meditó, esa impresión era totalmente acertada.

«¿Buscas rollo?», le preguntó ella, sin candor alguno en el tono de voz.

«Eh, sí, supongo», se encogió de hombros Smith. La verdad es que no lo sabía.

Los ojos de ella hicieron un rápido recorrido descendente por el cuerpo de él y carraspeó rápidamente una breve lista de tarifas y condiciones. Smith asintió con la cabeza con la misma débil aquiescencia. Caminaron en silencio de vuelta a su piso, por una calle estrecha limitada por naves en desuso a un lado y una enorme pared de piedra al otro. Un coche rodó lentamente sobre los adoquines, deteniéndose ante la solitaria silueta de otra mujer, que, tras una breve conversación, desapareció en su interior.

En el piso de Smith fueron directamente al dormitorio y se desnudaron. El hedor a rancio de su aliento no le habría impedido besarla. Ella nunca se cepillaba los dientes porque odiaba que los hombres la besaran. Podían hacer cualquier cosa menos eso. Los besos eran lo único que le impedía olvidar lo que estaba haciendo, lo único que la obligaba a enfrentarse a la espantosa realidad. Smith, sin embargo, no tenía intención alguna de besarla.

Montó su escuálido cuerpo, hallándose incómodo al principio sobre su huesuda angulosidad. Tenía una expresión helada; los ojos nublados por los opiáceos o la apatía. Smith veía reflejado su propio semblante en el de ella. Se abrió paso entre su aridez a base de breves punzadas, los dos haciendo rechinar los dientes de dolor y concentrándose hasta que los flujos de ella empezaron a manar. Smith encontró cierta cadencia y empezó a bombear mecánicamente, preguntándose todo el rato por qué lo hacía. Ella se movió junto a él, aburrida y de mala gana. Pasaron los minutos; Smith continuó implacablemente con su actividad. Transcurrido cierto lapso, Smith supo que nunca se correría. Su pene parecía endurecerse cada vez más pero al mismo tiempo experimentaba un creciente entumecimiento. Expresiones de sobresalto, después de rechazo y finalmente de incredulidad se apoderaron de la mujer cuando un exigente anhelo dentro de su cuerpo obligó a su mente a unirse con desgana a él en la persecución del orgasmo.

Después que ella se corriera, luchando por mantener su silencio, él se detuvo, todavía duro y erecto. Se retiró, y llegó hasta el bolsillo de su chaqueta, de donde extrajo algunos billetes y le pagó. Ella se sentía confusa y vulnerable; fracasada en lo único que había sido capaz de hacer con éxito. Se vistió y se marchó avergonzada, incapaz de mirarle a los ojos.

«Gracias, pues», dijo Smith, mientras ella salía al pasillo.

«Gilipollas. Puto gilipollas», le espetó ella por respuesta.

Por su parte, él no tenía nada más que decir.

Algunos días después de este incidente tuvo lugar un acontecimiento muchísimo más relevante. Smith llegó a la oficina silbando. Aquello constituía una demostración de extroversión, teniendo en cuenta sus cánones de conducta normales, y sus compañeros de trabajo tomaron nota.

«Pareces satisfecho, Ian», observó Mike Flynn.

«Acabo de comprarme una nueva cámara de vídeo», declaró Smith, añadiendo a continuación, con indecorosa presunción: «Lo último en su clase.»

«Cristo, ahora no habrá forma de detenerte, ¿eh, Ian? ¡Hollywood, allá vamos! Oye, a ver si conseguimos que Yvonne protagonice una película porno. Tú diriges, yo produzco.»

Yvonne Lumsden les echó una mirada amarga. Había rechazado recientemente torpes insinuaciones de un Mike beodo una noche que salieron y le preocupaba que pudieran estar confabulándose contra ella −desairados al verse rechazados− regresando a la adolescencia, como tenían tendencia a hacer algunos hombres.

Mike se volvió hacia Smith y dijo: «No, será mejor que dejemos a Yvonne al margen de esto. Queremos que sea un éxito de taquilla, después de todo.» Ella le tiró una goma de borrar, que rebotó contra su frente, causándole mayor alarma de la que dejó ver. Alistair, el flaco y anémico supervisor, les miró con una expresión de malhumor diseñada para constatar su oposición a aquella payasada. A él le gustaba que las cosas estuviesen en el estado al que constantemente hacía referencia como «en orden».

«Alistair puede ser el galán», susurró Mike, pero la expresión de Smith había vuelto a su estado normal: todo un despliegue de indiferencia.

Aquella tarde Smith cogió el autobús para ir a casa, pues llovía con fuerza. Examinando la edición de prensa de la tarde tomó nota de que Paul McCallum, de dieciocho años, estaba en la unidad de urgencias de la Royal Infirmary, entre la vida y la muerte, después de haber sido víctima en el centro durante la tarde anterior de un ataque aparentemente inmotivado. Espero que el chico logre salvarse, pensó Smith. Su reflexión fue que la vida humana debía ser sagrada, que tenía que ser la cosa más importante del mundo. Seguía sin haber noticia alguna de Amanda Heatley, la niña secuestrada. Smith fue a su piso, probó la cámara, y a continuación vio otro vídeo más.

Resulta difícil engancharse al vídeo. La mente de Smith se extravía. Intenta obligarse a sí mismo a sentirse dolido, se fuerza a pensar en Julie. ¿La amaba? Él cree que sí. No puede estar seguro, porque siempre que se inicia en su pecho esa sensación de arrobamiento, algo parece simplemente apagarla.

Al día siguiente Smith observa que no hay nada sobre Paul McCallum en el periódico. No sabe si eso es bueno o malo. ¿Qué significa no hay noticias? Abre el ejemplar de *Halliwell's* y tiembla de emoción. El libro está terminado. Todas las películas que hay en el listado han sido vistas y reseñadas. Las palabras que Mike Flynn había pronunciado en la oficina volvieron a atormentarle: *¿Qué pasará cuando las hayas tachado todas?* El rotulador de subrayar pasa por encima del título: *Tres solteros y un biberón.* Piensa brevemente en Amanda Heatley. Un hombre y una damita. En general la vida real era menos sentimental que Hollywood. Entonces algo sacude a Smith. Se da cuenta de que, de todos los titulares, éste, el último, es el único que ha calificado jamás con un cero. Escribe al margen:

0. VOMITIVO SENTIMENTALISMO YANQUI, UN DESENLACE TODAVÍA MÁS REPUGNANTE QUE EL ORIGINAL.

Entonces vacila: sin duda tiene que haber habido una película peor que ésa. Comprueba la cabecera que hay para la producción *El Paso*, producida, dirigida, escrita, protagonizada y con banda sonora de Marty Robbins, pero no, ésa obtuvo un punto. Comprueba algunas de las películas británicas, porque si hay algo que los británicos sepan hacer, es películas horribles, pero incluso *Sammy y Rosie se lo montan* obtuvo dos puntos. Ya es hora, decide. Se levanta y pone otra cinta de vídeo en el aparato. Se queda mirando la pantalla.

El vídeo que mira Smith muestra a un hombre subiendo a una escalera diligentemente, pero mirando al mismo tiempo directamente a la cámara. Sus ojos están llenos de temor, observando a Smith fijamente. Smith siente y refleja su temor y vuelve a mirar directamente a la pantalla. Todavía mirando, el hombre se estira para coger una cuerda con un nudo corredizo que está atada a un par de vigas de pino decorativas pero resistentes colocadas en paralelo. Se coloca el nudo alrededor del cuello, lo aprieta y aparta la escalera de una patada. Smith siente cómo queda suspendido en el aire y experimenta desorientación al balancearse y sacudirse la habitación y nota un peso tensándose alrededor de su cuello, ahogándole. Da vueltas en el aire y vislumbra a la figura de la pantalla por el rabillo del ojo; pataleando, balanceándose, muriendo. Smith intenta gritar ¡CORTEN!, pero no puede articular sonido alguno. Cree que la vida humana es importante, siempre sagrada. Lo piensa, pero sus brazos no pueden alcanzar las vigas para soportar su peso ni tampoco liberar la cuerda que aprieta su cuello. Se asfixia; la cabeza le cuelga a un lado y el pis le chorrea por la entrepierna.

La cámara está colocada encima de la pantalla de televisión; su ojo frío y mecánico lo observa todo de modo desapasionado. El aparato está puesto en RECORD. Continúa grabando mientras el cuerpo cuelga, fláccido, girando lentamente hasta llegar a la inmovilidad completa. Entonces la cinta se acaba sin decir FIN, pero lo es.

UN ATASCO EN EL SISTEMA

Knoxie rondaba por la puerta; con esa expresión que pide a gritos nuestra atención, cuando sabe que todo dios va a ignorarle hasta que hable. Entonces nos soltará un montón de mierda sobre cómo le ha dicho a Manderson que se meta su puto curro en el culo, cuando la verdad es que el capullo ha vuelto a cagarse por las tracas.

«Ese cabrón de Manderson», jadeó.

«¿Algún problema en las altas esferas?», pregunté, sin levantar la vista de mis cartas. Era una mano de mierda. Me volví para ofrecer a mi capataz toda mi atención, como empleado concienzudo. Una declaración de nulidad por parte de Knoxie me vendría de cojón, con la mierda que tengo.

«Tenemos faena. Hay un caos en los pisos.»

«Espera un poco», dice Lozy con nerviosismo. Evidentemente este listillo es el que más tiene que perder.

Detectando su ansiedad, Calum tira las cartas. Yo hago lo propio.

«El deber nos llama», se ríe Calum.

«¡Hostia puta, tenía una buena racha, so cabrones!», se queja Lozy.

«Pues entonces lo tienes crudo, bobochorra. El ayuntamiento, o sea los putos paganos de la *poll-tax*[1] para que tú lo entiendas, te pagan buen dinero para que trabajes un poco, no para que estés con el culo pegado a la silla jugando a las putas cartas todo el día», sonreía Calum con malicia.

---

1. Contribución urbana cuya subida durante la era Thatcher provocó un gran rechazo social. (*N. del T.*)

«Correcto», dijo Knoxie. «Además, es una putada total de trabajito, chicos. Hay una obstrucción en Anstruther Court otra vez. Un vejete de la primera planta ha ido al cuarto de baño a asearse y afeitarse. Todos los cabrones de los pisos de arriba llevan toda la mañana dale que te pego cagando sus currys y sus lager del fin de semana; esa historia de que todos tiran de la cadena casi simultáneamente. Toda la mierda se va para abajo —y no olvidemos que hablamos de veinte pisos en Anstruther Court—, choca con el puto atasco y vuelve a subir por el primer espacio disponible. Ya sabéis dónde es eso.»

Entrecerramos los ojos todos a una y chupamos el aire lleno de humo a través de labios fruncidos.

«Toda la mierda ha salido por la taza del vejete con tal fuerza que ha ido a parar al puto techo. Tenemos que arreglarlo.»

Lozy no estaba demasiado contento. «A mí eso me suena a que es el alcantarillado del exterior de los pisos. Más bien un trabajo para la Región, no para nosotros.»

«¡No me vengáis con esa mierda! ¿Y vosotros presumís de oficio? Os voy a decir una cosa, como no espabilemos, vamos a acabar todos en la puta calle. ¿Sabéis cuánto dinero está perdiendo la ODT?»

«Ah, pero ésa no es la cuestión, Knoxie. Ahora somos empleados municipales, no estamos trabajando en una contrata privada. Hay una política antidespidos.»

«Estamos sujetos a una puta oferta competitiva. Si no nos ponemos las pilas, estamos jodidos. Así de claro. No importa un carajo lo que diga cualquier puto gilipollas del Partido Laborista que sale elegido en las listas del ayuntamiento. Que no resolvemos los asuntos, pues no nos salen contratos. Que no nos salen contratos, pues se acabó la Organización Directa del Trabajo. Punto final.»

«Nah, de punto final nada», proseguía Lozy, «porque el del sindicato decía...»

«Ése no es más que un puto capullo al que hacen representante porque ningún otro cabrón quiere el puesto. Esos capullos no hacen más que hablar por el puto culo. ¡Venga! En movimiento.»

Yo me limité a encogerme de hombros: «Bueno, como le

dijo un fontanero anarquista a otro: aplastemos la cisterna.»[1]

Nos subimos a la furgoneta. Knoxie está de lo más susceptible desde que volvió del cursillo ese de Supervisión Segunda Parte en las City Chambers.[2] Parece que allí le comieron el tarro al cabrón. Después de la Primera Parte, era todo dulzura y alegría con nosotros. No era Knoxie. Nos parecía sospechoso que te cagas. Yo eché un vistazo a los apuntes que le dieron al cabrón. Dale que te pego con lo de motivar a la plantilla en un marco de liderazgo centrado en la acción. Dicen que no es tarea del supervisor hacer el trabajo, es tarea del supervisor asegurarse de que el trabajo se haga. Dicen que el supervisor logra que se haga el trabajo respondiendo a las necesidades individuales y de grupo de la cuadrilla. Así que le dimos la barrila a Knoxie con aquello. Calum dijo que necesitaba ir a pillar algo de éxtasis para una fiesta al que iba a ir; Lozy le dijo que necesitaba pasar algún tiempo en un salón de masajes. Como grupo necesitábamos una sesión de priva de veinticuatro horas en el Blue Blazer. ¿Podía Knoxie arreglarlo todo? Al cabrón no le hizo ninguna gracia. Dijo que no se trataba de eso y que no deberíamos haber mirado sus notas a menos que nos hubiéramos apuntado al curso.

De todos modos, no duró mucho. Pronto regresamos al viejo Knoxie de siempre. Así que teníamos bastantes ganas de perderle de vista un par de días, cuando van y le ponen a hacer la Segunda Parte. No sé lo que le harían al hijoputa esta vez; fuese lo que fuese, se volvió más nazi aún si cabe. Ahora el desgraciao simplemente no atiende a razones. Y Lozy tiene razón. Es casi seguro que el atasco está en el alcantarillado. No tenemos las herramientas para bajar ahí, aunque ése fuera nuestro cometido.

Donde los pisos huele que apesta. Hay un policía por ahí de pie como un gilipollas de repuesto. Un chico que es funcionario de la vivienda y una chica que es asistenta social están con el capullo del viejo en un sofá con unos formularios, tratando

---

1. Juego de palabras entre «*smash the cistern*»/«*smash the system*» («destruyamos el sistema»). (*N. del T.*)
2. En Glasgow, Edimburgo y Dundee, las City Chambers son la sede del gobierno muncipal. (*N. del T.*)

de hacerle un apaño. Los tíos de medioambiente también están aquí. Ni de coña iba a entrar yo en ese cuarto de baño.

Calum va y me dice: «Aquí lo que tenemos es un trabajo de exteriores. Fijo.»

Knoxie lo oyó por casualidad y se puso todo chulo. «¿Eh?», soltó.

«Pues eso, sólo decía que el atasco estará en los desagües, sabes, no en las tuberías. Probablemente en el codo y tal.»

«Eso sería lógico», digo poniendo mi voz de Spock-en-*Star Trek*.

«Eso nadie lo sabe seguro hasta que echemos un tiento», replicó Knoxie.

Yo no estaba por entrar en aquel cagadero a comprobarlo. «Ya sabes lo que pasa, Knoxie. Las periquitas tiran los tapajuntas por la taza, y se atascan todos en el codo, ¿sabes?»

«Los cabrones que tiran los putos pañales por el wáter, ésos son los capullos que me inflan las pelotas a mí», dijo Lozy sacudiendo la cabeza. «Eso es lo que hace daño de verdad, no los tapajuntas.»

«No voy a ponerme a discutir con vosotros, cabrones. Sacad esas putas varillas de la furgoneta y metedlas por esa puta taza.»

«No tiene ningún sentido», salgo yo. «Rellena un MRN 2 y deja que lo arreglen los capullos de drenaje de la Región. A la larga tendrán que hacerlo, aquí sólo estamos perdiendo el tiempo.»

«¡No me digas cómo tengo que hacer mi trabajo, hijo! ¡Venga!» Knoxie no está nada contento. El cabrón está demasiado suspicaz. No piensa dar marcha atrás. Pues yo tampoco.

«Es una puta pérdida de tiempo», repetí.

«Sí, claro, ¿y qué otra cosa tienes que hacer? ¡Sentarte en la cantina a jugar a las cartas!»

«Ésa no es la puta cuestión», dice Lozy, «no es puta tarea nuestra. Una MRN 2 para la Región. Eso es lo que hace falta.»

La asistenta social se dio la vuelta y nos echó una mirada de mosqueo. Yo no hice más que sonreír pero miró para otro lado con cara de malas pulgas. No cuesta nada tener modales. Una asistenta social que no puede tener putos modales; eso no sirve de nada a nadie. Como un socorrista que no sabe nadar. No debería estar haciendo esa clase de trabajo.

«Vosotros, iros a tomar por culo, cabrones. Lo haré yo. Venga, a tomar por culo», dice Knoxie.

Nos quedamos mirándonos. Nadie sabía a qué carta quedarse, así que nos dimos la vuelta y bajamos la escalera. Sólo pensamos: Si eso es lo que quiere el cabrón...

«¿Eso quiere decir que vas a entregarnos las cartas de despido?», preguntó Calum.

Lozy se limitó a reírse en la cara del capullo «Las únicas cartas que te dan en la DLO vienen en paquetes de cincuenta y dos. Nosotros sólo cumplimos órdenes y siempre se obedece la última. Iros, dice el cabrón, así que nos vamos.» Se encogió de hombros.

«Sin embargo, cuando lo piensas», dije yo, «Knoxie no aprendió gran cosa en ese puto cursillo. Dicen que es tarea del supervisor lograr que se haga el trabajo, no hacerlo él. Ahí arriba tenéis al capullo currando solo mientras nosotros estamos aquí fuera.»

«¿Os apetece una pinta?», pregunta Lozy. «¿Whitsons?»

Calum enarca una ceja esperanzada.

«Por qué no», salgo yo, «si van a ahorcarte por robar una oveja, pues ya puestos te la follas.»

Cruzamos el patio. Había un olor acre y mierdoso y Lozy arrugó la cara con aquel gesto de satisfacción suyo, señalando con la cabeza un río de agua estancada que borboteaba hasta la superficie por los alrededores del borde de una tapa de alcantarilla oxidada.

Calum se volvió hacia el bloque de pisos y levantó los dos brazos en el aire. Hizo un doble signo de la victoria. «Juego, set y partido, hijo de puta masón.»[1]

Lozy soltó: «El tío del sindicato se le comerá los huevos si intenta llevar esto ante un comité disciplinario.»

«No llegaría tan lejos», dije yo. «Nosotros hemos dado nuestra opinión profesional. ¿Qué era lo que dijo el tipo que nos llevó al examen de técnicos especialistas en Telford College?

1. Se denomina masones a los protestantes pertenecientes a la Orden de Orange, dedicada al mantenimiento de la supremacía protestante frente a nacionalistas y católicos irlandeses y cuyos miembros tienen formas especializadas de reconocerse. Por extensión, se designa así a los protestantes en general. (*N. del T.*)

La cualidad más importante en cualquier oficio es el diagnóstico preciso de los problemas. Yo saqué un puto sobresaliente», dije señalándome.

Lozy enarcó las cejas, el muy caradura.

«Es cierto», me respaldó Calum.

«Sí, y ese capullo de Knoxie ha preferido desestimar nuestro dictamen profesional.»

«Despilfarro de recursos municipales», asintió Lozy. «Manderson jamás respaldará a ese capullo.»

Avanzamos por el centro fanfarroneando hacia el pub. Va a ser una pinta de lo más dulce, ya lo creo.

Dos Cabezas-de-gorrión están sentados en la mesa de un pub diciendo chorradas sobre fútbol. Los dos Cabezas-de-gorrión son casi idénticos, con sus suaves cabezas marrones emplumadas, sus picos abiertos, tensos y belicosos y sus viscosos ojos de regaliz. Lo único que los distingue es que uno de los Cabezas-de-gorrión tiene un churretón de porquería negra chorreándole por la esquina del ojo izquierdo, quizá como resultado de una lesión o una infección.

«Ha habido problemas hoy en el partido, ¿eh?»

«Sí, *casuals*[1] infiltrados. No debería haber estado allí, al fondo no.»

«Pues yo he oído que no habían sido los *casuals*. He oído que un par de chicos que iban juntos han empezado a discutir sobre Wayne Foster. Uno de los capullos va y dice: Sacad a ese puto cabrón inglés del terreno. El otro chico dice: Dale al cabrón una oportunidad. Así que el primero le contesta algo y una cosa lleva a la otra, y un chico le da en el morro al otro. Y en un periquete ya está montada una bulla que te cagas.»

«No», dice uno de los Cabezas-de-gorrión, sacudiendo el pico en señal de desacuerdo, «habrán sido esos putos *casuals*. A esos cabrones no les interesa el fútbol.»

«No, no. La cosa iba con Wayne Foster. Eso es lo que he oído.»

«Los *casuals*», dice el Cabeza-de-gorrión sacudiendo el pico

---

1. Denominación de los jóvenes informalmente vestidos que acuden al fútbol para alborotar. (*N. del T.*)

otra vez. Caen flotando al suelo de linóleo unas cuantas plumas marrones, «eso será. Putos alborotadores.»

«No», explica su amigo, ahora ligeramente exasperado. «hoy no. Estoy de acuerdo contigo sobre lo de los *casuals*, pero estamos hablando *de hoy*. Esto eran dos chavales que se conocían. Empiezan a sacudirse y entonces todo dios se apunta. Frustración, sabes. Frustración por cómo están las cosas. ¿Entiendes?»

«Bueno, quizá, y digo quizá, fuesen esos dos chicos y Foster, Wayne Foster –que no está mal por cierto; al menos Foster siempre rinde al ciento diez por ciento– quizá esta vez haya sido Foster el que lo ha provocado, pero normalmente son los *casuals* esos..., eso es lo único que digo.»

«Sí, pero esta vez no. Desde luego hoy ha sido el rollo ese de Foster. He oído a un par de chavales largando sobre eso.»

«Hay que reconocer que Foster no es demasiado hábil. Pero es rápido que te cagas, tío.»

«Foster...»

«Otra cosa que tiene Foster, el cabrón nos salió tirado. El Derek Ferguson de los huevos; ¡tres cuartos de millón por eso! ¡Una puta diva es lo que es!»

«Nah, es un futbolista, tío.»

«Foster. Ése sí. Mira, si todos se entregaran como Foster...»

«Vale, vale. Si se pudiese combinar la entrega de Foster con la clase de Ferguson...»

«Ya», asiente el otro Cabeza-de-gorrión, «eso lo admito.»

«La entrega y velocidad de Foster con la clase y la visión de Ferguson.»

«Foster.»

«Eso. Foster, macho.»

«Sí. Wayne Foster. Ya lo creo», medita el Cabeza-de-gorrión, antes de volverse hacia su colega: «¿Otra pinta?»

«Sí.»

Uno de los Cabezas-de-gorrión se acerca hasta la barra pero el camarero se niega a servirle ya que él, el camarero, tiene inclinaciones sectarias que le hacen sentir aversión por los capullos Cabezas-de-gorrión. Por añadidura, ese camarero ha gozado de los beneficios de una educación clásica, lo que le hace sentirse superior a la mayoría de la gente, sobre todo los Cabezas-de-gorrión, a quienes detesta tener que servir. Hay otra razón. *Ella* está en el bar. Peor aún: *Ella* está en el bar con *Ésa*. La aguda vista de los Cabezas-de-gorrión está enfocando a esas dos mujeres, que están sentadas en una esquina del bar, inmersas en su conversación. Si *Ella* se fuese a casa con un Cabeza-de-gorrión sería el fin para el Erudito Clásico; en cuanto a *Ésa*, bueno, podía hacer lo que quisiera.

«¿Pero cómo que no?», pregunta el Cabeza-de-gorrión que está en la barra, «¿cómo que no nos quieres servir?» Tiene el pico abierto en un ángulo de noventa grados y sus inmensos ojos negros irradian ansiedad.

El camarero no es en absoluto ornitólogo. Lo suyo son las clásicas, pero hasta él puede percibir el malestar del Cabeza-de-gorrión. No obstante, sacude lentamente la cabeza, evitando mirar a la cara al Cabeza-de-gorrión. Por el contrario, transforma el acto de fregar un vaso en un ritual severo e intenso.

El Cabeza-de-gorrión de la barra vuelve a la mesa. «¡No nos quieren servir!», le hace saber a su amigo.

«¡Eh! ¿Por qué no?»

Los Cabezas-de-gorrión se van a la otra punta de la barra para apelar a Ernie, el otro camarero de servicio. El Erudito Clásico era el camarero jefe, y aun cuando Ernie hubiese tenido el poder de invalidar su decisión, no habría querido hacerlo, pues también él disfrutaba viendo el malestar de los Cabezas-de-gorrión. «No soy yo quien decide, chicos», se encogió ante los atónitos picos y volvió a su conversación con los tipos que había en la barra.

El Erudito Clásico mira hacia las dos mujeres de la esquina. Sobre todo la mira a *Ella*; es más, es incapaz de apartar los ojos de esos labios lustrosos. Recuerda aquella mamada el día de Año Nuevo, había sido demasiado. Siempre había una tensión en su mente y en su cuerpo; era inherente al hecho de ser un erudito clásico en un mundo donde los clásicos estaban infravalorados. No se le reconocían la profundidad y amplitud de sus conocimientos. Se veía obligado a tirar pintas para Cabezas-de-gorrión. Lo cual le provocaba depresiones, ansiedad, tensión. Aquella mamada durante el Año Nuevo; aquello había vaciado de toda tensión su cuerpo hipertenso, sacado todos los pensamientos venenosos de su cabeza. Se había quedado tumbado un rato, sobre la cama en el guardarropa; simplemente echado, aturdido. Cuando se recuperó, ella se había marchado de la habitación. Fue a buscarla pero cuando se acercó a ella, se mostró fría y brusca.

«Aléjate de mí, por favor», le había dicho ella. «No me interesa. Estamos en Año Nuevo. Estoy un poco pedo. Entiéndelo, ha sido un desliz, ¿vale?»

Lo único que pudo hacer fue responder sacudiendo atolondradamente la cabeza, ir tambaleándose hasta la cocina y emborracharse.

Ahora *Ella* estaba en el bar con *Ésa*, una mujer con la que se había ido a casa antes; una mujer a la que se había follado. A él no le gustaba *Ésa*, pero pensar que había estado con las dos le hizo sentirse bien. Dos mujeres de menos de treinta años en el bar y él se había follado a las dos. Bueno, se había follado a una y le había sacado una mamada a la otra. Sin duda, un mero tecnicismo. Rebobinó: dos mujeres de menos de treinta años en el bar y su picha se había corrido en cada una de ellas dentro de un orificio diferente. Eso sonaba aún mejor. Pero su bienestar no duró mucho porque *Ella* miraba hacia él y se reía, las dos se reían. *Ella* se llevó las manos al pecho, colocando sus dedos índices a escasos centímetros de distancia. La otra mujer, *Ésa*, asintió negativamente mientras echaban otra mirada furtiva al Erudito Clásico, y entonces *Ella* juntó los dedos hasta que apenas había espacio entre ellos y *Ésa* meneó la cabeza en señal de aprobación, antes de que ambas se derrumbaran entre estruendosas carcajadas.

El Erudito Clásico era un hombre demasiado sensible para que lo trataran de aquella manera. Entró en la pequeña habitación situada al final de la barra y cogió un viejo, duro y amarillo trozo de jabón del mugriento fregadero. Arrancó un trozo de pastilla de un bocado y, tras hacer una mueca debido al asqueroso sabor, tragó con fuerza. Le quemó durante todo el camino hasta el estómago, haciendo un recorrido lento y ponzoñoso. Se golpeó la palma con el puño, se estremeció de pies a cabeza y empezó a tararear un suave mantra: «Guarras guarras guarras guarras guarras...»

Recuperado el control sobre sí mismo, apareció, sólo para

encontrarse con uno de los Cabezas-de-gorrión de pie ante él en la barra.

«¿Cómo es que no nos servís, colega? ¿Qué es lo que hemos hecho? No vamos ciegos ni nada de eso. Sólo hemos venido a tomarnos unas copas tranquilamente, sabes. Sólo estábamos charlando sobre el partido, ¿sabes? Wayne Foster y eso.»

Lo mejor era no hablar siquiera con un Cabeza-de-gorrión. Era importante recordar las reglas doradas del trabajo de barra en lo tocante a Cabezas-de-gorrión:

1. ACTUAR CON DECISIÓN.
2. PERMANECER IMPLACABLEMENTE EN POSESIÓN DE ESA DECISIÓN INICIAL, AL MARGEN DE QUE ESA DECISIÓN SEA JUSTA O NO.
3. JAMÁS INTENTES EXPLICAR LA(S) RAZÓN(ES) DE TU DECISIÓN AL CABEZA-DE-GORRIÓN. JUSTIFICÁNDOTE O RAZONANDO SÓLO COMPROMETES TU AUTORIDAD.

Ésas eran las reglas del juego. Siempre.

Sacudió negativamente la cabeza hacia los Cabezas-de-gorrión. Ellos soltaron algunos juramentos y se marcharon.

Pocos minutos después, *Ella* se levantó. Ernie, situado en la otra punta de la barra, se acercó para servirla, pero continuó charlando con un par de clientes al darse cuenta de que ella se dirigía hacia el Erudito Clásico.

«Craig», le dijo ella, «me ha gustado cómo has tratado a esos dos tíos raros picudos con plumas en la cara. Nos estaban dando repelús. ¿Cuándo terminas esta noche?»

«Eh, dentro de media hora.»

«Estupendo, quiero que vengas a casa conmigo y mi amiga Rosalyn. Conoces a Rosalyn, no..., ja, ja, ja, claro que sí.»

«Vale.»

«Que quede claro, Craig, no vamos a follar contigo, no vas a sacarnos nada. Eres un hombre bastante sexy pero te tomas demasiado en serio. Queremos enseñarte algo sobre ti. ¿Vale?» Sonrió y volvió a donde estaba sentada su amiga.

El Erudito Clásico se preguntó para qué le querrían. De todos modos, iría. Podría resultar revelador. No importaba si uno era un Cabeza-de-gorrión o incluso un Erudito Clásico; en la vida siempre había lecciones nuevas por aprender.

DONDE LOS DESECHOS DESEMBOCAN EN EL MAR

La casa de Santa Mónica estaba a una elegante distancia de Palisades Beach Road, el bullicioso paseo marítimo de la ciudad. Aquello era la cúspide de la ciudad, su opulencia servía a los yuppies que moraban en las propiedades más al sur de la costa del Pacífico de cima a la que aspirar. Era una vivienda de dos plantas de estilo español, oculta en parte desde la carretera por un enorme muro de piedra, y una selección de árboles indígenas americanos e importados. A escasos metros hacia el interior del muro, una valla de seguridad electrificada recorría el perímetro de la propiedad. Pasada la puerta que daba entrada al terreno, estaba escondida discretamente una garita, y fuera de ella se sentaba un fornido guarda con gafas de espejo.

Indudablemente, la impresión de conjunto que producía aquella residencia era de opulencia. A diferencia de lo que sucedía en la vecina Beverly Hills, sin embargo, aquí el concepto de riqueza parecía más utilitario, en vez de dominado por la preocupación por el estatus. La impresión era que la riqueza estaba aquí para ser consumida, en vez de para lucirla ostentosamente con objeto de provocar respeto, asombro o envidia.

La piscina que había al fondo de la casa había sido vaciada; no era aquél un hogar que estuviese habitado todo el año. En el interior, la casa estaba abundantemente amueblada, aunque en un estilo austero y práctico.

Había cuatro mujeres relajándose en una gran habitación que llevaba, atravesando las puertas del patio, hasta la piscina vacía. Estaban tranquilas, silenciosamente ociosas. Los únicos ruidos procedían de la televisión, que una de ellas miraba, y el suave siseo del aire acondicionado que bombeaba aire fresco y seco en el interior de la casa.

Había una pila de revistas relucientes sobre la gran mesa de café. Llevaban títulos tales como *Wide-o, Scheme Scene* y *Bevvy Merchants*.[1] Madonna hojeaba ociosamente por entre las páginas de la revista llamada *Radge*,[2] deteniéndose abruptamente para regalarse la vista con la pálida silueta de Deek Prentice, resplandeciente en un chándal de acetato púrpura, azul y negro.

«¡Fuaa! A ése me lo follaba yo hasta que se le cayera el culo!», exclamó lujuriosamente, rompiendo el silencio y metiendo la foto debajo de las narices de Kylie Minogue.

Kylie examinó clínicamente la imagen: «Hmm..., no sé... No tiene el culo mal puesto, pero a mí los cortes de pelo a cepillo no me van mucho. Aun con todo, no lo echaría de mi cama a patadas, como quien dice, ¿sabes?»

«¿Quién es ése?», preguntó Victoria Principal, limándose las uñas mientras descansaba en el sofá.

«Deek Prentice, de Gilmerton. Solía andar con los *casuals*, pero ya no le va ese rollo», dijo Madonna, echándose un chicle a la boca.

Victoria se mostró entusiasmada. «Tiene un polvo total. Apuesto a que la tiene de caballo. Como la foto esa que tengo de Tam McKenzie, el del Young Leith Team sabéis, de la alineación original de los setenta. Menudo pollón que tiene, macho, no te digo. ¡Fuaaa, macho! Incluso con el chándal puesto se puede ver cómo le abulta el aparato. Pensé: Hostia puta, daría los dientes de delante por ponerle las encías encima.»

«¡Probablemente tendrías que hacerlo, si la tiene tan grande como dices!», sonrió Kylie maliciosamente. Todas se rieron ruidosamente, salvo Kim Basinger, que estaba hecha un ovillo viendo la televisión en una silla.

1. *Wide-o* puede traducirse por «vivales, espabilado, bandarra, chulo», etc. *Scheme Scene* vendría a ser algo como «Movida Arrabalera» y *Bevvy Merchants* se podría traducir por «Privosos». (*N. del T.*)

2. *Radge* puede traducirse aproximadamente como «desgraciao», «mangui» o «zumbao» cuando se aplica las personas; aplicado a las situaciones, puede significar «cutre» o «pasote». (*N. del T.*)

«De ilusión también se vive», meditó. Kim estaba estudiando la sensual imagen de Dode Chalmers; atrevida cabeza afeitada, camiseta de Castlemaine XXXX[1] y Levis. Aunque Rocky, su fiel pit-bull terrier americano, no resultaba visible en la pantalla, Kim se fijó en que su correa de cuero y cadenas estaba enrollada alrededor del fuerte y tatuado brazo de Dode. Aquella imagen emanaba erotismo puro. Deseó haber grabado en vídeo aquel programa.

La cámara viró bruscamente hacia Rocky, a quien Dode describió ante el entrevistador como: «Mi único amigo fiel en la vida. Tenemos una telepatía extraordinaria que va más allá de la arquetípica relación entre hombre y bestia... Rocky es en un sentido real una prolongación de mí mismo.»

A Kim eso le parecía un poco pretencioso. Desde luego, había pocas dudas de que Rocky formara parte integral de la leyenda de Dode Chalmers. Iban juntos a todas partes. Sin embargo, Kim se preguntaba cínicamente hasta qué punto era todo un turbio ardid publicitario, montado quizá por agentes de relaciones públicas.

«Joder...», jadeó Kylie, boquiabierta, «... lo que daría yo por estar en la piel de ese perro ahora mismo. Llevando un collar, encadenada al brazo de Dode. Eso me iría de perlas.»

«Pues lo tienes claro», se rió Kim, más burlonamente de lo que había sido su intención.

Madonna la miró desde el otro lado. «Vale pues, listilla. No seas tan presumida», dijo en tono desafiante.

«Eso, Kim, no nos digas que no te lo harías con él si tuvieras la oportunidad», se burló Victoria.

«A eso iba. No voy a tener la oportunidad, así que ¿de qué sirve hablar de ello, digo yo? Yo estoy aquí, en el sur de California, y Dode está en el puto Leith de los huevos.»

Se quedaron en silencio, y miraron la entrevista que le estaban haciendo a Dode en *El Show de Jimmy McGilvary*. A Kim le parecía que McGilvary era un puto dolor, que al parecer se creía una estrella tan importante como sus invitados. Le preguntaba a Dode por su vida amorosa.

«Honradamente, no tengo tiempo para relaciones serias en

---

1. Conocida marca de cerveza australiana. (*N. del T.*)

estos momentos. Ahora mismo lo único que me interesa son las horas extra que pueda hacer. Después de todo, uno no puede olvidar que la quincena de vacaciones de los currantes está a la vuelta de la esquina», explicó Dode, ligeramente ruborizado, sus delgados labios casi fruncidos en una sonrisa.

«Yo le daba un revolcón», dijo Kylie relamiéndose el labio inferior.

«Pero que ya», asintió Victoria gravemente, con los ojos desorbitados.

A Madonna le interesaba más Deek Prentice. Volvió su atención al artículo y continuó leyendo. Esperaba leer algo sobre la ruptura de Deek con los *casuals*. No se conocía toda la historia al respecto, y sería interesante oír la versión de Deek.

aún no tenemos que perder la esperanza, pues Deek mantiene una actitud abierta en lo que a romances se refiere desde su tan sonada ruptura con la sensual acomodadora de cine Sandra Riley. Se nota que es un tema en el que Deek está ansioso por dejar las cosas claras.

«Supongo que, en cierto modo, nos queríamos demasiado. Desde luego, no hay rencor ni amargura por ninguna de las dos partes. De hecho, estuve hablando por teléfono con Sandra la otra noche, así que seguimos siendo muy amigos. Nuestras respectivas carreras nos dificultaban vernos con la frecuencia que hubiéramos deseado. Evidentemente, el cine no es un asunto de nueve a cinco, y las mudanzas pueden llevarme por todo el país, teniendo que pernoctar. Nos acostumbramos a no estar juntos, y más o menos fuimos alejándonos poco a poco. Por desgracia, ésa es la naturaleza del trabajo en el que estamos. Resulta difícil mantener una relación.»

La vida social de Deek es otro aspecto en el que cree haber recibido ración más que suficiente de publicidad no deseada. Aunque no es ningún secreto que le gusta la buena vida, le parece que «determinadas fuentes» han exagerado un tanto las cosas.

«Así que me gusta jugar al billar de vez en cuando con Dode Chalmers y Cha Telfer. Lo único que puedo decir es: Culpable, su señoría. Sí, tengo la costumbre de visitar luga-

res como el *Spey Lounge*, *Swanneys* y la *Clan Tavern;* y me gusta tomar algunas pintas de lager. Sin embargo, el público sólo ve el lado glamuroso de las cosas. La mayoría de las noches estoy en casa, viendo Coronation Street y Eastenders.[1] Sólo por dar un ejemplo de qué tipo de chorradas refleja la prensa, hubo un reportaje en un periódico dominical, cuyo nombre no daré, afirmando que estuve envuelto en un altercado durante una despedida de solteros en Fox's Bar. No es un garito que frecuente, ¡y, en cualquier caso, aquella noche estaba haciendo horas extra! Si estuviera en el pub tan a menudo como sostienen determinados redactores de las revistas del corazón, difícilmente podría conservar mi empleo con Mudanzas Northern. Con tres millones de parados, os puedo asegurar que no tengo intención alguna de dormirme en los laureles.»*

El jefe de Deek, el experimentado supervisor Rab Logan, está de acuerdo. Es probable que Rab conozca a Deek mejor que ningún otro compañero de trabajo, y a Deek no le duelen prendas a la hora de atribuirle al adusto nativo de Leith la salvación de su carrera. Rab nos dijo: «Deek llegó aquí con la reputación de ser, digamos, un tanto difícil. Es muy individualista, todo lo contrario de un hombre de equipo, y solía irse al pub siempre que le daba la gana. Evidentemente, habiendo un porte a medio hacer, semejante falta de seriedad provocó cierto malestar entre los demás miembros del equipo. Las navajas salieron a relucir por primera y última vez, y desde entonces ha sido una gozada trabajar con Deek. No tengo palabras suficientes para alabarle.»

Deek no tiene reparo alguno en reconocer su deuda con el Svengali[2] de las mudanzas, al contrario.

«Se lo debo todo a Rab. Hizo un aparte conmigo y me dijo que yo tenía lo que hacía falta para triunfar en el negocio de las mudanzas. La decisión era mía. En aquel en-

1. *Coronation y Street* y *Eastenders* son dos famosos y longevos seriales de la BBC, que transcurren en Manchester y Londres, respectivamente. (*N. del T.*)
2. Svengali: persona que controla la mente de otra, generalmente con intenciones siniestras. Basado en un personaje de la novela de George Du Maurier *Trilby* (1894). (*N. del T.*)

tonces yo era arrogante, y no escuchaba a nadie. Sin em-
bargo, recuerdo aquel viaje a casa excepcionalmente ho-
rrendo y solitario en el autobús número seis el día en que
Rab me dijo unas cuantas verdades como puños. Tiene la
costumbre de afirmar lo evidente, cuando tú estás tan
cerca que los árboles no te dejan ver el bosque. Después de
que Rab Logan te haya puesto a caldo, te pones las pilas.
La lección que aprendí de Rab aquel día fue importante.
En cierto modo, el negocio de las mudanzas es como cual-
quier otro. En última instancia, vales tanto como tu último
porte.»

Lo que Deek quiere a la larga, sin embargo, es la opor-
tunidad de

«No hay nada que nos impida ir a Leith de vacaciones y
tal», sugirió Victoria, desviando la atención de Madonna de la
revista.

«Vacaciones..., vacaciones...», cantó Madonna.

«¡Sí! Podríamos ir al *Clan*», se extasió Kylie. «Imagínate la
de pollas que habrá allí dentro. Saliendo por las putas paredes.» Entornó los ojos, frunció los labios y sopló con fuerza,
sacudiendo la cabeza de un lado a otro.

«Jamás te servirían allí», dijo Kim con desdén.

«¿Sabes cuál es tu problema, Kim? Nunca piensas lo bastante positivamente, joder. Tenemos la pasta. No te nos que-
des ahí sentada diciéndonos que no tienes tela», le regañó
Madonna.

«Nunca he dicho eso. Pero no es sólo cuestión de pasta...»

«Pues entonces. Podríamos ir a Leith. Nos lo pasaríamos
dabuti, joder. Las mejores vacaciones de nuestra vida», le dijo
Madonna, y a continuación siguió cantando. «Sería, sería tan
bonito, vacaciones...»

Victoria y Kylie asintieron entusiasmadas, mostrando su
acuerdo. Kim no parecía convencida.

«Me revientan las capullas como vosotras.» Sacudió la cabeza. «No sé en qué puto mundo vivís.»

«¿Qué pasa con tu puta jeta, pedazo de cabrona picajosa?»,
declaró belicosamente Madonna, incorporándose en la silla.
«Me estás tocando las putas tetas, Kim, de verdad.»

«¡Nunca iremos al Leith de los huevos!», dijo Kim con un tono de desdeñoso rechazo. «Estáis soñando, joder.»

«¡Puede que algún día vayamos!», dijo Kylie, apenas con un deje de desesperación en la voz. Las demás asintieron, mostrándose de acuerdo.

Pero en su fuero interno sabían que Kim tenía razón.

LA MIERDA DE LA ABUELITA

La celadora, la señora French creo que la llaman, me mira de arriba abajo. Resulta bastante obvio que no le gusta lo que ve; su mirada tiene un matiz de penetrante frialdad; decididamente, aquí me están evaluando negativamente.

«Así que», dice con las manos en las caderas, sus ojos revoloteando suspicazmente sobre el reluciente maquillaje amarillo-marrón rematado por una quebradiza cabellera castaña, «¿tú eres el nieto de la señora Abercrombie?»

«Sí», reconozco. No debería ofenderme la señora French. Está haciendo su trabajo. Habría quejas de la familia si estuviera menos alerta en la vigilancia de la viejita. Tengo que reconocer además que estoy menos que presentable: cabello negro lacio y grasiento, una sucia espesura brotando de una cara mortalmente pálida moteada por unos cuantos granos rojos y amarillos. Mi gabán ha visto tiempos mejores y no recuerdo cuándo me mudé de vaqueros, sudadera, camiseta, zapatillas, calcetines y calzoncillos.

«Bueno, supongo que será mejor que pases», dijo la señora French, poniendo de mala gana su considerable mole en movimiento. Logré pasar, no sin rozarme con ella. La señora French era como un petrolero, le costaba cambiar de dirección. «Está en el segundo piso. No vienes a verla muy a menudo, ¿verdad?», dijo poniendo cara de juez.

No. Ésta es la primera vez que vengo a ver a la viejita desde que se vino a vivir a esta residencia para pensionistas. De eso hará más de cinco años. Hoy en día muy pocas familias están unidas. La gente se desplaza, vive en diferentes partes del país,

107

llevan vidas distintas. Es inútil lamentarse por algo tan inevitable como la decadencia del círculo familiar tradicional; en cierto modo, es algo bueno porque proporciona empleos a gente como la señora French.

«No vivo por aquí», digo entre dientes, dirigiéndome pasillo abajo, sintiendo una punzada de odio contra mí mismo por justificarme ante la celadora.

Los pasillos tienen un olor mohoso y fétido a pis y cuerpos rancios. La mayoría de la gente que está aquí parece hallarse en un estado de enfermedad tan avanzado que no puedo por menos que confirmar mi intuición de que tales lugares no son sino antecámaras de la muerte. De ello se sigue que mis actos no van a alterar la calidad de vida de la viejita: apenas se dará cuenta de que el dinero ha desaparecido. Parte de él probablemente pasará a mis manos de todos modos, cuando acabe por palmarla; ¿así que para qué cojones esperar hasta que ya no me sirva de nada? La viejita podría aguantar una burrada de años en plan vegetal. Sería una tontería totalmente perversa y contraproducente no darle el palo ahora, dejarse constreñir por un conjunto de tabúes estúpidos e irrelevantes que pasan por moralidad. Necesito lo que tiene en la caja.

Lleva mucho tiempo en la familia: la caja de galletas de la abu. Ahí está, debajo de la cama, repleta de fajos de billetes. Recuerdo que, de crío, cuando era nuestro cumpleaños lo abría y separaba de lo que era al parecer una fortuna unos cuantos billetes, cuya ausencia no hacía mella alguna en su fajo.

Los ahorros de toda una vida. ¿Ahorros para qué? Ahorros para nosotros, claro; vieja capulla embobada: demasiado débil, demasiado inútil para disfrutar o siquiera emplear su riqueza. Pues bien, me cogeré mi parte ahora, abuelita, muchísimas gracias.

Llamo a la puerta. Abercrombie, sobre un fondo de cuadros escoceses. Siento un escalofrío en la espalda y mis articulaciones están rígidas y doloridas. No tengo demasiado tiempo.

Abre la puerta. Parece tan pequeña, es como un títere arrugado, como Zelda de los *Terrahawks*.

«Abuela», sonrío.

«¡Graham!», dice, su rostro ensanchándose cálidamente. «¡Dios, no me lo puedo creer! ¡Pasa! ¡Pasa!»

Me hace sentar, parloteando emocionada, va y viene cojeando a su pequeña cocina adosada, mientras prepara un té lentamente y con esfuerzo.

«Siempre le pregunto a tu madre cómo es que nunca vienes a verme. Siempre venías los sábados a cenar, ¿te acuerdas? A comer carne picada, ¿te acuerdas, Graham?», dice.

«Ya, la carne picada, abuela.»

«Donde vivía antes, ¿te acuerdas?» dijo melancólicamente.

«Me acuerdo muy bien, abuela», asentí. Era un tugurio infestado de alimañas, no apto para ser habitado por seres humanos. Odiaba aquella asquerosa vivienda: aquella escalera, el último piso sorpresa sor-puta-presa, y yo con la parte anterior de las piernas hecha mierda por el asqueroso ritual de caminar arriba y abajo de Leith Walk y Junction Street; ella allí de pie, ajena a nuestro dolor, mientras cascaba de un montón de chorradas irrelevantes y banales con todas las demás viejas perras que se cruzaban en nuestro camino; mi hermano mayor Alan pagando su exasperación conmigo dándome puñetazos o patadas o retorciéndome el brazo cuando ella no miraba, y si lo hacía le daba igual. Mickey Weir[1] recibe más protección de Syme en Ibrox de la que yo recibí jamás por parte de esa vieja capulla. Y después de todo eso las putas escaleras. ¡Dios, cómo odiaba aquellas putas escaleras!

Pasa a la habitación y me mira con tristeza, sacudiendo la cabeza con la barbilla sobre el pecho. «Tu madre dice que has estado metido en líos. Con las drogas esas y demás. Yo le dije: Nuestro Graham, seguro que no.»

«La gente exagera, abuela», dije, mientras un espasmo de dolor me atravesaba los huesos, y un tembloroso estremecimiento delirante hacía que mis poros disparasen una excreción de sudor rancio. Mierda mierda mierda.

Reaparece desde la cocina, asomándose como un arrugado muñeco de una caja de resorte. «Eso pensé yo. Le dije a mi Joyce: Nuestro Graham no, tiene más cabeza que todo eso.»

1. Jugador del Hibernian F. C. de Edimburgo (Hibs, de hinchada católico-irlandesa). Syme es un jugador del Glasgow Rangers. Ibrox es el estadio de los Glasgow Rangers (de hinchada protestante), por lo que los encuentros entre ambos equipos aúnan a la rivalidad entre Glasgow y Edimburgo el fanatismo sectario. (*N. del T.*)

«Mamá es una exagerada. Me lo paso bien, abuela, no digo lo contrario, pero las drogas ni tocarlas, eh. No necesitas drogas para pasarlo bien.»

«Eso es lo que le dije a tu madre. El chico es un Abercrombie, le dije, trabaja duro y juega duro.»

Mi apellido es Millar, no Abercrombie, ése es el de mi vieja. Aquella perra parecía creer que llamarle a alguien Abercrombie era el mayor galardón posible al que se podía aspirar; aunque si lo que uno pretende es demostrar su maestría en alcoholismo y hurto, ése podría muy bien ser el caso.

«Sí, vaya basca los Abercrombie, ¿eh, abuela?»

«Ya lo creo, hijo. Mi Eddie –tu abuelo– era igual. Trabajaba duro y jugaba duro, y jamás pisó la tierra un hombre mejor. Nunca dejó que pasáramos un agobio», dijo sonriendo con orgullo.

Agobio.

Tengo las herramientas en el bolsillo interior. Aguja, cucharilla, bolas de algodón, mechero. Lo único que me hace falta son unos granitos de caballo, y después añadir agua y ya está. Mi pasaporte estaba dentro de esa lata.

«¿Donde está el retrete, abuela?»

Pese al reducido tamaño del piso, insistió en acompañarme al cagadero, como si fuese a perderme por el camino. Hizo aspavientos, cloqueó y pedorreteó como si nos estuviésemos preparando para ir de safari. Intenté echar una rápida meada pero no pude, así que me interné sigilosamente y de puntillas en el dormitorio.

Levanté el cubrecama que colgaba hasta el suelo. La vieja y enorme lata de galletas con la imagen del Palacio de Holyrood estaba perfectamente a la vista, debajo de la cama. Era ridículo, un acto de absoluta estupidez criminal tener aquello allí sin más, en estos tiempos que corren. Estaba más convencido que nunca de que tenía que darle el palo. Si yo no lo hacía, lo haría algún otro. Sin duda preferiría que me quedase yo con el dinero antes que un desconocido, ¿no? Si no me llevaba la pasta, estaría permanentemente preocupado. De todas formas, tenía previsto desengancharme pronto; quizá conseguir un empleo o ir a la universidad o algo así. La vieja perra se vería resarcida, ya lo creo. Ningún problema.

Resultaba extremadamente difícil levantar la tapa de aquella puta mierda. Me temblaban las manos y no lograba hacer palanca. Empezaba a hacer algún progreso cuando oí su voz a mis espaldas.

«¡Ajá! ¡Conque era eso!» Estaba justo encima de mí. Pensé que oiría a la vieja pelleja acercándose a hurtadillas, pero era como un puto fantasma. «Tu madre tenía razón. ¡Eres un ladrón! Alimentándote la vena, tu drogadicción, ¿no es eso?»

«No, abuela, sólo es...»

«No mientas, hijo. No mientas. Un ladrón, un ladrón que roba a los suyos, ya es malo, pero un mentiroso es peor aún. Nunca sabes a qué atenerte con un mentiroso. ¡Apártate de esa puñetera lata!», soltó tan de repente que me cogió de improviso, pero me quedé donde estaba.

«Necesito algo, ¿vale?»

«Ahí no encontrarás ningún dinero», dijo, pero me daba cuenta por la ansiedad de su voz de que mentía. Levanté la tapa y resultó que no mentía. Sobre una pila de fotos viejas había unos polvos marrón claro en una bolsa de plástico. Jamás había visto tanta mandanga.

«Hostia puta, esto qué es...»

«¡Apártate de ahí! ¡Apártate! ¡Puto ladrón!» Su pierna huesuda y zanquivana me tiró una coz que me alcanzó en un lado de la cara. No me dolió pero me dejó pasmado. Sus juramentos me dejaron más pasmado todavía.

«Jodida vieja...» Me puse en pie de golpe, sujetando la bolsa en alto, lejos de sus brazos tendidos. «Será mejor que llame a la celadora, abuela. Esto le interesará.»

Hizo unos pucheros de amargura y se sentó sobre la cama. «¿Tienes herramientas?»

«Sí», dije.

«Pues prepara un chute, haz algo útil.»

Empecé a hacer lo que me había pedido. «Pero ¿cómo, abuela? ¿Cómo?», pregunté, aliviado y aturdido.

«Eddie, la marina mercante. Regresó y estaba enganchado. Teníamos contactos. Los muelles. Era mucho dinero, hijo. El caso es que no paraba de chutarme, y ahora tengo que venderles a los jovencitos para poder seguir chutándome. El dinero siempre me lo dan por adelantado.» Sacudió la cabeza, y me

111

miró con dureza. «Tengo un par de jóvenes haciéndome los re-
cados, pero esa gorda entrometida de abajo, la celadora, empieza a sospechar.»

Entré en el momento justo. Vaya una manera de caer de
pie. «Abuela, a lo mejor podríamos trabajar juntos en esto.»

La hostilidad animal que había en su pequeño y pálido rostro se disolvió dejando paso a una sonrisa intrigante. «Eres un
Abercrombie, vaya que sí», me dijo.

«Sí, ya lo creo», reconocí con asqueado derrotismo.

LA CASA DE JOHN DEAF[1]

La casa de John Deaf era rarísima. Quiero decir que siempre hubo casas piojosas en el barrio, pero ninguna como la de John Deaf. Para empezar, en casa de John Deaf no había una puta mierda; ni muebles ni nada de eso. Nada en el suelo, ni siquiera linóleo. Sólo aquellas frías baldosas negras que tenían todas las casas, para la calefacción subterránea que ningún menda podía permitirse el lujo de encender.

Lo único que había en casa de John Deaf era una silla en la que se sentaba su abuelo, arrinconada en la esquina del cuarto de estar. Había una caja con una tele encima. El viejo capullo se pasaba allí todo el día y toda la noche viendo la tele. Siempre tenía montones de botellas y latas a los pies. El viejo mamón debía de dormir en aquella silla, porque sólo había un colchón en la casa, y estaba en el cuarto de John Deaf. No había camas ni nada de eso.

Lo único que había en la casa eran ratones blancos. Un montón, correteando por todas partes. Los compró en Dofo's Pet Shop, se los llevó a casa y los soltó sin más. Iba a Dofo's todos los sábados. Cuando se dieron cuenta de lo que estaba haciendo el cabrón, le mandaron a paseo. Pero sólo tuvo que darnos el dinero para que entráramos y pilláramos los ratones.

Así que los ratones correteaban por allí en libertad. No hacían más que multiplicarse, corriendo a toda prisa por encima de las baldosas negras. A veces les hacía daño. Algunos murieron aplastados, y a uno le di una patada y tenía rotas las dos pa-

---

1. *Deaf* significa «sordo» en inglés. (*N. del T.*)

tas de atrás. Se arrastraba por el suelo con las patas de delante. Nos reíamos de él que te cagas. Ése, no obstante, ése era el favorito de John Deaf. Podías pisotear a cualquiera de aquellos cabritos, pero a ése no te dejaba ni tocarlo.

A John Deaf no le llamábamos John Deaf porque fuera sordomudo. Lo era, pero ése no era el motivo principal. Era porque había un John Hyslop y un Johnny Patterson y así no los confundíamos. Ése era el principal motivo. Lo único que podía decir John Deaf era su nombre, y que era sordo. Cuando vino a vivir al barrio, en el bloque de Rab, te acercabas a él y le decías: ¿Cómo te llamas, colega? y él decía: John. Entonces le decías algo más pero no hacía más que tocarse la oreja y decir: Deaf.

Así que se quedó con John Deaf.

Todo dios le conocía por John Deaf. El tío que nos daba fútbol en Sporting Pilton decía: Quiero que John Deaf juegue de extremo. Quiero que le paséis la pelota a John Deaf. No lo olvidéis, pasadle la pelota a John Deaf, nos decía. Nadie podía correr como John Deaf. Era fortísimo, además. Se rebotaba que te cagas si algún capullo le hacía una entrada perra por detrás, pero ésa era la única manera de detener a John Deaf. La fuerza y la velocidad de aquel cabrón no eran de este mundo, como lo oyes.

John Deaf nunca fue a la escuela. No sabían que él existiera. Por supuesto, John Deaf habría ido a uno de esos colegios especiales para los sordos, como ese grande y pijo que hay en Haymarket, pero no iba a ningún colegio. Cada vez que uno de nosotros hacía novillos, se encontraba con John Deaf, fijo.

Todos solíamos andar por casa de John Deaf. Estaba realmente asquerosa por eso, pero entonces no nos molestaba demasiado. Era nuestra base, nuestro cuartel general. Su abuelo nunca se metía con nadie, no hacía más que estar allí sentado viendo la tele y bebiendo latas de cerveza. Él también era sordo.

Una vez, cuando estábamos en casa de John Deaf enredando y tal, John y mi hermana desaparecieron. Subimos por las escaleras y oímos ruidos que venían del cuarto donde estaba el depósito del agua. Cuando abrimos la puerta vimos a ese puto capullo de John Deaf y a mi hermana. Se estaban morreando y John Deaf iba con la cola sacada y la mano metida en sus faldas.

Ahora le dicen guarra y me tengo que aguantar como un puto capullo, es así y punto. Así que la aparto y la empujo escaleras abajo, diciéndole que se vaya a tomar por culo. Ella estaba que se cagaba, y más le valía, porque allí estaba yo pensando: Como se entere el viejo... Pero de todos modos le pego un puñetazo en la boca a John Deaf y empezamos a zurrarnos, lo cual fue un fallo que te cagas por mi parte, dada la fuerza de John Deaf, y se coloca sobre mí y empieza a inflarme a hostias, golpeándome la cabeza contra aquellas baldosas negras. Supongo que fue entonces cuando me percaté de lo mayor que era John Deaf. No era tanto el tamaño de su cola, porque aún la tenía sacada mientras el cabrón estaba sobre mí, ni el pelo que tenía en las pelotas. Eran más bien los pelos culeros que tenía en la cara, y su fuerza. A pesar de su escasa altura, comprendí de golpe que John Deaf no era de la misma edad que los otros. Tendría unos dieciséis; puede que más aún. Cuando me di cuenta de aquello, me cagué encima de verdad. Lloraba a moco tendido, sólo tenía once años y tal, y todo dios diciendo: Ya le has dado bastante. Déjalo.

Pero John Deaf es sordo, ¿no?

De todas formas, joder, qué tunda me llevé. No paró hasta que algún cabrón me lo quitó de encima a rastras para llevarle abajo. Creo que fue Cammy, pero la verdad es que no estoy seguro. De todas formas, fuese quien fuese, empezó a arrastrar a John Deaf escaleras abajo. John Deaf no se resistió, supongo que leía en la cara del chaval que algo andaba mal.

Me pongo en pie tambaleándome, y mi hermana intenta ayudarme. Yo la aparto de un empujón. La sucia vacaburra se merecía que me chivara al viejo. Yo pensaba: Puede que lo haga, puede que no, porque pensé que a mamá y papá se les cruzarían los cables.

Cuando llego abajo, están todos apiñados alrededor de la silla del abuelo. Debajo hay un gran charco de pis. La cabeza del viejales está torcida hacia un lado, los ojos cerrados, pero tiene la boca abierta. Hay ratones blancos caminando alrededor del charco de pis. Uno estaba dentro, el cabrón que tenía rotas las patas de atrás, arrastrándose por en medio. Asegurándome de que John Deaf no se fijaba, dejé caer mi talón con fuerza sobre el cabrito. Sabía que a John Deaf le gustaba aquel ratón, y que eso me ayudaría a devolvérsela por la paliza que me había dado. Cuando miré hacia abajo, el ratón seguía vivo, pero estaba como reventado. Arrastraba sus tripas desparramadas por el pis; pero el cuerpo seguía reptando hacia adelante.

Yo no sabía si el viejo de la silla estaba muerto o no, pero por ahí andaría la cosa. Me dolía todo, y más que nada la cabeza, pero estaba feliz, pues sabía que iban a llevarse a John Deaf porque el viejales estaba muerto, o medio muerto.

Eso hicieron. John Deaf nunca volvió al barrio. Había montones de historias circulando por ahí: que si el viejales no era en realidad el abuelo de John Deaf y ambos dormían sobre aquel único colchón, ya entiendes lo que quiero decir. Yo no lo descartaría, eso es todo lo que tengo que decir sobre el tema. Pero no son más que habladurías, y las dos únicas personas que sabían realmente lo que pasaba en aquella casa no pueden contárselo a nadie.

Nunca le dije a mi madre y mi padre nada de mi hermana y John Deaf. Ella aprendió a tener cuidado con lo que decía cuando yo andaba por ahí, y a no rebotarse. Sin embargo, pronto se dieron cuenta de que algo no iba bien, y cuando le preguntaron, empezó a llorar. ¡El caso es que yo fui el capullo que se llevó las culpas! ¡Yo! El viejo dice que fui un chantajista, y que el chantaje es lo más bajo que se puede llegar a caer, sobre todo si se chantajea a los familiares. Me contó la historia de un maricón que conoció en el ejército al que chantajeaban y que el pobre tontolculo se mató. Así que a mí me sacuden y con ella no hacen más que simpatizar. Una pasada que te cagas, tío, ya te digo.

Me alegré cuando se llevaron al John Deaf ese. Odiaba a aquel desgraciao. Nunca he vuelto a ser el mismo desde la tunda que me metió, en serio te lo digo.

AL OTRO LADO DEL PASILLO

15/2
COLLINGWOOD

no es no salir en la foto lo que
más me molesta. él me ve
como una mecanógrafa de
primera; nunca me cuenta
nada. no es que quiera ser
siempre secretaria, pero lo veía
como un peldaño en la
escalera en el camino hacia
algo un poco más interesante.
quiero ir a la universidad y
presentarme a los exámenes
del instituto de marketing, si
me dan permiso, claro está; lo
cual es dudoso, trabajando para
él. Y eso, para empezar,
suponiendo que tenga la
oportunidad de pedirle un
permiso. es tan machista y
paternalista, ya me entiende. no
como usted, señor gillespie...
frank, por supuesto, lo siento.
¿te estoy avergonzando, frank?
ves, no es que yo sea una
feminista tremenda ni nada de
eso, bueno lo soy, pero no creo
en esa clase de feminismo que
dice que sólo los hombres son

15/8
GILLESPIE

importa. es que se lo den a él
después de toda la experiencia
que he acumulado a lo largo
de los años. y seamos claros,
no soy sólo yo quien lo dice, la
mayoría de mis compañeros
piensa lo mismo; él
simplemente no está a la
altura. no es el dinero lo que
me preocupa, es sólo que una
buena cifra como ésa no es
fácil de encontrar en estos
tiempos que corren. con todo,
la verdad es que eso no me
molesta tanto. un trabajo justo
a cambio de una paga justa:
ésa es mi filosofía; y con las
golosinas que ofrecen en ese
puñetero destino, eso significa
que aquí no van a sacarle más
que el mínimo al viejo frank
gillespie. Pero a ti no te daría
sólo lo mínimo, stephanie, pero
claro, tú eres especial. no
quiero ser grosero, stephanie,
no soy una persona ordinaria,
pero cuando se me enciende la

117

unos belicistas sedientos de poder, quiero decir ahí está la thatcher en las malvinas, es sólo que no quiero que pienses que estoy subida a una gran moto lesbiana capahombres porque no se trata de eso en absoluto. sé cómo complacer a un hombre, frank, y cómo hacer que un hombre me complazca a mí así que por qué no me enseñas lo que tienes, frank, por qué no me lo das, cariño, ¿por qué no, frank? apuesto a que es enorme, ¡sí! eso siempre se nota en un hombre, es algo que tiene que ver con su manera de comportarse... sí que es grande y puedo sentirla en la mano, palpitando de esa forma, pero la sentiría aún mejor dentro... frank... ahora frank... ¡OHHH SÍÍÍ! qué maravilla, qué magnífico, de verdad... sigamos haciéndolo así... ya estamos llegando... esto es lo que me tan... OH... OH...

pasión digo lo que siento. quiero que sepas que soy un hombre sensible y no me va el rollo troglodita, a una mujer la veo ante todo y primero como persona. si alguien me atrae no me corto y se lo digo. quizá no aporte demasiado al trabajo estos días, pero cuando se trata de relaciones, sobre todo físicamente, nunca he tenido problemas. sé que lo deseas, stephanie. ¿es esto lo que quieres? creo que tienes unas ganas tremendas. ¿qué te parece entonces? ¿es suficiente para ti? noté que lo estabas deseando desde el primer momento, tanto como yo... dios, qué piel tan suave tienes, stephanie... quiero follarte, stephanie... hagámoslo, nena... OHHH qué bien sienta, ay, dios, es tan hermoso, OH, MIERDA... estoy FOLLANDO, QUÉ BIEN... OH... OH... OH... OH...

Stephanie estaba tendida sobre la cama, desnuda, gozando de una breve sensación de satisfacción. Fue efímera; sabía que sentiría vaciarse su corazón y que pronto volvería a sentirse tensa y envilecida, su autoestima saltando por los bordes como las aguas de un embalse rebosante. Desenchufó el consolador, que estaba húmedo de sus descargas, y se obligó a levantarse de la cama e ir al cuarto de baño.

Frank miró la muñeca hinchable mientras perdía fuelle, la vagina de látex llena de su semen. Parecía disolverse al mismo tiempo que su erección. Sus genitales parecían un feo y vergonzante tumor; ajeno, exterior a él. Ahora la muñeca parecía exactamente lo que era: una lámina de plástico que se extendía a partir de una grotesca cabeza de maniquí.

Más tarde, aquella noche, Stephanie se cruzó con Frank en el pasillo. Ella iba a ver una película de arte y ensayo e iba a hacerlo sola. Él volvía de un chino con algo de comida. Se sonrojaron en señal de mutuo reconocimiento, y entonces él le sonrió dócilmente, y ella le devolvió tímidamente el saludo. Él se aclaró la garganta para hablar. «Está lloviendo fuera», musitó, cohibido.

«¿Sí?», respondió Stephanie con voz trémula.

«Con bastante fuerza», dijo Frank entre dientes.

Se quedaron frente a frente durante unos segundos atroces, sin saber qué decir. Entonces sonrieron con una tensa sincronía antes de que Frank se retirara a su habitación y Stephanie se marchara pasillo abajo. Perdidos de vista, ambos se contrajeron como tratando de detener el espasmo, aquel latido de dolor, repugnancia de sí mismos y vergüenza.

LA MAMÁ DE LISA CONOCE A LA REINA MADRE

Me emocioné tanto cuando conocimos a la Reina Madre; ay, fue maravilloso. Lástima lo de la ofrenda que tenía que hacerle Lisa. Esa parte salió horrorosamente mal. Fue culpa de mi pequeña Lisa. Verá, no lo entendía. Siempre le he dicho a Lisa que diga la verdad: La verdad en todo momento, señorita, le digo. Bueno, ya no se sabe qué decirles hoy en día, ¿verdad?

La Reina Madre venía a Ilford a inaugurar la nueva guardería de Lisa. El representante local del Parlamento también iba a estar allí. Nos hizo tanta ilusión cuando escogieron a Lisa para entregarle el ramo de flores a la Reina Madre. Hacía practicar a Lisa su reverencia a todas horas. Cada vez que venía alguien decía: Enséñale a mami tu reverencia, Lisa, la que vas a hacer para la mami de la Reina...

Porque es realmente encantadora, la Reina Madre, ¿no es verdad? De verdad, de verdad, encantadora de verdad. Estábamos tan excitadas. Mi mamá se acordaba de la vez que conoció a la Reina Madre en el Festival de Britain. Es realmente encantadora, maravillosa para la edad que tiene; quiero decir la Reina Madre, no mi mamá. Eso sí, mi mamá es un tesoro, no sé lo que habría hecho sin ella, después de que Derek me dejara. Sí, no cambiaría a mi mamá por todas las Reinas Madres del mundo, de verdad.

De todas formas, la señora Kent, la directora de Lisa, me dijo que Lisa estaría encantadora entregándole el ramillete a la Reina Madre. Mi amiga Angela se puso un poco así conmigo, porque a su pequeña, Sinead, no la habían escogido. Supongo que yo me habría puesto igual si hubiese sido al revés y hubiesen escogido a Sinead en vez de a Lisa. Después de todo era la Reina Madre. No pasa todos los días, ¿a que no?

Bueno, pues estaba realmente preciosa la Reina Madre, preciosa de verdad de verdad; llevaba un sombrero precioso. Yo estaba tan orgullosa de Lisa que se lo quería contar a todo el mundo, ¡ésa es mi pequeña Lisa! Lisa West, Golfe Road Infants, Ilford en realidad...

Así que Lisa le entrega el ramillete, pero no hizo bien la reverencia, no lo hizo como se debe hacer y habíamos ensayado. La Reina Madre coge el ramo y se inclina para darle a Lisa un besito, pero Lisa mira para otro lado con la carita arrugada y sale corriendo hacia mí.

Esa viejecita tiene mal aliento y huele a pis, me dijo Lisa. Eso fue delante de todas las demás mamás y de la señora Kent y la señora Fry también. La señora Fry estaba muy disgustada.

¡Eres una niña traviesa, Lisa! Mamá está muy enfadada, le dije.

Estoy segura de haber visto a mi amiga Angela sonriendo disimuladamente, la muy vacaburra.

¡Pues bien, sonreiría para otro lado cuando la señora Kent me llevó a mí hasta la Reina Madre y me presentó como la mamá de Lisa! La Reina Madre estuvo encantadora. Encantada de volver a verle, señor Chamberlain, me dijo. La pobre debe andar un poco confundida, con toda esa gente que le presentan. Trabajan tan duro, eso hay que reconocérselo. No como alguna gente a la que podría citar, Derek, el papá de Lisa, sería un ejemplo que viene al caso. No es que vaya a entrar en eso precisamente ahora, muchísimas gracias pero no.

Y además Lisa se las arregló para mancharse la parte delantera del vestido. Espero que la Reina Madre no lo notase. Espera a que lleguemos a casa, señorita, pensé yo. Uuyy, estaba tan enfadada. Enfadada de verdad de verdad.

LOS DOS FILÓSOFOS

Hacía un condenado calor para tratarse de Glasgow, pensaba Lou Ornstein, mientras arrastraba su cuerpo sudoroso hasta el mesón de Byres Road. Gus McGlone ya estaba en la barra, charlando con una joven.

«Gus, ¿cómo te va?», le preguntó Ornstein a su amigo, dándole una palmada en el hombro.

«Ah, Lou. Estupendamente. ¿Y a ti?»

«Muy bien», dijo Ornstein, tomando nota de que la atención de McGlone seguía aún centrada en gran medida en la joven.

La mujer le susurró algo a McGlone, y a continuación le lanzó a Ornstein una mordaz sonrisa que era todo dientes y ojos. Le atravesó de cabo a rabo. «Profesor Ornstein», empezó ella con aquel acento escocés de salón de té que tan atractivo le resultaba, «a riesgo de parecerle una aduladora, sólo quería decirle que su ponencia sobre la construcción racional de la magia me pareció espléndida.»

«Ah, muchísimas gracias. Lo tomaré como el punto de vista de un erudito, en vez del de una aduladora», sonrió Ornstein. Aquella respuesta le pareció bastante contenida, pero, demonios, él era un académico.

«Su hipótesis central me parece interesante...», continuó la joven, mientras Ornstein sentía cristalizar en su pecho una pequeña bolita de resentimiento. Aquél era un día para beber cerveza, no para dirigir un seminario involuntario con una de las ingenuas alumnas de Gus. Ajena a su creciente inquietud, la mujer continuó: «Dígame, si no le importa, ¿cómo distingue entre lo que usted denomina "ciencia desconocida" y aquello que generalmente llamamos magia?»

Sí que me importa, maldita sea, pensó Ornstein. Las jóvenes bonitas eran todas iguales; completamente obsesionadas consigo mismas, maldita sea. Él había tenido que ganarse el derecho a obsesionarse consigo mismo quemándose las cejas en bibliotecas durante años y lamiéndoles el culo a las personas indicadas, generalmente gilipollas sobre los que no se molestaría en mear si se los encontrase ardiendo. De pronto aparece una estudiante de diecinueve años destinada en el mejor de los casos a una diplomatura, que cree que su opinión cuenta para algo, que ella es alguien, sólo porque tiene una cara bonita y un culo divino. Lo horrible del caso, lo absolutamente horroroso, pensaba Ornstein, era que tenía toda la razón.

«No puede», comentó McGlone, pagado de sí mismo.

Esta intervención por parte de su viejo adversario fue suficiente para hacer explotar a Ornstein. Cogiendo su pinta de *eighty shillings*, empezó: «No le hagas caso a este viejo cínico popperiano. Lo que pasa es que estos tíos están en contra de la ciencia social, lo cual quiere decir contra la ciencia a secas, y con cada generación sus análisis son más infantiles, maldita sea. Mi argumento es una propuesta materialista relativamente estándar: los denominados fenómenos sin explicación son simples puntos ciegos científicos. Hemos de aceptar el concepto inherentemente lógico de que hay conocimientos ulteriores más allá del alcance humano de lo que conocemos conscientemente, o incluso subconscientemente. La historia de la humanidad lo ejemplifica; nuestros antepasados habrían descrito el sol, o el motor de combustión interna, como magia, cuando no lo son en absoluto. La magia, como los fantasmas y todo eso, no son más que chorradas abracadabrantes para los ignorantes, en tanto que la ciencia desconocida es un fenómeno que podemos o no podemos observar pero que aún no podemos explicar. Eso no significa que sea inexplicable; sólo que no puede ser explicado mediante el socorrido recurso al corpus actual de nuestros conocimientos. Ese corpus de conocimientos está en constante expansión; algún día podremos explicar la ciencia desconocida.»

«No le animes, Fiona», sonrió McGlone, «estará así toda la noche.»

«Sólo si tú no me ganas por la mano. Mira que adoctrinar a tus alumnos con ortodoxias popperianas.»

«Adoctrinar es lo que hacen los del otro bando, Lou. Nosotros educamos», sonrió McGlone. Los dos filósofos se rieron con aquello, una vieja pulla de cuando eran estudiantes. Fiona, la joven estudiante, se excusó. Tenía que ir a una conferencia.

Los dos filósofos la observaron mientras se marchaba del pub.

«Una de mis estudiantes más brillantes», dijo McGlone con una sonrisa de satisfacción.

«Un culo imponente», asintió Ornstein.

Se trasladaron a un rincón de la barra con aspecto intrigante. Lou bebió un trago de cerveza. «Es estupendo verte de nuevo, Gus. Pero escucha, amigo, tenemos que hacer un pacto. Por mucho que me guste venir a Glasgow a verte, me molesta un poco que siempre acabemos discutiendo de lo mismo. No importa cuántas veces digamos que no vamos a hacerlo, siempre acabamos volviendo al viejo debate Popper-Kuhn.»

McGlone asintió sombríamente. «Es un maldito dolor de cabeza. Gracias a él hemos hecho carrera, pero parece ensombrecer nuestra amistad. Acababas de entrar por la puerta y ya estábamos otra vez. Siempre igual. Hablamos de Mary, Philippa, los chicos, y entonces volvemos a hablar del trabajo, ponemos a parir a unos cuantos. A medida que el bebercio hace efecto, volvemos de cabeza a Popper-Kuhn. El problema es, Lou, que somos filósofos. El debate y la argumentación nos son tan consustanciales como respirar lo es a otros.»

Ése era el caso, desde luego. Habían discutido el uno con el otro a lo largo de los años; en los bares, en conferencias y en letra impresa en las revistas de filosofía. Habían empezado como estudiantes de filosofía en la Universidad de Cambridge, estableciendo unos lazos de amistad basados en la bebida y la seducción de mujeres; esto último, por lo general, se les daba peor que lo primero.

Los dos nadaban contra la corriente ideológica de la cultura de su país. El escocés Gus McGlone apoyaba al Partido Conservador. Se consideraba a sí mismo un liberal clásico, un descendiente de Hume y Ferguson, aunque los economistas clásicos, incluso Adam Smith y sus discípulos ulteriores con ínfulas filosóficas, como Hayek y Friedman, le parecían un poco blandengues. Su verdadero héroe era Karl Popper, de quien había sido alumno de posgrado en Londres. Como seguidor de las teorías de Popper, era hostil a lo que él consideraba las teorías deterministas del marxismo y el freudismo y lo que veía como los dogmas concomitantes de sus discípulos.

El americano Lou Ornstein, un judío natural de Chicago, era un racionalista convencido, que creía en el materialismo dialéctico marxista. Su interés radicaba en la ciencia y las ideas científicas. Estaba muy influenciado por el concepto del filósofo Thomas Kuhn de que la exactitud de la ciencia pura no se impone necesariamente. Si unas ideas iban en contra del paradigma vigente, serían rechazadas por los intereses creados. Tales ideas, aun siendo quizá «verdades» científicas, raramente resultan reconocidas como tales hasta que la presión en favor del cambio se hace intolerable. Esto, sentía Ornstein, estaba en sintonía con su creencia política en la necesidad de un cambio social revolucionario.

Las carreras de Ornstein y McGlone habían discurrido paralelamente, mientras trabajaban juntos en Londres y después en Edimburgo y Glasgow, respectivamente. McGlone obtuvo una cátedra unos ocho meses antes que Ornstein. Eso molestó al americano, que consideraba que la ascensión de su amigo se debía a que sus ideas estaban políticamente de moda bajo el paradigma Thatcher. Ornstein se consoló tomando nota de que su historial de publicaciones era más amplio.

El natural antagonismo político de los dos hombres se centraba alrededor de un famoso debate entre Kuhn y Popper. Popper, que se había consagrado como un gran filósofo atacando los enfoques de los gigantes decimonónicos Sigmund Freud y Karl Marx, y lo que él consideraba el partidismo asociado a sus ideologías, se mostró más bien poco moderado cuando sus opiniones acerca del progreso científico fueron atacadas por Thomas Kuhn en su obra fundacional *La lógica de los descubrimientos científicos*.

Pero en una cosa estaban de acuerdo tanto Ornstein como

McGlone: la polémica, que era su pan de cada día, siempre desbordaba el campo profesional para alcanzar el personal. Intentaron todo tipo de soluciones para romper aquella pauta, pero nada era capaz de impedir la reaparición de aquel tema agotador. En un par de ocasiones, los dos amigos, exasperados y borrachos, casi habían llegado a las manos.

«Ojalá pudiéramos hallar algún modo de confinarlo a las revistas y las conferencias y mantenerlo al margen de nuestras sesiones de bolingueo», rumió Lou.

«Sí, pero ¿cómo? Lo hemos intentado todo. Yo he probado a emplear tus argumentos, tú has probado a emplear los míos; hemos acordado no decir palabra, pero siempre reaparece inevitablemente. ¿Qué podemos hacer?»

«Creo que conozco la forma de escapar de este callejón sin salida, Gus», dijo Lou con una mirada traviesa.

«¿Qué me propones?»

«Arbitraje independiente.»

«Venga, Lou. Ningún filósofo, ninguno de nuestros colegas, podría satisfacernos en lo que a la independencia de sus ideas se refiere. Ya se habrán formado un punto de vista previo sobre la cuestión.»

«No estoy proponiendo a un colega. Propongo que busquemos a alguien en la calle, o, mejor aún, en un pub, y que formulemos nuestras proposiciones, dejándoles decidir a ellos cuál es el argumento superior.»

«¡Ridículo!»

«Para el carro, Gus, escúchame. No estoy sugiriendo ni por un segundo que abandonemos nuestros posicionamientos académicos en función de una opinión documentada. Eso sería absurdo.»

«¿Qué es lo que sugieres?»

«Sugiero que separemos lo profesional de lo personal. Saquemos la discusión de nuestro contexto social dejando que sean otros quienes juzguen los méritos relativos de nuestras proposiciones desde el punto de vista social del pub. No demostrará nada académicamente, pero al menos nos permitirá ver qué argumento es el más cercano al usuario, al hombre medio de la calle.»

«Mmmm..., supongo que así podemos aceptar que nuestros

diversos argumentos tienen puntos fuertes y puntos débiles desde la perspectiva del lego...»

«Exactamente. Lo que estaremos haciendo es someter esas ideas al mundo real en el que no se discuten, al mundo de nuestro bebercio. Lo que acordamos es dar a las ideas del vèncedor la soberanía en lo referente al contexto de los pubs.»

«Esto es una chorrada, Lou, pero es una chorrada interesante y parece divertida. Acepto tu reto, no porque vaya a demostrar nada, sino porque obligará al perdedor a cerrar el pico en torno al debate sobre la lógica científica.»

Se estrecharon firmemente las manos. Después Ornstein se llevó a McGlone al metro de la estación de Hillstead. «Demasiados estudiantes e intelectuales por aquí, Gus. Lo último que quiero es que nos pongamos a debatir con algún jodido estudiante con voz de pito. Necesitamos un laboratorio mejor para este pequeño experimento.»

Gus McGlone estaba un tanto inquieto cuando descendieron en Govan. A pesar de la imagen de vivales de Glasgow que cultivaba, de hecho él era de Newton Mearns y había llevado una vida bastante recogida. Era fácil engañar a los impresionables burgueses que llenaban las salas de profesores de la universidad para que creyesen que era un ejemplar auténtico. En un lugar como Govan, sería harina de otro costal.

Lou daba resueltas zancadas calle abajo. Le impresionaba aquel lugar, esa mezcla de lo tradicional y lo nuevo, y los enormes solares vacíos le recordaban al vecindario judío-irlandés en el que se había criado en el North Side de Chicago. Gus McGlone paseaba lentamente detrás de él, tratando de aparentar una tranquilidad que no sentía. Ornstein paró en la calle a una mujer mayor.

«Perdone, señora, ¿podría decirnos dónde está el pub más cercano?»

La diminuta mujer dejó caer su bolsa de la compra, se dio la vuelta y señaló al otro lado de la calle. «Aquí mismo, hijo.»

«¡Brechin's Bar! Excelente», dijo Lou, entusiasmado.

«Se dice Breekins Bar, no Bretchins», le corrigió Gus.

«Como en Brechin City, ¿verdad? Brechin City dos, Forfar uno, ¿no?»

«Sí.»

«Así que los tíos que beben ahí apoyarán al Brechin City.»

«No lo creo», dijo Gus, mientras salían del bar dos hombres con bufandas azules. Ese día había un gran partido en Ibrox; Rangers contra Celtic. Hasta McGlone, a quien no le interesaba demasiado el fútbol, lo sabía.

Entraron. La barra redonda con encimera de formica estaba abarrotada, algunos grupos de hombres viendo la televisión, otros jugando al dominó. Sólo había dos mujeres en aquel lugar. Una era una camarera de mediana e indeterminada edad, la otra una vieja cuba babosa. Había un grupo de hombres jóvenes con bufandas azules cantando una canción acerca de algo que vistieron sus padres,[1] que Lou no acababa de entender. «¿Eso era una canción del fútbol escocés?», le preguntó a Gus.

«Algo así», observó Gus con inquietud mientras se procuraba dos pintas. Encontraron sitio para sentarse junto a dos viejos que jugaban al dominó.

«¿Todo bien, chicos?», dijo sonriendo uno de los viejos.

«Sí, por supuesto, amigo», asintió Ornstein.

«No eres de por aquí», se rió el viejo, y entablaron conversación.

Uno de los viejos jugadores de dominó era especialmente parlanchín, y parecía tener puntos de vista sobre cualquier cosa. Los dos filósofos cabecearon maliciosamente en dirección al otro: aquél era su hombre. Empezaron a desglosar sus respectivos argumentos.

Los dos viejos sopesaron los puntos en cuestión. «Es como dice aquí el chico», opinó uno, «en este mundo hay más de lo que conocemos.»

«Pero no son más que nombres», dijo el otro. «Magia, ciencia, ¿qué cojones importa? ¡No son más que nombres que les damos!»

El debate siguió avivándose, y se volvió cada vez más apasionado a medida que se iba consumiendo más alcohol. Los dos filósofos estaban un poco bebidos, y se volvieron muy antagónicos. Apenas se dieron cuenta de que la discusión había atraído la atención de varios espectadores, hombres jóvenes ataviados de azul, rojo y blanco, que habían rodeado la mesa.

---

1. Fragmento de la letra de una canción sectaria protestante. (*N. del T.*)

No obstante, la atmósfera empezó a enrarecerse conforme los jóvenes se emborrachaban y cargaban las pilas ante la perspectiva del partido de fútbol. Un abotargado joven que vestía una elástica azul intervino en la discusión. Tenía un aire netamente amenazador que desconcertó a los dos filósofos. «¿Sabéis lo que os digo, cabrones? Habéis venido aquí con toda vuestra mierda, tratando al viejo colega de mi padre, el viejo Tommy, como si fuera un puto mono.»

«Es buena gente, es buena gente», dijo el viejo Tommy, pero hablaba para sí mismo, como en un suave mantra de borracho.

«No ha sido así», dijo McGlone con voz trémula.

«¡Tú! ¡Calla la boca!», dijo con desprecio el gordo. «Venís aquí con todas vuestras bobas disputillas, y ni así os podéis poner de acuerdo. Sólo hay una manera de resolver esta diferencia: vosotros dos en una pelea limpia ahí fuera.»

«Ridículo», dijo McGlone, preocupado por el cambio de vibraciones.

Ornstein se encogió de hombros. Se daba cuenta de que hacía siglos que una parte de él quería pegar un puñetazo en la cara presumida de McGlone. Había habido una chica, en Magdalen College. McGlone sabía lo que él sentía por ella pero aun así..., maldita sea su estampa...

El joven gordo consideró el encogimiento de hombros de Ornstein como una señal de aquiescencia. «¡Pelea limpia al canto, pues!»

«Pero...» Agarraron a McGlone y lo pusieron en pie. Lo llevaron junto con Ornstein a un aparcamiento desierto en la parte de atrás de un centro comercial. Los jóvenes de azul formaron un círculo alrededor de los dos filósofos.

McGlone estaba a punto de hablar, de hacer un llamamiento en favor del comportamiento racional y civilizado, pero para su propia estupefacción vio al profesor de Metafísica de la Universidad de Edimburgo avanzando hacia él. Ornstein asestó el primer golpe, un enérgico directo a la barbilla de McGlone. «¡Venga, tontolculo!», rugió, adoptando una guardia de boxeo.

McGlone sintió un acceso de rabia y lanzó sin tiento un puñetazo hacia su amigo, y un instante después los dos filósofos estaban atizándose mutuamente, animados por la creciente masa que componía el corro de la turba de Ibrox.

Ornstein no tardó en dominar. El golpe decisivo fue un potente puñetazo en el estómago del liberal clásico, que le hizo doblarse. Entonces Ornstein golpeó al catedrático de Glasgow en un lado de la mandíbula. Gus McGlone se tambaleó hacia atrás como consecuencia del golpe, perdiendo pie. Su cabeza golpeó los adoquines con un crujido hueco tan desagradable que hacía pensar que la muerte en el acto habría sido preferible a la perniciosa gama de posibilidades que quedaban justamente a este lado de ella. El materialista de Chicago, azuzado por la multitud, pateó al liberal clásico caído.

Lou Ornstein dio un paso atrás e inspeccionó la jadeante y sanguinolenta figura de McGlone. Lejos de sentir vergüenza, Ornstein jamás se había encontrado mejor. Estaba disfrutando tan a fondo de su triunfo que le llevó un rato apercibirse de la desbandada de la multitud y de la llegada de un furgón policial. Mientras Gus McGlone se ponía trabajosamente en pie y trataba de orientarse, fue despachado sin miramientos dentro de una tocinera.

Los dos filósofos fueron encerrados en celdas separadas.

El sargento de guardia estaba llevando a cabo su rutina de preguntar a cada pareja de prisioneros pendencieros quién era el Billy y quién era el Tim.[1] Si el apretón de manos era correcto, dejaría marchar al Billy y le daría un rato de bofetones al Tim. Así todos estarían contentos. El Billy podría sentirse superior y engañarse a sí mismo pensando que ser un «protestante» no practicante es de algún modo importante; el Tim podría sentirse perseguido y dar rienda suelta a su paranoia acerca de las conspiraciones masónicas; el sargento podría darle de bofetones al Tim.

«¿Con qué pie pateas,[2] colega?», le preguntó el sargento de guardia Fotheringham a McGlone.

_____

1. En la costa oeste de Escocia (en Glasgow por tanto) un «Billy» es un protestante y un «Tim» es un católico de ascendencia irlandesa. (_N. del T._)

2. Decir de alguien que «patea con el pie izquierdo» es un modo jocoso de llamar católico a la persona en cuestión. Decir que alguien «patea con el pie equivocado» es decir que profesa una religión diferente de la del hablante. La expresión alude a la creencia de que en Irlanda del Norte los obreros agrícolas católicos usan el pie izquierdo para hincar la pala en la tierra mientras cavan, en tanto que los protestantes usarían el derecho. (_N. del T._)

«No pateo con ninguno. Soy el profesor Angus McGlone, titular de la cátedra John Pulanzo de Filosofía Moral en la Universidad de Glasgow.»

Fotheringham sacudió la cabeza. Otro chalado al que han echado del manicomio con esa chorrada de los cuidados comunitarios. «Sí, claro que sí, hijo», dijo en tono alentador, «¿y sabes quién soy yo?»

«No...», dijo dubitativo McGlone.

«Soy David Attenborough. Y estoy acostumbrado a tratar con putos animales. Animales como tú que aterrorizan a los ciudadanos...»

«Maldito imbécil. ¡No sabe usted quién soy yo! Podría traerle serios problemas. Soy miembro de varios comités gubernamentales y tengo...» McGlone no logró terminar la frase. Fue silenciado por otro penetrante golpe en el estómago y le llevaron a las celdas, donde fue retenido antes de ser acusado de alteración del orden público.

Lou Ornstein, que se portó de lo mejorcito con la policía, y cuyo relato creyeron debido a su acento, salió de la comisaría sin cargos. Se dirigió hacia el metro. Jamás había sabido que podía pelear, y había aprendido algo sobre sí mismo.

Un joven menudo se le acercó. «Te he visto pelear esta tarde, machote. Eras pura magia, sí, señor.»

«No», respondió Ornstein. «Era ciencia desconocida.»

DISNAE MATTER[1]

Estuve en el Disneylandia ese de Florida, sabes. Me las llevé, a ella y a la cría. Cuando me dieron el finiquito los de Ferranti's, pensé: O haces algo con la pasta o la acabarás echando por el meadero del Willie Muir. Vi lo que les pasó a muchos de los otros cabrones; vivían como reyes una temporada: a todas partes en taxi, *chinkies*[2] todas las noches, comida y priva a domicilio, ya sabes de qué va el rollo. ¿Y qué les queda? Puta Asociación Escocesa de Fútbol, eso les queda, macho.

A mí no es que me interesara tanto Disneylandia, pero pensé: Por la cría, ¿sabes? Ojalá no me hubiera molestado. Era una mierda. Unas putas colas que te cagas para subirte a todos los chismes. No pasa nada si te gusta ese tipo de cosas, pero no es mi puto rollo. La cerveza de por allí es meada, además. Tanto que hablan de su cerveza, de su Budweiser y todo eso; es como beber agua fría, joder. Una cosa que sí me gustó de los USA es el papeo. A mogollón, más allá de tus sueños más salvajes, y el servicio también. Recuerdo que en un sitio le dije: Ponte las botas mientras puedas, nena, porque cuando volvamos a casa vamos a vivir a base de patatas fritas precocinadas McCain hasta quién cojones sabe cuándo.

De todos modos, en la mierda esa de Disneylandia, un tontolculo con traje de oso se nos pone delante de un salto, ¿sa-

---

1. Juego de palabras entre la pronunciación escocesa de «no importa» *(disnae matter)* y «*Disney matter*», un «asunto Disney», o una «historia Disney». *(N. del T.)*

2. Denominación informal de los restaurantes chinos y también término racista para designar a los miembros de la comunidad china. *(N. del T.)*

bes? Sacudiendo los brazos por todas partes y tal. La cría empezó a gritar que te cagas, le dio un susto de verdad, ¿sabes? Así que le meto una hostia al cabrón, le pego un puñetazo en la boca al puto vivales, o donde creía que tenía la boca, debajo de ese traje, ¿entiendes? ¡Joder, vaya que si lo hice! Ni Disneylandia ni putas hostias, eso no le da al cabrón ningún derecho a ponerse de un salto delante de la cría, sabes.

El caso es que los cabrones de los polis, con putas pistolas y todo, macho, y no bromeo, joder, ya te digo, me dicen: ¿De qué cojones va todo esto, colega, pero como en americano, ¿sabes? Así que salgo yo señalando al capullo del oso: El cabrón se ha puesto delante de la cría de un salto. Un pasote que te cagas. El capullo del policía dijo algo así como que a lo mejor el chico se tomaba su trabajo con demasiado entusiasmo, sabes. El otro dice algo como: A lo mejor a la nena le asustan los osos, ¿sabes?

Así que entonces aparece ese desgraciao de la chaqueta amarilla. Yo me percato a la primera de que es el jefe del capullo ese del oso, como quien dice. Se disculpa con nosotros, y entonces se vuelve para el capullo del oso y le dice: Vamos a tener que darte puerta, amigo. Iban a despedir al chaval como si tal cosa. Esto no nos beneficia nada, le dice al chico. El pobre cabrito del traje de oso ahora ya se ha quitado la cabeza y tal; el capullo está a punto de llorar, y venga a largar que si le hace falta el empleo para pagarse la universidad. Así que cojo por banda al desgraciao ese de la chaqueta amarilla y le digo: Eh, colega, que te estás pasando. No hay ninguna necesidad de despedirle. Ya está todo arreglado.

Quiero decir que al capullo lo hostié, vale, pero no quería que el chico perdiera su empleo, sabes. Yo sé lo que es eso, joder. Muchas risas cuando te tiran a la cabeza la guita del finiquito, pero no dura siempre, sabes. A todos esos primos que se lo gastan en chorradas, les salen colegas que ni siquiera sabían que tenían, hasta que se acaban los putos boniatos. De todas formas, el desgraciao ese del supervisor va y dice: Tú decides, colega. Que tú estás contento, pues este cabrón conserva el empleo. Entonces se vuelve para el chico y dice: Vaya puta suerte que tienes, no te digo. Si no fuera por el chico este, estarías liando el petate, pero todo esto en americano, como quien dice, ya sabes cómo hablan esos tipos, por la tele y eso.

El cabrón al que le sobé el morro, el capullo del oso ese va y dice: De verdad que lo siento, colega, culpa mía, sabes. Así que yo no dije más que: Por mí, todo arreglado. La poli y el supervisor se fueron a tomar por culo y el capullo del oso se vuelve y dice: Muchas gracias, amigo. Que pases un buen día. Por un momento pensé: Ya te daré yo a ti un buen día, cacho cabrón, saltando delante de la cría. Pero lo dejé estar, sabes, no quiero armarle follón a nadie. El chico tiene derecho a conservar su empleo; ésa fue mi buena acción del día. Sólo voy y le digo: Vale, tú también, colega.

Fue un duro golpe para Boab Coyle, directo al corazón. Se quedó allí de pie, en la barra, boquiabierto, mientras su colega Kev Hyslop le explicaba su postura.

«Lo siento, Boab, pero estamos todos de acuerdo. No podemos garantizarte un partido. Ahora tenemos a Tambo y al pequeño Grant. Este equipo va a empezar a moverse.»

«¿¡A moverse!? ¿¡A moverse!? ¡Tercera División de la Liga de Iglesias! ¡No es más que una pachanga, pedazo de capullo pretencioso. ¡Una puta pachanga!»

A Kev no le gustó la insolente respuesta de Boab. ¿Acaso la causa del Granton Star no era más importante que el ego de un individuo cualquiera? Después de todo, en una votación abierta, fue a él a quien confiaron el brazalete de capitán para la temporada. El Star aspiraba a subir a la Segunda División de la Liga de Iglesias de Edimburgo. Además, sólo estaban a tres partidos para llegar a la final del Trofeo Conmemorativo de Tom Logan en City Park –con redes–. Había mucho en juego, y Kev quería ser el hombre que dirigiera el rumbo del Star hacia la gloria copera en su propio patio trasero. Sabía, no obstante, que una parte de sus responsabilidades era tomar decisiones impopulares. Las amistades tenían que quedar relegadas a un segundo plano.

«Es natural que te sientas decepcionado, colega...»

«¿¡Decepcionado!? Joder, ya lo creo que estoy decepcionado. ¿Quién es el capullo que lava la elástica casi todas las semanas? ¿Eh?», alegó Boab, señalándose a sí mismo.

«Venga, Boab, tómate otra pinta...»

«¡Métete tu puta pinta por el culo! Vaya unos colegas vosotros, ¿eh? ¡Pues que os jodan!», tronó Boab al salir del pub mientras Kev se volvía hacia el resto de los chicos y se encogía de hombros.

Antes de volver a casa, Boab se fue solo a tomar unas cuantas pintas de lager que no pudo disfrutar. Rebosaba resentimiento cuando pensaba en Tambo, que le había echado el ojo a la camiseta número 10 de Boab desde la primera vez que el muy farsante empezó a jugar con el Star a principios de temporada. Hijoputa bebedor de zumos de naranja. Había sido una equivocación cubrir las bandas con gilipollas como él. Después de todo, no era más que una pachanga; unas risas con los colegas. *Naranja exprimida con limón. Naranja exprimida con limón.* El tono nasal de Tambo rechinaba sin piedad en su cabeza.

En los pubs que visitó, Boab no conseguía reconocer a nadie. Era extraño. Además, los viejos borrachines que normalmente le importunaban en busca de compañía, o para gorronearle una pinta, le evitaban como a un leproso.

La madre de Boab estaba pasando el aspirador cuando su hijo volvió a casa. En cuanto le oyó llegar a la puerta, sin embargo, lo apagó. Doreen Coyle le echó una mirada cómplice a su marido, Boab senior, que puso en movimiento su considerable mole desde la silla y arrojó el *Evening News* sobre la mesita del café.

«Quiero tener una pequeña charla contigo, hijo», dijo Boab senior.

«¿Eh?» Boab estaba un tanto alarmado por el tono desafiante y de enfrentamiento que tenía la voz de su padre.

Pero antes de que Boab senior pudiese hablar, Doreen empezó a despotricar nerviosamente.

«No es que estemos tratando de deshacernos de ti, hijo. No es eso para nada.»

Boab permaneció allí de pie, mientras una sensación de presagio se abría paso entre su aturdimiento.

«Ya basta, Doreen», dijo el padre de Boab, con una pizca de irritación. «El caso es, hijo, que ya va siendo hora de que te vayas de esta casa. Tienes veintitrés años, y ya son demasiados para que un chico se quede con su madre y su padre. Quiero decir que yo me fui a surcar los mares con la marina mercante a los diecisiete. Es que no es natural, hijo, ¿entiendes?»

Boab no dijo palabra. No podía pensar con claridad. Su padre continuó:

«No querrás que tus colegas piensen que eres una especie de rarito, ¿a que no? De todas formas, tu madre y yo no estamos precisamente rejuveneciendo. Estamos entrando en una extraña etapa de nuestras vidas, hijo. Algunos dirían que...» Boab Coyle miró a su mujer, «... una etapa peligrosa. Tu madre y yo, hijo, necesitamos tiempo para poner en orden nuestras vidas. Para montárnoslo bien, no sé si entiendes lo que te quiero decir. Tú tienes una chica, la pequeña Evelyn. ¡Ya conoces el percal!» Boab senior le guiñó el ojo, escrutando su rostro en busca de algún indicio de comprensión. Aunque no había ninguno a la vista, prosiguió. «Tu problema, hijo, es que quieres nadar y guardar la ropa. ¿Y quién lo paga? Yo te diré quién. El primo este», se señaló Boab senior. «Tu madre y yo. Ya sé que en estos tiempos que corren no es tan fácil encontrar un sitio donde vivir, sobre todo cuando has tenido a todos los demás, como el primo este, yendo de un lado a otro por ti. Pero no vamos a decir nada al respecto. El caso es que tu madre y yo estamos dispuestos a darte dos semanas de gracia. Siempre que te asegures de estar fuera de aquí antes de que haya transcurrido la quincena.»

Un tanto atónito, Boab sólo pudo decir: «Sí..., vale...»

«No pienses que queremos librarnos de ti, hijo. Es sólo que tu padre y yo pensamos que sería mutuamente ventajoso para ambas partes, digamos, que te buscaras tu propio espacio.»

«Eso es, Doe», canturreó triunfalmente el padre de Boab. «Mutuamente ventajoso para ambas partes. Me gusta. Si Cathy y tú tenéis algo de seso, hijo, decididamente lo habéis sacado de vuestra madre, y olvídate del primo este.»

Boab miró a sus padres. Parecían de algún modo cambiados. Siempre había visto a su viejo como a un asmático crónico gordo y jadeante, y a su vieja como a una mujer fofa embutida en un chándal. Físicamente estaban igual, pero pudo detectar en ellos por vez primera un inquietante matiz de sexualidad en el que no había reparado anteriormente. Les veía como lo que eran: unos lujuriosos y asquerosos hijos de puta.

137

Ahora se daba cuenta de que las miradas que le echaban cuando subía arriba a follar con Evelyn no eran de azoramiento o resentimiento, sino de anticipación. Lejos de importarles lo que él estuviera haciendo, les daba la oportunidad de ir a lo suyo.

Evelyn. En cuanto hubiera hablado con ella todo iría mejor. Ev siempre le comprendía. Ideas de compromiso formal y de matrimonio, desdeñadas por Boab durante tanto tiempo, revoloteaban ahora por su mente. Había sido un bobo al no ver antes las posibilidades que tenía. Su propio espacio. Podría ver vídeos todas las tardes. Echar un polvo todas las noches. Se buscaría otro equipo; ¡al Star que le dieran por culo! Evelyn podría lavar la elástica. Repentinamente ilusionado de nuevo, salió a la cabina del centro comercial. Se sentía ya como un intruso en el hogar de sus padres.

Evelyn cogió el teléfono. Los ánimos de Boab se calentaron aún más ante la perspectiva de la compañía. La perspectiva de la comprensión. La perspectiva del sexo.

«¿Ev? Soy Boab. ¿Va todo bien?»

«Sí.»

«¿Te apetece venirte por aquí?»

«...»

«¿Ev? ¿Ev? ¿Te apetece venirte por aquí y eso?»

«Nah.»

«¿Por qué no?» Algo no andaba bien. Una ansiedad temblorosa le recorrió.

«Sencillamente no me apetece.»

«Pero ¿por qué no? He tenido un mal día, Ev. Necesito hablar contigo.»

«Ya. Pues habla con tus colegas.»

«¡No seas así, Ev! ¡Te he dicho que he tenido un mal día! ¿Qué pasa? ¿Qué es lo que anda mal?»

«Tú y yo. Eso es lo que anda mal.»

«¿Eh?»

«Hemos terminado. Sanseacabó. Kaput. Fin del rollo. Adiós muy buenas.»

«¿Qué es lo que he hecho, Ev? ¿Qué es lo que he hecho?» Boab no podía dar crédito a sus oídos.

«Ya lo sabes.»

«Ev...»

«No es lo que has hecho, sino lo que no has hecho.»

«Pero, Ev...»

«Tú y yo, Boab. Yo quiero un tío que me ponga bien. Alguien que sepa de verdad hacerle el amor a una mujer. No un gordo hijo de puta que se sienta sobre el culo a hablar de fútbol y a tomar pintas de lager con sus colegas. Un hombre de verdad, Boab. Un hombre sexy. Tengo veinte años, Boab. Veinte años. ¡No voy a encadenarme a un patán!»

«¿Qué se te ha metido en la cabeza? ¿Eh? ¿Evelyn? Nunca te habías quejado. Tú y yo. No eras más que una cría tontita antes de conocerme. Ni siquiera sabías lo que era echar un polvo, joder...»

«¡Ya! ¡Pues eso ha cambiado! ¡Porque he conocido a alguien, Boab Coyle! ¡Más hombre de lo que tú serás jamás!»

«... ¿Eh?... ¿Eh? ... ¿QUIÉN?... ¡QUIÉN HA SIDO EL CAAABRÓÓÓN!»

«¡Eso es algo que yo sé y que tú tendrás que averiguar!»

«Ev..., cómo has podido hacerme esto..., tú y yo, Ev..., siempre fuimos tú y yo..., el compromiso y tal...»

«Lo siento, Boab. Pero llevo contigo desde los dieciséis años. A lo mejor no sabía nada del amor entonces, pero ¡joder si no sé algo más ahora!»

«¡PUUTA GUARRA!... ¡ERES UN PUTO PENDÓN DESOREJADO!»

Evelyn colgó enérgicamente.

«Ev..., Ev..., te quiero...» Era la primera vez que Boab pronunciaba aquellas palabras, por una línea telefónica cortada.

«¡GUARRAA! ¡PUUTA GUARRAAA!» Estrelló el auricular contra la cabina. Sus zapatos de pico perforados rompieron a patadas dos cristales e intentó arrancar el auricular del aparato.

Boab no se dio cuenta de que un coche patrulla de la policía se había detenido junto a la cabina.

En la comisaría local, el oficial encargado de la detención, el agente Brian Cochrane, estaba redactando a máquina la declaración de Boab cuando apareció el sargento de guardia Morrison. Boab estaba sentado, silenciosamente deprimido al pie de la mesa mientras Cochrane tecleaba con dos dedos.

«Buenas tardes, sargento», dijo el agente Cochrane.

El sargento murmuró algo que pudo o pudo no haber sido «Brian», sin detenerse ni darse la vuelta. Metió un bollo de sal-

139

chicha en el microondas. Cuando abrió el armario que había sobre el horno, Morrison se irritó al advertir que no había salsa de tomate. Odiaba los aperitivos sin ketchup. Molesto, se volvió hacia el agente Cochrane.

«Joder, Brian, no hay ketchup. ¿A quién le tocaba ir por provisiones?»

«Eh..., disculpe sargento..., me he despistado», dijo el número, avergonzado. «Eh..., ha sido una noche ajetreada y tal, sargento.»

Morrison sacudió tristemente la cabeza y dejó escapar un largo suspiro.

«Entonces, ¿qué es lo que tenemos esta noche, Brian?»

«Pues está el violador, el tío que apuñaló al chico en el centro comercial y el payaso este», dijo señalando con el dedo a Boab.

«Vale..., ya he estado abajo charlando un poco con el violador. Parece un chico bastante majo. Me dice que la muy putilla se lo estaba buscando. Es ley de vida, Brian. El tío que apuñaló al chico..., bueno, un pobre cabrón, pero los chicos ya se sabe. ¿Y qué hay de este gilipollas?»

«Le hemos cogido destrozando una cabina.»

El sargento Morrison apretó los dientes con fuerza. Tratando de contener una oleada de furia que amenazaba con desbordarle, habló de modo lento y deliberado: «Bájame a ese vaquero a los calabozos. Quiero tener una pequeña charla con ese cabrón.»

Otro que quería tener una pequeña charla. Boab empezaba a tener la sensación de que nunca salía nada bueno de aquellas «pequeñas charlas».

El sargento Morrison era accionista de British Telecom. Si había algo que le cabreara más que un aperitivo sin ketchup, era ver los bienes de capital de BT, que formaban parte de su inversión, depreciados a manos del vandalismo gratuito.

En los calabozos, Morrison le dio de puñetazos a Boab en el estómago, en las costillas y en los testículos. Mientras Boab gemía sobre el frío suelo embaldosado, el sargento le sonreía desde arriba.

«Sabes, esto demuestra lo eficaces que son esas políticas de privatización. Jamás habría reaccionado de ese modo si hubieras destrozado una cabina de teléfonos cuando estaban nacionalizadas. Sé que en realidad es lo mismo; entonces el vandalismo me suponía pagar más impuestos, mientras que ahora supone dividendos más pequeños. El caso es que ahora tengo la impresión de que me juego más, hijo. Así que no quiero que ningún lumpenproletario revoltoso haga peligrar mi inversión.»

Boab gemía miserablemente, tendido en el suelo, asolado por atroces dolores y oprimido por la angustia y la tortura psíquicas.

El sargento Morrison se preciaba de ser un hombre ecuánime. Como a los demás fulanos detenidos en los calabozos, a Boab se le entregó su taza de té hervido y un bollo con mermelada para desayunar. No pudo tocarlo. Le habían puesto mantequilla y mermelada juntas. No pudo tocar el bollo pero le acusaron de alterar el orden público, además de daños y perjuicios.

Aunque eran las 6.15 de la mañana cuando le pusieron en libertad, se encontraba demasiado débil para volver a casa. En vez de eso, decidió ir directamente al trabajo después de parar en un café a tomarse un bollo con huevos revueltos y una taza de café. Encontró un local apropiado e hizo su pedido.

Después de alimentarse, Boab fue a pagar la cuenta.

«Una libra y sesenta y cinco peniques.» El dueño del café era un hombre enorme, gordo, grasiento y con el rostro picado de viruelas.

«¿Eh? Un poco prohibitivo, ¿no?» Boab contó su dinero. Realmente no había pensado en cuánto dinero llevaba, incluso a pesar de que la policía se lo había quitado todo, junto con las llaves y los cordones de los zapatos, y había tenido que firmar para recuperarlos por la mañana.

Llevaba una libra y treinta ocho peniques. Contó el dinero. El propietario del café echó una mirada a la pinta legañosa de Boab, que iba sin afeitar. Intentaba dirigir un establecimiento respetable, no un albergue para vagabundos. Salió de detrás del mostrador y sacó a Boab por la puerta a empellones.

«Puto cabrón espabilao... vivales... los precios están bien a la vista... ya te daré yo prohibitivo, cacho cabrón...»

Fuera, en la fría y azulada madrugada callejera, el gordo le pegó a Boab un puñetazo en la mandíbula. Boab cayó de espaldas, más por la fatiga y la desorientación que por la fuerza del impacto, golpeándose con la cabeza en el pavimento.

Se quedó allí tendido un rato, y empezó a llorar, maldiciendo a Dios, a Kev, a Tambo, a Evelyn, a sus padres, a la policía y al dueño del café.

Pese a estar física y mentalmente deshecho, Boab curró muy duramente aquella mañana, tratando de olvidar sus preocupaciones y hacer que el día pasara rápidamente. Normalmente, hacía muy poco trabajo de carga y descarga, partiendo del razonamiento de que, al ser él el conductor, ése no era realmente su cometido. Ese día, sin embargo, se había arremangado. La primera mudanza que le tocó hacer a su equipo consistió en llevar las pertenencias de unos ricos hijos de puta desde una gran casa pija en Cramond a una gran casa pija en the Grange. Los demás chicos de la cuadrilla, Benny, Drew y Zippo, estuvieron mucho menos parlanchines que de costumbre. Normalmente a Boab el silencio le habría resultado sospechoso. Ahora, al encontrarse fatal, acogió de buena gana el respiro que le proporcionaba.

Volvieron a las cocheras de Canonmills a las 12.30 para almorzar. A Boab le sorprendió que le llamaran a la oficina de Mike Rafferty, el jefe.

«Siéntate, Boab. Iré al grano, colega», dijo Rafferty, haciendo todo lo contrario. «Son las normas», dijo enigmáticamente, y señaló hacia la placa de la Asociación de Agencias de Mudanzas y Transportistas que colgaba sobre la pared, donde había un logotipo que lucían todos y cada uno de los camiones de su flotilla. «Ahora eso ya no cuenta para nada. Estos días es todo cuestión de precios, Boab. Y todos esos piratas, que tienen menos gastos generales y menos costes, nos están esquilando, Boab.»

«¿Qué es lo que tratas de decir?»

«Tenemos que recortar gastos, Boab. ¿De dónde puedo recortarlos? ¿De la nave?» Echó una mirada al exterior de aquel cajón de vidrio y madera que tenía por oficina. «Estamos ligados a un contrato de arrendamiento por cinco años. No. Tienen que ser gastos de capital y de trabajo. Es todo una cuestión de posicionamiento en el mercado, Boab. Tuvimos que encontrar nuestro hueco en el mercado. Ese hueco es el de una compañía de categoría especializada en mudanzas locales para la gente con posibles.»

«¿Así que estoy despedido?», preguntó Boab, con aire resignado.

Rafferty miró a Boab... Había estado recientemente en un cursillo titulado «Cómo manejar positivamente las finalizaciones de contrato».

«Tu puesto ha desaparecido, Boab. Es importante recordar que no es la persona la que queda sin ocupación, es el puesto. Nos hemos sobreestimado, Boab. Nos equipamos para hacer mudanzas en el continente. Intentamos competir con los grandes, y he de reconocer que fracasamos. Nos emocionamos un poquito más de la cuenta con el 92, el mercado único y todo eso. Voy a tener que deshacerme del camión grande. También tenemos que prescindir de un puesto de conductor. Esto no resulta fácil, Boab, pero el último que entra es el primero en salir. Ahora correré la voz en el medio de que conozco a un conductor fiable que busca algo y evidentemente daré las mejores referencias.»

«Evidentemente», dijo Boab, con amargo sarcasmo.

Boab se marchó a la hora de comer y se fue a tomar una pinta y una tostada en el pub de al lado. No se molestó en volver. Mientras se sentaba y bebía a solas, un extraño se acercó a él, sentándose a su lado, a pesar de que había muchos sitios disponibles. Estaba en la cincuentena y no era muy alto, pero desde luego tenía presencia. A Boab su cabello y su barba blancos le recordaban a un cantante folk, el tío de los Corries, o puede que el chico que estaba en los Dubliners.

«Esta vez la has jodido pero bien, so tontolculo», le dijo el hombre, llevándose a los labios una pinta de *eighty shillings*.

«¿Eh? ¿Qué?» Boab estaba sorprendido otra vez.

«Tú. Boab Coyle. Sin casa, sin curro, sin periquita, sin colegas, fichado por la poli, con la cara tocada, todo en unas pocas horas. Muy bien.» Le guiñó el ojo enviando a Boab un brindis con su pinta. Aquello irritó a Boab, pero estaba intrigado.

«¿Cómo cojones lo sabes? ¿Quién cojones eres tú?»

El hombre sacudió la cabeza: «Saberlo es mi puto cometido. Soy Dios.»

«¡Vete a tomar por culo, viejo desgraciao!», dijo Boab en una carcajada, echando la cabeza atrás.

«Hostia puta. Otro capullo espabilao», dijo cansinamente aquel hombre. A continuación soltó una retahíla con el aire aburrido y cortés de alguien que había pasado por aquello más veces de las que quería recordar.

«Robert Anthony Coyle, nacido el viernes 23 de julio de 1968, hijo de Robert McNamara Coyle y Doreen Sharp. Hermano menor de Cathleen Siobhain Shaw, casada con James Allan Shaw. Viven en el número 21 de Parkglen Crecent en Gilmerton y tienen un hijo, también llamado James. Tienes una marca de nacimiento en forma de hoz en la parte interior del muslo. Asististe a la Escuela Primaria de Granton y a la Secundaria de Ainslie Park, donde obtuviste dos aprobados, uno en marquetería y otro en dibujo técnico. Hasta hace poco, trabajabas en las mudanzas, vivías en casa de tus padres, tenías una periquita llamada Evelyn, a la que no podías satisfacer sexualmente, y jugabas al fútbol para el Granton Star, de la misma manera que hacías el amor, con escaso empeño y aún menos destreza.»

Boab se quedó totalmente desinflado. Aquel hombre parecía estar rodeado de un aura transparente. Hablaba con certidumbre y convicción. Boab casi le creía. Ya no sabía qué creer.

«Si tú eres Dios, ¿qué haces perdiendo el tiempo conmigo?»

«Buena pregunta, Boab. Buena pregunta.»

«Quiero decir que hay críos muriéndose de hambre y tal, salen en la tele y eso. Si fueras tan bueno, podrías arreglar eso un poco, en vez de estar aquí privando con un tipo como yo.»

Dios miró a Boab a los ojos. Parecía molesto.

«Alto ahí un momento, amigo. Dejemos una cosa bien clara. Cada vez que bajo por aquí, algún espabilao me da la barrila con lo que tendría o no tendría que estar haciendo. O eso o tengo que embarcarme en algún jodido discurso filosófico con algún gilipollas a punto de licenciarse, sobre mi naturaleza, la magnitud de mi omnipotencia y toda esa mierda. Estoy empezando a hartarme un poco de toda esta autojustificación; a vosotros, capullos, no os toca criticarme. Yo os hice a mi propia imagen y semejanza, cabrones. Montároslo como podáis; arregladlo vosotros, joder. Ese cabrón de Nietzsche erró el tiro al decir que yo había muerto. No estoy muerto; es que me la trae floja todo. No es cosa mía arreglar los problemas de todo quisque. Si a ningún otro cabrón le importa una mierda, ¿por qué debería importarme a mí? ¿Eh?»

A Boab las quejas de Dios le parecían lamentables. «Puto mamonazo. Si yo tuviera tus poderes...»

«Si tú tuvieras mis poderes harías lo que estás haciendo ahora mismo: nasti de plasti. Tienes el poder de consumir menos pintas de lager, ¿no?»

«Sí, pero...»

«No hay peros que valgan. Tienes el poder de ponerte en forma y hacer una contribución más positiva a la causa del Granton Star. Tenías el poder de prestarle más atención a aquella periquitilla tuya. Era estupenda. Podrías habértelo hecho mucho mejor en ese aspecto, Boab.»

«Puede que sí, y puede que no. ¿A ti qué te importa?»

«Tenías el poder de dejar un poco en paz a tu mamá y tu papá, para que pudieran darse tranquilamente un revolcón decente. Pero no. El capullo egoísta de Coyle no. No hacías más que estar allí sentado viendo *Coronation Street* y *Brookside*[1] mientras los pobres cabroncetes se subían por las paredes de frustración.»

«No te compete.»

«Todo me compete. Tenías el poder de hacer frente al gordo cabrón del café. Sencillamente le has dejado al cabrón que te diera en el morro por unos cuantos peniques de mierda. Ha sido una sobrada, pero has permitido que el cabrón se saliera con la suya.»

«Estaba en un estado de shock...»

«Y ese cabrón de Rafferty. Ni siquiera le has dicho al capullo que se metiera su curro por el culo.»

«¡Y qué pasa! ¡Y qué cojones pasa!»

«Pasa que tenías esos poderes, pero simplemente no te has molestado en utilizarlos. Por eso me interesas, Boab. Eres igualito que yo. Un capullo perezoso, apático y chapucero. Ahora bien, yo odio ser así, y, como soy inmortal, no puedo

---

1. Una serie de la BBC que transcurre en Liverpool. (*N. del T.*)

castigarme a mí mismo. Pero a ti sí puedo castigarte, colega. Eso es lo que tengo intención de hacer.»

«Pero yo podría...»

«¡Cállate esa boca, capullo! Estoy hasta las putas cejas de toda esa mierda del arrepentimiento. La venganza es mía, y tengo intención de tomarla, sobre mi propia naturaleza egoísta y perezosa, a través de la especie que he creado, a través de su representante. Ése eres tú.»

Dios se puso en pie. Aunque estaba casi temblando de ira, Boab vio que aquello no le resultaba fácil. Tal vez aún pudiera convencerle de que no hiciese lo que iba a hacer. «Eres exactamente como siempre imaginé...», dijo servilmente Boab.

«Eso es porque no tienes imaginación alguna, so tontolculo. Me ves y me oyes como me habías imaginado. Ahora eres mío, puto desgraciao.»

«Pero yo no soy el peor...», suplicaba Boab. «... ¿Qué hay de los asesinos, los asesinos en serie, los dictadores, los torturadores, los políticos?... Los cabrones que cierran fábricas para mantener sus ganancias..., todos esos hijos de puta codiciosos..., ¿qué pasa con ellos? ¿Eh?»

«Puede que acabe ocupándome de esos cabrones, puede que no. Eso es asunto mío, joder. ¡Tú estás acabado, capullo! Eres un montón de estiércol, Coyle. Un insecto. ¡Eso es! Un insecto...», dijo Dios, inspirado, «... voy a hacer que parezcas el bicho sucio y perezoso que eres en realidad!»

Dios miró a Boab a los ojos otra vez. Una fuerza energética invisible pareció abandonar su cuerpo y viajar unos palmos hasta el otro lado de la mesa, penetrando en Boab hasta los huesos. La fuerza le dejó inmovilizado en su silla, pero todo había pasado en un segundo, y lo único que a Boab le quedó fue un pulso acelerado y un ceño, unos genitales y unas axilas sudorosas. Al parecer, todo el número dejó bastante agotado a Dios, que se levantó temblorosamente de la silla y miró a Boab. «Me voy a echar la puta siesta», resolló, dándose la vuelta y marchándose del pub.

Boab se quedó allí sentado, mientras la cabeza le daba vueltas, intentando febrilmente racionalizar lo que le había sucedido. Kevin entró en el pub para tomar una pinta rápida pocos minutos después. Se fijó en Boab, pero parecía reacio a aproximarse a él, después de que Boab hubiera perdido los estribos en el pub el día anterior.

Cuando Kevin se acercó por fin, Boab le contó que acababa de conocer a Dios, que iba a convertirle en un insecto.

«No tienes por qué hablar de gilipolleces, Boab», dijo Kevin a su angustiado amigo, antes de abandonarle.

Aquella noche, Kevin estaba solo en casa, cenando *fish and chips*. Su novia había salido de marcha con unas amigas. Una enorme mosca azul aterrizó en la esquina de su plato. Se quedó allí sentada, mirándole. Algo le decía que no debía matarla.

A continuación la mosca azul voló hasta un pegote de salsa de tomate que había en el borde del plato y salió disparada pared arriba antes de que Kev pudiese reaccionar. Para su asombro, la mosca empezó a trazar KEV en el papel de la pared. Tuvo que hacer un segundo viaje a la salsa para terminar lo que había empezado. Kev se estremeció. Era de locura, pero allí estaba su nombre, escrito por un insecto...

«¿Boab? ¿De verdad eres tú? ¡Hostia puta! Eh, zumba dos veces para decir sí, y una para decir no.»

Dos zumbidos.

«¿Te ha hecho esto, cómo se llama, esto lo ha hecho Dios?»

Dos zumbidos.

«¿Qué coño vas a hacer?»

Zumbidos frenéticos.

«Perdona, Boab..., ¿puedo traerte algo? ¿Papeo, quizá?»

Compartieron la cena. Kev se comió la parte del león, Boab se sentó en el borde del plato dándole lengüetazos a un pedacito de pescado, grasa y salsa.

Boab se quedó con Kev Hyslop unos días. Se le aconsejó que pasara inadvertido para que Julie, la novia de Kev, no le descubriera. Kev tiró a la basura el insecticida. Compró un bote de tinta y un bloc de notas. Vertía un poco de tinta en un platillo, y dejaba que Boab trazase algunos laboriosos mensajes sobre el papel. Uno en particular había sido escrito ansiosamente: UNA CABRONA DE ARAÑA EN EL CUARTO DE BAÑO. Kev arrojó la araña al wáter y tiró de la cadena. Kev volvía siempre del trabajo temiendo que a Boab le hubiese sucedido algo. No podía relajarse hasta que no oía aquel zumbido familiar.

Desde su ubicación, detrás de las cortinas del dormitorio, Boab planeó su venganza. Prácticamente había absuelto a Kev por dejarle fuera del Star, en vista de su amabilidad. No obstante, estaba decidido a devolvérsela a sus padres, a Evelyn, a Rafferty y a los demás.

Lo de ser una mosca azul no era del todo malo. Habría odiado perderse la facultad de volar; había tenido pocos placeres mayores que remontarse por las alturas. También le cogió el gusto a los excrementos, su larga lengua de insecto era seducida por su rica y ácida humedad. Las demás moscas azules que se amontonaban sobre la mierda caliente tampoco estaban mal. Algunas de ellas le atraían. Aprendió a apreciar la belleza del cuerpo de insecto; los inmensos y sexys ojos marrones, el reluciente esqueleto externo, el atractivo mosaico azul y verde, los pelos duros y bastos y las alas resplandecientes que irisaban la dorada luz del sol.

Un día, volaba cerca de casa de Evelyn y la vio salir. La siguió a casa de su nuevo novio. El tío era Tambo, el que había apartado a Boab de la alineación del Granton Star. Se sorprendió a sí mismo zumbando involuntariamente. Después de verles follar como conejos en todas las posiciones concebibles, se fue volando hasta el recipiente de la arena del gato, comprobando primero que el animal estaba dormido en su canasto.

Le dio de bocados a un zurullo que no había sido enterrado convenientemente. A continuación, fue volando hasta la cocina y escupió la mierda dentro de un curry que había hecho Tambo. Hizo varios viajes.

Al día siguiente Tambo y Evelyn estaban enfermos de intoxicación alimentaria. Observarles enfebrecidos y enfermos le proporcionó a Boab una sensación de poder. Eso le alentó para ir volando hasta su antiguo lugar de trabajo. Cuando llegó allí, cargó los granos más pequeños de matarratas azul de una caja de cerillas que había en el suelo y los soltó en el sandwich de ensaladilla de queso de Rafferty.

Rafferty estuvo muy enfermo al día siguiente, tuvo que ir a urgencias a que le hicieran un lavado de estómago. El doctor diagnosticó que le habían suministrado raticida. Además de encontrarse fatal físicamente, Rafferty también estaba devastado por la paranoia. Como la mayoría de jefes, que en el mejor de los casos son vistos con desprecio y en el peor odiados por todos sus subordinados, exceptuando a los aduladores más rastreros, se creía popular y respetado. Se preguntaba: ¿Quién me habrá hecho esto?

El siguiente viaje de Boab fue a casa de sus padres. Fue éste un viaje que deseó no haber hecho. Tomó posición en lo alto de una pared y las lágrimas acudieron a sus gigantescos ojos marrones al comprobar el espectáculo que tenía debajo.

Su padre llevaba un body de nailon negro con un agujero en la entrepierna. Tenía los brazos tendidos con las manos sobre el manto de la chimenea y las piernas abiertas. Las mantecas de Boab senior se estremecían dentro de su ajustado disfraz. La madre de Boab estaba desnuda, salvo por un cinturón abrochado tan apretadamente a su cuerpo que se elevaba en sus carnes bamboleantes, dándole el aspecto de una almohada atada por el medio con un trozo de hilo. Acoplado al cinturón había un enorme consolador de látex, que en su mayor parte se encontraba dentro del ano de Boab senior. En su mayor parte, pero aún no bastaba para Boab senior.

«Sigue empujando, Doe..., sigue empujando..., aún puedo con más..., *necesito* más...»

«Ya casi hemos llegado a la empuñadura..., eres un hombre horrible, Boab Coyle...», gruñó Doreen, y, sudando, empujó más, al tiempo que extendía más vaselina alrededor del mantecoso culo de Boab senior y sobre la parte todavía visible del mango.

«El interrogatorio, Doe..., empieza con el interrogatorio...»

«¡Dime quién es! ¡Dímelo, jodido hijo de puta maricón!», chilló Doreen, mientras la mosca azul Boab se estremecía sobre la pared.

«No hablaré jamás...» Doreen estaba preocupada por el jadeante tono de Boab senior.

«¿Te encuentras bien, Boab? Acuérdate del asma y eso...»

«Ya..., ya..., sigue con el interrogatorio, Doreen..., las pinzas dentadas, ¡TRAE LAS PINZAS DENTADAS, DOE!» Boab senior hinchó las mejillas de aire.

Doreen cogió del manto de la chimenea el primer par de pinzas y lo prendió en uno de los pezones de Boab senior. Hizo lo mismo con el otro. El tercer par de pinzas era más grande, y lo cerró duro y de golpe sobre aquel escroto arrugado. Estimulada por sus gritos, introdujo más profundamente el consolador.

«¡Dímelo, Boab! ¿CON QUIÉN TE HAS ESTADO VIENDO?»

«AAAGGHHH...», gritó Boab senior, susurrando a continuación, «... Dolly Parton.»

«¿Quién? No te oigo», dijo Doreen en tono amenazador.

«¡DOLLY PARTON!»

«Esa puta guarra..., lo sabía..., ¿con quién más?»

«Anna Ford... y la Madonna esa..., pero sólo una vez...»

«¡ESCORIA! ¡HIJO DE PUTA! ¡PUTO GILIPOLLAS ASQUEROSO!... ¡Ya sabes lo que eso significa!»

«La mierda no, Doe..., no puedo comerme tu mierda...»

«¡Voy a cagarme en tu boca, Boab Coyle! ¡Es lo que ambos estamos deseando! ¡No lo niegues!»

«¡No! No te me cagues en la boca..., no... te me cagues en la boca..., cágate en mi boca... ¡CÁGATE EN MI BOCA!»

Ahora Boab lo veía todo claro. Mientras él se desahogaba mecánicamente en el piso de arriba metiéndosela sin ninguna maña a Evelyn en la postura del misionero, sus padres intentaban endiñarse el tresillo por el culo el uno al otro. La mera idea de que entre ellos hubiera sexo le había repelido; ahora le avergonzaba de otro modo. Había un aspecto, sin embargo, en que eran de tal palo tal astilla. Sabía que no podría fiarse de sí mismo a la vista de la mierda de su madre. Sería demasiado excitante, aquellas suculentas, cálidas y ácidas heces yendo a parar en su totalidad a la boca de su padre. Boab sintió los primeros remordimientos conscientes de un complejo de Edipo, a los veintitrés años, y en un estado de metamorfosis.

Boab brincó de la pared y revoloteó alrededor de ellos, entrando y saliendo de sus orejas.

«Mierda..., esa jodida mosca...», dijo Doreen. Justamente entonces sonó el teléfono. «¡Tendré que contestar! Boab, quédate donde estás. Será nuestra Cathy. Si no contesto ahora, no hará más que incordiarnos toda la noche. No te vayas.» Se quitó el cinturón, dejando el consolador en el culo de Boab senior. Él se sentía en paz, con los músculos distendidos, pero sujetando la vara de látex cómoda y seguramente. Se sentía lleno, completo y vivo.

Boab junior estaba exhausto tras sus esfuerzos y se retiró hacia la pared otra vez. Doreen levantó el auricular.

«Hola, Cathy. ¿Cómo te va, cariño?... Estupendo... Papá está muy bien. ¿Cómo está el hombrecito?... ¡Ay, qué corderito! Y Jimmy... Muy bien. Escucha, cariño, ahora mismo nos habíamos puesto a cenar. Te volveré a llamar dentro de media hora más o menos y charlaremos como es debido... Vale, cariño... Hasta lueguito.»

La reacción de Doreen fue más rápida que la del agotado Boab. Recogió el *Evening News* mientras colgaba el auricular y se fue de un salto hacia la pared. Boab no vio el peligro hasta que el periódico enrollado viajaba como un rayo hacia él. Despegó, pero el periódico le pilló y le estrelló de rebote contra la pared a gran velocidad. Sintió un dolor atroz al resquebrajarse parte de su estructura esquelética externa.

«Te pillé, cochina», le espetó Doreen.

Boab intentó recuperar la capacidad de volar, pero fue inútil. Cayó sobre la moqueta, en el hueco que había entre la pared y el aparador. Su madre se puso de rodillas, pero no vio a Boab en la oscuridad.

«A la mierda, ya la cogeré con el aspirador más tarde. Esa mosca era más pelma que el pequeño Boab», sonrió, abrochándose el cinturón e impulsando el consolador más adentro del culo de Boab senior.

Aquella noche, los Coyle fueron despertados por el ruido de los gemidos. Bajaron a tientas la escalera y hallaron a su hijo, maltrecho y ensangrentado, debajo del aparador del cuarto de estar, con terribles heridas.

Llamaron a una ambulancia, pero a Boab junior se le había ido la vida. La causa de la muerte fueron heridas internas a gran escala, semejantes a las que padecería alguien que hubiese sufrido un terrible accidente automovilístico. Tenía todas las costillas rotas, así como las dos piernas y el brazo derecho. Presentaba fractura de cráneo. No había rastros de sangre y resultaba inconcebible que Boab hubiera podido arrastrarse hasta casa desde el lugar de un accidente o de una paliza tremenda en esas condiciones. Todo el mundo estaba perplejo.

Todos menos Kev, que empezó a beber mucho. Debido a este problema, Kev se distanció de Julie, su novia. Se rezagó en los pagos de la hipoteca de su piso. Va a haber más despidos en la fábrica de productos electrónicos al norte de Edimburgo donde trabaja. Lo peor de todo para Kev es que está pasando una temporada de vacas flacas frente a la portería. Intenta consolarse recordando que a todos los delanteros les pasa periódicamente, pero sabe que su nivel ha bajado. Su posición como capitán, e incluso su lugar en la alineación del Star, ya no pueden considerarse inexpugnables. El Star no va a subir de división este año debido a una mala racha y el Muirhouse Albion les ha desbancado casi desdeñosamente en los cuartos de final del Trofeo Conmemorativo Tom Logan.

DESMONTABLE DE MUÑECO DE NIEVE PARA RICO LA ARDILLA

La ardilla plateada hacía eses por el jardín y subió a toda prisa por la corteza de una gran secoya californiana que sobresalía por la desvencijada valla de madera. Un lloroso chiquillo en bambas, camiseta, vaqueros y gorra de béisbol observaba, atormentado e impotente, mientras el animal se alejaba de él.

«¡Te queremos, Rico!», gritó el chico. «¡No te vayas, Rico!» gritó, angustiado.

La ardilla trepó hábilmente por el árbol. Al oír la desesperada voz del chico se detuvo y miró atrás. Sus tristes ojos marrones relucían cuando dijo: «Lo siento, Babby, tengo que irme. Algún día lo comprenderás.»

La pequeña criatura se volvió y, utilizando una rama como trampolín y agarrándose a otra, desapareció entre el espeso follaje del bosque detrás de la frontera formada por la endeble valla.

«¡Mami!», gritó el joven Bobby Cartwright en dirección a la casa. «¡Es Rico! ¡Se va, mami! ¡Dile que se quede!»

Sarah Cartwright apareció en el porche y sintió que el pecho se le contraía al ver a su hijo desconsolado. Las lágrimas se le agolpaban en los ojos cuando dio unos pasos y estrechó al chico en su regazo. Con voz jadeante y empalagosa dijo pensativamente: «Pero Rico tiene que irse, cariño. Rico es una ardillita muy especial. Lo sabíamos cuando vino hasta nosotros. Sabíamos que Rico tendría que marcharse, pues su misión es difundir el amor por el mundo entero.»

«¡Pero eso quiere decir que Rico no nos quiere, mamá! ¡Si nos quisiera se quedaría!», gritó Bobby, desconsolado.

«Escucha, Babby,[1] hay otra gente que también necesita a Rico. Tiene que llegar a ellos para ayudarles, para darles el amor que necesitan, para hacer que se den cuenta de lo mucho que se necesitan unos a otros.»

Bobby no estaba convencido. «Rico no nos quiere», lloriqueó.

«No, Babby, eso no es así en absoluto, cielito», dijo sonriendo afectada Sarah Cartwright, «el mayor regalo que jamás nos hizo Rico fue hacernos recordar cuánto nos queríamos. ¿Te acuerdas cuándo a papá le dieron el finiquito en la fábrica? ¿Cuando perdimos nuestro hogar? Y después cuando a tu hermanita, la pequeña Beverly, la atropellaron, asesinada por aquel sheriff borracho? ¿Te acuerdas de cómo nos peleábamos y nos gritábamos sin parar?», explicó Sarah Cartwright mientras las lágrimas rodaban por sus mejillas. Lentamente, en su rostro apareció una sonrisa, como el sol alzándose triunfal sobre sucias nubes grises. «Entonces llegó Rico. Pensábamos que nos habíamos perdido, pero con el amor de Rico nos dimos cuenta de que lo más grande que teníamos era nuestro amor...»

«¡Odio a Rico!», rugió Bobby, zafándose de su madre y corriendo a casa. Subió la escalera de dos en dos.

«Babby, vuelve...»

«¡Rico nos ha abandonado!», gritó Bobby desconsoladamente, cerrando de un portazo la puerta de su dormitorio.

> *«¡Apagad esa puta tele! ¡Os lo he dicho ya! ¡Afuera a jugar!», les soltó Maggie Robertson a sus hijos, Sean y Sinead. «¡Viendo la puta tele todo el día! ¡Tontos del culo!», medio se reía, medio se burlaba, mientras la mano de Tony Anderson se deslizaba debajo de su camiseta y su sujetador y le manoseaba ásperamente el pecho.*
>
> *El pequeño Sean apagó la televisión y la miró, con una leve expresión de incomprensión, pero llena de temor, grabada en la cara. A continuación se relajó otra vez volviendo al estado de apatía total. Sinead se limitó a jugar con su muñeca rota.*

1. Imitación burlona de la pronunciación americana estereotipada. (*N. del T.*)

«¡He dicho fuera!», gritó Maggie. «¡NO ESTOY HA-BLANDO SOLA, SEAN, CABRITO!»

Los niños se habían acostumbrado a su nivel de griterío normal. Sólo aquel ruido tajante y asfixiante provocaba una respuesta en ellos.

«Dadnos un poco de sosiego, vosotros dos, venga», suplicó Tony, rebuscando en los bolsillos de su chaleco en busca de algo suelto. Lo único que tocaba, sin embargo, era su erección. «¡VENGA!», gritó con iracunda exasperación. Los niños se marcharon.

«Venga, muñeca, quítatelas», dijo Tony con urgencia pero sin pasión.

«¿Y me dices que no estuviste con ella anoche?»

Tony sacudió la cabeza en un gesto que buscaba transmitir exasperación, pero que sólo fue recibido como belicosa obstinación. «¡Ya te lo he dicho, joder! Por última vez: ¡estaba jugando al billar con Rab y Gibbo!»

Maggie le miró a los ojos durante un instante. «Joder, como me estés mintiendo...»

«A ti jamás te mentiría, lees en mí como en un libro abierto», dijo Tony subiéndole las manos por la falda y bajándole las bragas. Estaban manchadas con una descarga que combinaba una grave infección del tracto urinario y una enfermedad sexual sin especificar, pero apenas reparó en ello. «¿Sabes lo que estoy pensando ahora, eh? Percepción extrasensorial y eso. Estás hecha toda una puta, eh...», jadeó, desabrochándose los pantalones, permitiendo que su constreñida tripa y su erección surcasen libremente el espacio.

Bob Cartwright llamó suavemente a la puerta del dormitorio. Sintió una tristeza pesada como una losa alrededor del corazón al ver a su hijo Bobby junior tumbado bocabajo sobre la cama. Se sentó en una esquina de la misma y dijo suavemente: «Hola, machote, ¿hay sitio para otro más?» Bobby junior hizo un poco de sitio a regañadientes. «Eh, campeón, ¿sigues dolido por lo de Rico?»

«¡Rico nos odia!»

La vehemencia de su hijo desconcertó un tanto a Bob senior, a pesar de la advertencia que su esposa Sarah había hecho. Se sentó y meditó un rato. Había puesto cara de que no pasaba nada, pero a decir verdad él también iba a echar mucho de menos a aquel pequeñajo. Después de tomarse unos melancólicos instantes de descanso para ponderar la profundidad de su propio dolor, Bob senior empezó: «Bueno, sabes, Babby, a veces puede parecer así, pero, Babby, deja que te cuente, la gente a veces tiene la costumbre de hacer todo tipo de cosas por todo tipo de razones, de algunas de las cuales no sabemos gran cosa.»

«¡Si Rico nos quisiera, se habría quedado!»

«Deja que te cuente una historia, Babby. Cuando yo era chico, seguramente más o menos de tu edad, puede que un poquitín más grande, había un tipo que era mi héroe. Era "Big Al" Kennedy.»

La cara de Bobby se iluminó. «¡Los Angeles!», gritó.

«Sí, campeón, eso es. Al Kennedy, maldita sea, el mejor pitcher que haya visto nunca. ¡Buee-nnoo! Recuerdo aquella eliminatoria final cuando nos tocó contra los Kansas Royals. Fue Big Al quien nos sacó las castañas del fuego. Los bateadores aquellos de los Royals fueron cayendo uno a uno. ¡STRIKE UNO!»

«¡STRIKE DOS!», chilló jubilosamente Bobby, imitando a su padre

«¡STRIKE TRES!», rugió Bob senior.

«¡STRIKE CUATRO!», gañó Bobby, mientras padre e hijo chocaban los cinco.

«¡Te concedo el cuarto strike! Venga, campeón, vamos a por la prórroga de la séptima entrada!»

Cantaron vigorosamente a coro:

> Llévame al partido de béisbol
> llévame donde la multitud
> cómprame unos cacahuetes y garrapiñadas
> no me importa si no vuelvo nunca
> y hurra hurra hurra por los Angels
> será una pena que no ganen
> porque un, dos, tres strikes y estás fuera
> en el viejo juego del béisbol.

Bob senior se sentía eufórico. Esa canción siempre animaba al chico. «El caso es, hijo», dijo poniendo una expresión de tétrica seriedad, «que Big Al se fue. Fichó para los Cardinals. Yo dije: Si Big Al nos hubiera querido, no se habría ido. Dios, odiaba a Al Kennedy, y cada vez que le veía en la televisión, jugando con los Cardinals, le lanzaba esta maldición: Muere, Big Al, decía: ¡Muérete piojoso! Mi papi decía: Eh, hijo, tómatelo con calma. Hubo una vez que me enfadé de verdad, empecé a gritarle a la caja tonta cuánto odiaba a Big Al, pero el viejo sólo dijo: Hijo, el odio es una palabra algo rara, una palabra con la que hay que andarse con cuidado.»

«Unos días más tarde, mi papá me trajo unos recortes de periódico. Aquí los tengo. Siempre los he guardado», dijo Bob senior, colocándolos delante de su hijo. «No esperes que te los lea todos ahora, campeón, pero deja que te diga, a mí me contaron una historia, una historia muy especial, Babby, una que jamás he olvidado. Se trataba del accidente de un autobús escolar en St Louis, Mo. Había un chavalín, al que supongo que le tocó la pajita más corta en todo aquel maldito asunto. El chiquillo estaba muy malo, en coma. Resultó que este chaval era seguidor de los Cardinals y que su héroe no era otro que Big Al Kennedy. Y cuando Big Al se enteró de lo de aquel chico, dejó de lado una cacería que estaba haciendo en Nebraska y volvió a St Louis para estar junto al chaval. Big Al le dijo esto al chico: Escucha, campeón, cuando salgas de aquí, te voy a enseñar a lanzar la pelota, ¿sabes?», explicaba Bob senior. «Entonces ocurrió algo increíble», dijo suavemente y con dramatismo Bob senior.

A Bobby se le pusieron los ojos como platos por la ansiedad. «¿Qué, papá? ¿Qué?»

«Pues, hijo», continuó Bob senior, tragando con fuerza, mientras se le movía la nuez, «ese chavalín abrió los ojos. Y pasó algo más. ¿A que no sabes qué?»

«No lo sé, papá», respondió Bob junior.

«Bueno, pues supongo que yo también abrí los ojos en cierto modo. ¿Sabes lo que quiero decir, Babby?»

«Supongo...», dijo el jovencito con perplejidad.

«Lo que supongo que estoy tratando de decirte, hijo, es que el hecho de que Rico tuviera que irse no quiere decir que no piense en nosotros, que no nos quiera; es sólo que puede que ahora mismo haya alguien que le necesita muchísimo más que nosotros.»

Bobby junior meditó este asunto durante un rato. «¿Volveremos a ver alguna vez a Rico, papá?»

«Quién sabe, hijo, quizá sí», dijo pensativamente Bob senior, mientras sentía que una mano le tocaba suavemente en el hombro y miró atrás y se encontró con los ojos abiertos y húmedos de su mujer.

«Sabes, Babby», dijo Sarah Cartwright con vacilante emoción, «cada vez que veas a alguien con la luz del amor en los ojos, verás a Rico, porque hay una cosa de la que puedes estar seguro, cariño, si hay amor en los ojos de la gente, fue Rico quien lo puso allí.»

Sarah miró a su marido, que sonrió de manera jovial y rodeó su cintura con el brazo.

Llevaba cinco minutos dale que te pego y empezaba a perder la concentración. Bri y Ralphie estarían ya en el Anchor, apuntados para jugar al billar. Era la noche de los premios en metálico. Mientras empujaba, veía las pelotas salir despedidas de la punta del taco rebotando contra las bandas y traqueteando suavemente por los agujeros. Tenía que descargar enseguida

Tony empujaba tan fuerte como podía y se sentía muy cerca pero a la vez muy lejos de ese alivio. Se estiró por encima de la mesita del café que estaba al lado del sofá y cogió el humeante cigarrillo. Arqueó el cuello hacia atrás y le dio una larga calada pensando en las imágenes de Madonna del vídeo recopilatorio de los singles.

No es que Madonna tenga mejor polvo que muchos de los coños de por aquí, pero lo que sabe hacer es arreglarse. Las periquitas de por aquí visten todas igual; cada día, todos los jodidos días igual. ¿Cómo vas a darle un revolcón a algo que tiene el mismo aspecto todos los días? Eso es algo que los coños como Madonna entienden, hay que cambiar de vestimenta, dar un poco de espectáculo...

Estaban unidos, Madonna y Anthony Anderson, unidos por una cópula común, haciendo el amor trémula, sensual, apasionadamente. A menos de un millón de kilómetros de allí, Maggie Robertson le estaba proporcionando a su hombre, Keanu Reeves, el rato más emocionante que jamás había pasado aquella estrella de Hollywood. Estaba a punto de correrse, y aunque ella misma estaba lejos, muy lejos, del clímax, se sentía satisfecha, encantada de haber podido complacer tanto a su hombre... aquélla era suficiente satisfacción porque esa puta gorda jamás habría podido ponerle así de cachondo...

Entonces Keanu/Tony vio la cara comprimida contra el cristal, mirando fijamente hacia el interior, mirándoles, mirándole a él; su mandíbula rígida, sus ojos mortecinos. Mientras su pene se volvía fláccido, aquellos ojos se llenaron de pasión por vez primera. «¡SEAN, ALÉJATE DE ESA PUTA VENTANA, CABRITO ASQUEROSO! ¡PARA QUE LO SEPAS, ERES HOMBRE MUERTO! ¡FIJO! ¡JODER SI TE LO GARANTIZO, SEAN, CABRITO ASQUEROSO!», despotricó Tony mientras su pito aflojado se escurría fuera de Madonna/Maggie.

Levantándose bruscamente, y abrochándose los vaqueros, Tony salió en tromba hacia la escalera y se dirigió al patio trasero persiguiendo violentamente a los niños.

«Esto es terrible», dijo el señor C. apagando el televisor. No deberían emitir eso antes de las nueve de la noche. Venga, campeón», dijo mirando a Bobby, «hora de irse a la cama.»

«Jo, papá, ¿tengo que hacerlo?»

«Sí, tienes que hacerlo, campeón», dijo Bob senior encogiéndose de hombros, «¡a todos nos vendría bien echar un sueñecito!»

«Pero yo quiero ver *The Skatch Femilee Rabirtsin.*»

«Escucha, Babby», empezó Sarah, «*The Skatch Femilee Rabirtsin* es un programa horrible y tu padre y yo estamos de acuerdo en que no te conviene...»

«Jo, mamá, a mí me gusta *The Skatch Femilee Rabirtsin...*»

Un ruido chirriante que procedía de la ventana distrajo su atención de la discusión. Miraron hacia el exterior y vieron a una ardilla en el alféizar.

«¡Rico!», gritaron al unísono. Sarah abrió la ventana y el animal entró correteando y se subió por el brazo de Bobby junior, posándose en su hombro. El jovencito acarició suavemente el cálido pelaje de su amigo.

«¡Rico, has vuelto! ¡Sabía que volverías!»

«Eh, socio», se rió Rico, levantando la pata y chocando los cinco con Bobby junior.

«Rico...», dijo Sarah sonriendo vehementemente, al tiempo que Bobby senior sentía un espasmo de emoción en el pecho.

«Pensé que», dijo la ardilla, «hay muchas buenas obras por hacer, más vale que me agencie algo de ayuda.»

Volvió su cabeza hacia la ventana. Los Cartwright miraron al exterior y pudieron ver a cientos, o quizás incluso miles, de ardillas, los ojos candentes de amor, y dispuestas a difundirlo a lo largo y ancho de un mundo frío.

«Me pregunto si alguna de esas ardillas irá en ayuda del chico y la chica escoceses de la televisión», pensó Bobby junior en voz alta.

«Estoy segura de que una de ellas lo hará, Babby», dijo Sarah con una sonrisa afectada.

«Joder, yo que tú no esperaría sentado, cariño», refunfuñó Rico la ardilla, pero la familia no la oyó, pues estaban muertos de alegría.

¿Ves a ese tío grande con la bufanda de cuadros escoceses? ¿Con una nuez enorme asomándole por encima? Me voy a decirle unas palabritas a ese capullo.

¿Qué queréis decir con eso de dejarle? Sólo voy a hablar con el chaval, sobre el juego y tal.

Hola colega, ¿has ido al rugby? En Murrayfield, ¿no? Ha ganado Escocia, ¿no?

Cojonudo.

¿Has oído eso, Skanko? Ganó Escocia, joder.

¿Contra quién jugábamos, colega? Fiji. ¿FIJI? ¡¿Y ésos quién cojones son?!

¿FIJI? Unas putas islas, so primo.

¿Sí?

Sí, bueno, nosotros no somos más que unas putas islas para ellos, míralo así.

Bueno, es más o menos eso, ¿eh, colega?

Aun así, somos todos putos escoceses, ¿eh, colega?

No es que yo entienda mucho de rugby. Si quieres mi opinión, es un juego de putos maricones. No entiendo cómo ningún capullo puede quedarse viendo esa puta mierda. Pero es verdad, todos los que juegan a rubgy son unos putos maricones.

¿Tú no serás maricón, verdad, colega?

¿Qué quieres decir con eso de dejarle? Sólo le preguntaba si es maricón o no. Una simple pregunta, joder. Puede que lo sea, puede que no.

¿De dónde eres, colega?

¡Marchmont!

Eh, Skanko, el chaval es de Marchmont.

Por ahí las casas son grandes,

colega. Seguro que tienes mogollón de guita.

¿No? Pero vivirás en una casa grande seguro.

¡No tan jodidamente grande!

¡No tan jodidamente grande, dice!

¡Vives en un puto palacio!

¿Has oído a este capullo? No tan jodidamente grande.

¿A qué te dedicas, colega, estás trabajando?

Ya, ¡tienes toda la puta razón, macho!

Ya..., ¿pero eso en qué te convierte? ¿En qué te convierte cuando acabas?

¡Un puto contable!

¡Oyes eso, Skanko! ¡SKANKO! Ven aquí. ¡VEN AQUÍ, CACHO CABRÓN! Joder, este capullo me dice que es contable.

¿Eh? ¿Qué cojones dices?

Ya, vale.

Vale, aprendiz de contable.

Aprendiz de contable, contable, es lo mismo; toneladas de viruta, joder.

No.

No, el chaval no es maricón.

Sólo lo pensé, sabes, con eso de que te va el rugby y eso.

¿Tienes periquita, colega?

¿Eh?

Pensé que habías dicho que no eras maricón. ¿Has echado alguna vez un polvo?

¿Qué quieres decir con que deje al capullo? Sólo le estaba haciendo una pregunta.

¿Has echado alguna vez un polvo, colega?

O lo has hecho, o no lo has hecho. Sólo es una puta pregunta. No hace falta que te pongas colorao.

Pues no pasa nada.

Ves, sólo era una pregunta.

Es que con eso de que te gustaba el rugby, sabes.

Esa de ahí es mi periquita.

¡EH, KIRSTY! ¡QUÉ TAL, MUÑECA!
Ahora mismo iré para allá.
Sólo estoy pegando la hebra
un poco aquí con mi colega,
como quien dice.

¿No está mal, eh? ¿Está bien,
eh?

¡Eh! ¿Te gusta mi periquita,
sucio cabrón?

¡Eh! ¿Tratas de decir que mi
periquita es un callo? ¿Tratas
de quedarte conmigo?

¿No?

Más te vale, so cabrón.

Así que te gusta el rugby, ¿eh?
Lo mío es el fútbol. Pero
nunca voy. No me dejan acer-
carme al campo, joder. De todos modos, el fútbol también
es una puta mierda aburrida.
No hace falta ir a los partidos.
Lo mejor de la movida es antes y después del partido.
¿Has oído hablar de los Hibs
Boys?[1] ¿Los CCS?[2] ¿Sí?

Le quitas la bulla al fútbol, y
lo has matado.

---

1. Los Hibs Boys son los *casuals* seguidores del Hibernian F. C. (*N. del T.*)
2. Siglas de Capital City Service, denominación que se dan a sí mismos los
Hibs Boys, y que puede traducirse por «Al Servicio de la Capital» o «Un Servicio
de la Capital», siendo Edimburgo la capital en cuestión. (*N. del T.*)

165

Venga, cántame una canción, colega. Una de esas canciones de maricones que cantáis en los clubs de rugby antes de poneros a follar entre vosotros.

¡Sólo una jodida cancioncilla, capullo!

Sólo le estoy pidiendo al chaval que me cante una jodida canción. No quiero problemas y tal.

Cántame una canción, colega. ¡Venga!

¡EH! ¡VALE YA DE ESA MIERDA! Flor de mi puta Escocia. ¡Mierda! Odio esa jodida canción: *Oh flow-ir-ay-Scot-lin...*, una puta mierda. Cántame una cancion de verdad. Canta Tambores lejanos.

¿Qué quieres decir con déjale?
Sólo le estoy pidiendo al capullo que cante. Tambores lejanos.

¿Eh?

¿Que no te sabes Tambores lejanos? ¿No? Escúchame a mí, colega, ya la canto yo joder.

166

OIGO EL RUMOR
DUH-DUH-DUH-DUH
DUH-DUH-DUH-DUH
DE TAMBORES LEJANOS
DUH-DUH-DUH-DUH
DUH-DUH-DUH-DUH

¡CANTA, CACHO CABRÓN!

Oigo el rumor de tambores lejanos. Es fácil. Tú eres el capullo con una licenciatura y eso. Tú podrás comprenderlo. OIGO-EL-RUMOR-DE-TAMBORES-LEJANOS.

Eso está mejor, je, je, je.

¡Skanko! ¡Kirsty! ¡Escuchadle al cabrón! ¡Tambores lejanos, joder!

Chachi. Vale. Yo tomaré una botella de Becks, colega. El colega también. Las periquitas van de Diamond Whites.[1] Ésa es Leanne, la periquita de Skanko, ¿sabes?

Por ti, colega.

Lo ves, Skanko, el capullo es legal. Buen colega mío, por cierto.

¿Cómo decías que te llamabas, colega?

1. Marca de sidra. (*N. del T.*)

Alistair, eso.

Ésta a la salud de Alistair.

Por ti, colega.

¿Ya te vas, colega? ¿Sí?
Bueno, nos vemos.

Tambores lejanos, ¡eh,
colega!

¡Vaya un puto capullo em-
panao!

Al tontolculo le hice cantar
esa vieja canción.

Putos Tambores lejanos, cacho cabrón.

Una Becks pues, Skanko.
Sólo porque el chaval sacara
una ronda, no significa que tú
no tienes que hacerlo. Brazos
cortos y bolsillos hondos este
capullo, ¿eh, Leanne?

¡Salud! Por los capullos del
rubgy; unos putos maricones,
pero ¡por ellos!

Algo extraño pasaba en Pilton. Probablemente no sólo en Pilton, meditó Coco Bryce, pero puesto que él estaba en Pilton, el aquí y ahora eran lo único que le preocupaban. Miró hacia el cielo oscuro. Parecía que se desmoronaba. Parte de él había sido acuchillado salvajemente, y Coco estaba desconcertado por lo que parecía estar a punto de caer a través de la herida. Fragmentos de brillante luz de neón relumbraban en la brecha. Coco distinguía el flujo y el reflujo de corrientes dentro de un pozo translúcido que parecían acumularse tras la oscura membrana del cielo, como si estuvieran preparándose para irrumpir a través de la abertura, o al menos desgarrar aún más el herido manto de nubes. Sin embargo, la luz que emanaba de la herida parecía poseer un radio de acción estrecho y limitado; no iluminaba el planeta que había debajo de él.

Entonces apareció la lluvia: primero unos cuantos salivazos de aviso, seguidos de la hueca explosión de un trueno en el cielo. Coco vio un relámpago donde había estado su visión encendida y, aunque acobardado de otra forma, suspiró de alivio porque a su insólita experiencia le sucedieron fenómenos más terrenales. *Ha sido una locura meterme el segundo tripi. Los efectos visuales son demasiado.*

Su cuerpo, abandonado a su suerte, se convertía en goma, pero Coco tenía suficiente fuerza de voluntad y experiencia en drogas como para recordar que el miedo y el pánico se alimentan de sí mismos. La regla dorada del «tranqui, tío» había sido emitida por colgados a lo largo de decenios no sin buenas razones. Hizo balance de su situación: Coco Bryce, solo y de

169

tripi en el parque a eso de las tres de la madrugada, relámpagos en un cielo premonitorio estallando sobre él.

Las posibilidades eran: como mínimo acabaría empapado hasta los huesos, en el peor de los casos le fulminaría un rayo. Él era la única elevación en unos cuantos cientos de metros a la redonda, justamente en medio del parque. «Hostia puta», dijo, subiéndose las solapas de la chaqueta. Se encorvó y salió disparado por el camino que dividía en dos aquel gigantesco pipicán conocido como West Pilton Park.

Entonces Coco Bryce dejó escapar un pequeño murmullo, no un chillido, sólo un rumor, un suave grito sofocado. Sintió que le vibraban los huesos mientras una ola de calor recorría su cuerpo y el contenido de su estómago descendía para ocupar el lugar de sus intestinos. Coco había sido alcanzado por algo procedente del cielo. De no haber sido su última visión antes de perder la conciencia la de un camino de hormigón elevándose para toparse con él, quizá hubiera pensado: Un rayo.

Quién   Qué   Dónde   Cómo   ¿QUÉ SOY YO?

Coco Bryce. Brycey, el de Pilton. Brycey: uno de los Hibs Boys. Coco Bryce, joder, macho, intentó gritar, pero carecía de voz con la que hacerse oír. Le pareció que el viento le arrastraba lánguidamente, pero no notaba ninguna corriente de aire ni oía su silbido. Lo más aproximado a una sensación era la de ser una manta o una bandera, flotando en la brisa, pero aun así sin tener sentido alguno de dimensión o forma. Nada transmitía a sus cauterizados sentidos ninguna noción de su magnitud; como si abarcase el universo y a la vez tuviese el tamaño de una cabeza de alfiler.

Después de un rato empezó a ver, o a notar, texturas a su alrededor. Había imágenes, desde luego, pero nada que denotara su procedencia, o cómo eran procesadas, ninguna sensación real de tener cuerpo, miembros, cabeza u ojos. A pesar de todo, percibía claramente aquellas imágenes; un telón azul-negro, iluminado por objetos parpadeantes, centelleantes e informes de masa variable, tan indistinguibles como él mismo.

¿Estaré muerto? ¿Joder, será esto la muerte? ¡EL JODIDO COCO BRYCE!

El negro se hacía más azul; decididamente, la atmósfera en

la que se movía se espesaba, ofreciendo mayor resistencia a su sentido del momento.

Coco Bryce.

Aquello le impedía moverse. Era como una gelatina, y comprendía que iba a quedar preso en ella. Una breve sensación de pánico se apoderó de él. Parecía importante seguir moviéndose. Sentía que era un viaje que había que completar. Se dio ánimos para continuar y pudo distinguir, a lo lejos, un centro incandescente. Tuvo una fuerte sensación de euforia y, haciendo acopio de voluntad, viajó hacia aquella luz.

Esta mandanga es increíble. ¡Cuando se me pase, se acabó, joder, he terminado para siempre!

* * *

A Rory Weston le temblaban las manos cuando colgó el auricular. Oía los gritos y chillidos procedentes de la otra habitación. Durante un instante, no más de unos pocos segundos, Rory deseó no ocupar aquel espacio-tiempo concreto. ¿Cómo había ocurrido todo aquello? Comenzaba a seguir el hilo de los acontecimientos que habían conducido a aquello, cuando le interrumpió otro violento chillido que traspasaba la pared. «Aguanta, Jen, ya están en camino», gritó, y salió corriendo hacia la fuente de aquella agonizante cacofonía.

Rory se acercó a la silueta hinchada y afligida de su novia, Jenny Moore, y estrujó la mano de ella con la suya. El sofá Parker Knoll estaba empapado con sus líquidos.

En el exterior, los truenos seguían retumbando, ahogando los gritos de Jenny a los oídos de los vecinos.

Jenny Moore, entre su dolor, también pensaba en el cúmulo de circunstancias que la habían conducido a hallarse en tal condición en aquel piso de Morningside. Su amiga Emma, también embarazada, aunque de un mes menos que Jenny, había visto el reflejo de sus cluecas siluetas en un escaparate de Princes Street. «¡Santo Dios, Jen, míranos! Sabes, a veces, si vuelvo la vista a aquella fría noche de invierno, preferiría haberle hecho aquella mamada a Iain», exclamó.

Se habían reído con aquella ocurrencia; ruidosamente. Bien, pues ahora Jenny ya no se reía.

Yo descoyuntándome y este hijo de puta aquí sentado con esa
estúpida expresión de imbécil en la cara.

¿Qué desgaste físico les suponía a ellos? Para esos hijos de
puta era sólo otro polvo más. Nosotras tenemos que hacerlo todo,
pero allí estaban todos diciéndonos cómo había que hacerlo,
controlándonos; ginecólogos, futuros padres, todo hombres; uni-
dos en una enfermiza conspiración pragmática..., los muy mier-
das ya se han desenganchado emocionalmente de ti; tú no eres
más que el receptáculo para traer al mundo el fruto de sus sudo-
rosos cojones, a través de tu puta sangre... Pero no seas histérica,
querida..., son todas esas hormonas, por todas partes, haznos
caso a nosotros, nosotros lo sabemos mejor que tú...

Sonó el timbre. Había llegado la ambulancia.

Gracias a dios ya están aquí, los tíos. Más puñeteros tíos.
Los TÍOS *de la ambulancia. ¿Donde cojones estaban las* TÍAS *de*
las ambulancias?

«Tranquila, Jen, allá vamos...», dijo Rory con un tono que
pretendía ser alentador.

¿Allá VAMOS?, pensó ella, mientras otra oleada de dolor, esta
vez peor que nada de lo que hubiese experimentado nunca, la
desgarraba por entero. Esta vez los truenos y los relámpagos de
la tormenta más alucinada y alucinante que jamás cayera sobre
Escocia no podían hacerle competencia. Casi se desvanece de
dolor mientras la colocaban en la camilla, la bajaban por la escalera y la metían en la furgoneta. Apenas habían arrancado
cuando se dieron cuenta de que no llegarían a tiempo al hospital.

«¡Detén la furgoneta!», gritó uno de los enfermeros. «¡Ya ha
llegado el momento!»

Detuvieron la furgoneta junto a unos desoladados Meadows.[1] Sólo los fogonazos de los relámpagos; extraños, persis-
tentemente luminosos y siguiendo difíciles y nada comunes
trayectorias, alumbraban el cielo espantosamente oscuro. Uno
de los rayos alcanzó a la furgoneta aparcada en aquella calle
desierta mientras Jenny Moore trataba de empujar al mundo
su descendencia y la de su compañero Rory Weston.

* * *

1. The Meadows es una gran zona verde situada en pleno corazón de Edimburgo. (*N. del T.*)

172

TODO ESTO NO TIENE PUTA MIERDA QUE VER CONMIGO

COCO

COCO BRYCE

BRYCEY

COLIN STUART BRYCE

```
      C           T       BR Y      C      E        S
        O           R                                O
          L           A                              P
            I           U                            U
              N    ST                                T
                                                     O

                                                     D
                                                     E
                                                     S
                                                     G
                                                     R
                                                     A
                                                     C
                                                     I
                                                     A
                                                     O
```

Cuánto rato tengo que seguir así

```
   I    N    STUUUUUAAAAAARRRTTTT T T T     B    R
                 COLINSTUARTBRYCE
```

Colin Stuart Bryce, o Coco Bryce, el *casual* de Pilton, tal como se percibía a sí mismo, aunque ya no podía estar demasiado seguro, flotaba por aquel gelatinoso vacío sin cumbre, hacia su blanco centro luminoso. Era consciente de que algo venía corriendo hacia él a gran velocidad

> Hi-bees por aquí
> Hi-bees por allá
> Hi-bees por

aproximándose desde ese lejano punto central que había vislumbrado. Mientras que el ahora espeso y sólido gel había empezado a constreñir la fuerza vi-

> todas putas partes
> na na na na na na
> na na na

tal que era Coco Bryce, esta otra fuente de energía lo atravesaba con la soltura de una luz viajando por el aire. Él no la veía, sólo tenía cierta noción a través de algún extraño e indefinible conglomerado de sentidos.

También ella parecía sentirle a él, pues se ralentizó al aproximársele y, tras vacilar, salió disparada dejándolo atrás, desapareciendo entre el indeterminado ambiente que lo rodeaba. Coco tuvo la oportunidad de percibir lo que era, no obstante, y

> hemos metido uno
> hemos metido dos
> hemos metido siete
> más que vosotros

no se parecía a nada que hubiera presenciado nunca, una fuerza alargada, azul, vidriosa, cilíndrica, pero que parecía extrañamente humana; igual que él, Coco Bryce, seguía considerándose humano.

Se sintió eufórico a medida que se acercaba la luz, haciéndose más potente, llamándole. Sintió que si lograba

> Papá vuelve con nosotros, Colin.
> Ahora está mejor, hijo. Ha cambiado.
> Pronto volveremos a estar juntos, hijo.
> Notarás una gran diferencia, recuerda
> lo que te digo. No tengas miedo,
> hijo, mamá no le dejaría volver a
> hacernos daño. No le dejaría entrar
> en casa otra vez a menos que
> hubiera cambiado, hijo...

llegar hasta ella, todo iría bien. Esperanzado, atravesó a golpe de voluntad el gel, que se espesaba con rapidez. La propulsión, puramente lograda mediante el ejercicio de la voluntad, se hacía cada vez más difícil.

> Existe una desagradable
> y maligna criaturilla en
> esta clase, un pequeño
> bobo que extiende

No tenía ni idea de dónde estaba, de su forma, de su tamaño, o de sus sentidos en las distintas categorías de vista, tacto, gusto, olfato, oído, al parecer obsoletas, y sin embargo de algún modo era capaz de experimentar el caleidoscopio de colores en explosión más allá del gel en el que estaba

> su ponzoñosa influencia
> sobre otros alumnos más
> interesados. Me refiero,
> por supuesto, a

174

Colin Bryce, el hombrecito más ordinario y repugnante que jamás he tenido la desgracia de tener como alumno en una de mis clases. ¡Un paso al frente, Colin Bryce! Bueno, ¿qué tienes que decir?

sumergido, de sentir el movimiento y la resistencia a ese movimiento.

Oscurecía cada vez más. En cuanto se dio cuenta de ello, vio que la oscuridad era total. Coco tuvo miedo. Ahora se había detenido casi completamente, hasta pararse en seco.

Su voluntad ya no servía de mecanismo impulsor. Pero la luz estaba más cerca, no obstante. La Luz. Estaba sobre él, a su alrededor, dentro de él. LUZ LUZ LUZ LUZ LUZ LUZ LUZ LUZ LUZ LUZ LUZ LUZ LUZ LUZ LUZ LUZ LUZ LUZ LUZ LUZ LUZ LUZ LUZ LUZ LUZ

¡JODER, HARÁS LO QUE YO TE DIGA, COLIN, SO CABRITO! ¡HE DICHO VEINTE PUTOS REGAL! ¡YA! ¡EN MOVIMIENTO!

LUZ LUZ LUZ LUZ LUZ LUZ LUZ LUZ LUZ LUZ LUZ LUZ LUZ LUZ LUZ LUZ LUZ LUZ LUZ LUZ LUZ LUZ LUZ

Pareces un tipo competente, colega. Coco, te llamabas, ¿no? Bienvenido al club. ¡El puto amo!

Kirsty, me gustas mogollón, ¿sabes? Quiero decir, no se me da muy bien hablar de estas cosas, pero tú ya me entiendes y tal, tú y yo, ¿sabes?

LUZ LUZ LUZ LUZ LUZ LUZ LUZ LUZ LUZ LUZ LUZ LUZ LUZ LUZ LUZ LUZ LUZ LUZ LUZ LUZ LUZ LUZ LUZ LUZ LUZ LUZ LUZ LUZ LUZ LUZ

¿Te tiraste a esa periquita, Coco? Ya sólo faltabas tú. Tony ya se la ha hecho. Venga, Coco, no te mosquees. ¡Que no es por joder! ¡Eh, chicos, que Coco está enamorao! ¡Eh, eh, eh!

LUZ LUZ LUZ LUZ LUZ LUZ LUZ LUZ LUZ LUZ LUZ LUZ LUZ LUZ LUZ LUZ LUZ LUZ LUZ LUZ LUZ LUZ LUZ LUZ LUZ LUZ LUZ LUZ

Demasiados polvos, demasiados picos y demasiadas pocas bullas, joder. Eso es lo que nos falla últimamente.

LUZ LUZ LUZ LUZ LUZ LUZ LUZ LUZ LUZ LUZ LUZ LUZ LUZ LUZ LUZ LUZ LUZ LUZ LUZ LUZ LUZ LUZ LUZ LUZ LUZ LUZ LUZ LUZ LUZ LUZ LUZ LUZ

LUZ LUZ LUZ LUZ LUZ LUZ LUZ LUZ LUZ LUZ LUZ LUZ
LUZ LUZ LUZ LUZ LUZ LUZ LUZ LUZ LUZ LUZ LUZ LUZ
LUZ
LUZ
LUZ
Estás en una pendiente resbaladiza, Bryce. Esto no es
LUZ
un juego, hijo. No bromeo. La próxima vez que te pille,
LUZ
tiraremos la llave. Eres una alimaña, hijo, una alimaña
LUZ
total. Te crees que eres un gángster, pero para mí no
LUZ
eres más que un chaval atontao. Los he visto pasar
LUZ
por aquí a todos. Se creen todos muy duros, tan chulos
LUZ
ellos. Suelen acabar muertos en el arroyo, o en el
LUZ
reformatorio, o pudriéndose en vida en una miserable
LUZ
celda. La has cagado, Bryce, la has cagado del todo,
LUZ
mierdecilla. Lo más triste es que ni siquiera te das
LUZ
cuenta, ¿verdad que no?
LUZ

LUZ LUZ LUZ LUZ LUZ LUZ LUZ LUZ LUZ LUZ LUZ LUZ
LUZ LUZ LUZ LUZ LUZ LUZ LUZ LUZ LUZ LUZ LUZ LUZ
LUZ LUZ LUZ LUZ LUZ LUZ LUZ LUZ LUZ LUZ LUZ LUZ
LUZ LUZ LUZ LUZ LUZ LUZ LUZ LUZ LUZ LUZ LUZ LUZ
LUZ LUZ LUZ LUZ LUZ LUZ LUZ LUZ LUZ LUZ LUZ LUZ

El caso es que soy un puto hombre   LUZ LUZ LUZ LUZ
de negocios, ¿no? El negocio de la   LUZ LUZ LUZ LUZ
demolición   LUZ LUZ LUZ LUZ
                                            LUZ LUZ LUZ LUZ

LUZ LUZ LUZ LUZ LUZ LUZ LUZ LUZ LUZ LUZ LUZ LUZ
LUZ LUZ LUZ LUZ LUZ LUZ LUZ LUZ LUZ LUZ LUZ LUZ
LUZ LUZ LUZ LUZ LUZ LUZ LUZ LUZ LUZ LUZ LUZ LUZ
LUZ LUZ LUZ LUZ LUZ LUZ LUZ LUZ LUZ LUZ LUZ LUZ
LUZ LUZ LUZ LUZ LUZ LUZ LUZ LUZ LUZ LUZ LUZ LUZ
LUZ LUZ LUZ LUZ LUZ LUZ LUZ LUZ LUZ LUZ LUZ LUZ
LUZ LUZ LUZ LUZ LUZ LUZ LUZ LUZ LUZ LUZ LUZ LUZ
LUZ LUZ LUZ LUZ LUZ LUZ LUZ LUZ LUZ LUZ LUZ LUZ
LUZ LUZ LUZ LUZ LUZ LUZ LUZ LUZ LUZ LUZ LUZ LUZ
LUZ LUZ LUZ LUZ LUZ LUZ LUZ LUZ LUZ LUZ LUZ LUZ
LUZ LUZ LUZ LUZ LUZ LUZ LUZ LUZ LUZ LUZ LUZ LUZ
LUZ LUZ LUZ LUZ LUZ LUZ LUZ LUZ LUZ LUZ LUZ LUZ
LUZ LUZ LUZ LUZ LUZ LUZ LUZ LUZ LUZ LUZ LUZ LUZ
LUZ LUZ LUZ LUZ LUZ LUZ LUZ LUZ LUZ LUZ LUZ LUZ
LUZ LUZ LUZ LUZ LUZ LUZ LUZ LUZ LUZ LUZ LUZ LUZ
LUZ LUZ LUZ LUZ MÁS OSCURO MÁS OSCURO OSCURIDAD

El cielo o el infierno, sea lo que sea, ¡ya me voy acercando, joder! ¡Va a haber algunos cambios por aquí, cacho cabrones! Coco Bryce. Pilton. Sobresaliente cum laude *en Millwall (amistoso de pretemporada), Pittodrie, Ibrox y Anderlecht (Copa de la UEFA). Coco Bryce, un* top boy.[1] *Cabrón que la caga cabrón que la paga. Oye, si algún cabrón..., como algún cabrón se ponga..., como algún cabrón...*

Sus pensamientos se desvanecieron insípidamente. Coco estaba asustado. Al principio el miedo era una náusea insidiosa, a continuación se hizo puro y crudo al sentir que actuaban sobre él grandes fuerzas, aplastándole y tirando de él. Como si estuviese en la férrea presa de un torno mientras simultáneamente otra fuerza intentaba arrancarle de ella. Estas fuerzas, sin embargo, le permitieron definir su cuerpo por primera vez desde que había comenzado aquel extraño viaje. Sabía que era humano, demasiado humano, demasiado vulnerable ante las fuerzas que le aplastaban y tiraban de él violentamente. Coco rezó para que hubiese un vencedor entre aquellas dos enormes e igualadas fuerzas. La tortura duró un rato más, y entonces sintió cómo era arrancado del vacío. Antes había percibido LA LUZ, pero ahora la veía de verdad, quemándole a través de sus párpados cerrados, que no podía abrir. Y entonces se dio cuenta de que había voces:

«¡Vaya un ejemplar!»

«Un muchachito para ti, cariño, y guapísimo, además.»

«¡Mira, Jen, es maravilloso!»

Coco sentía cómo le levantaban; sentía su cuerpo, dónde tenía los miembros. Intentó gritar: ¡Coco Bryce! ¡Hibs Boys! ¿De qué va esta puta movida, cacho cabrones?

No le salía nada de los pulmones.

Sintió un cachete en la espalda y una explosión de aire dentro de él, mientras soltaba un grito estrepitoso y violento.

* * *

El doctor Callaghan miró al joven de la cama. Había estado en coma, pero ahora que ya había recuperado la conciencia,

1. Entre los *casuals*, un *top boy* es uno de los cabecillas. (*N. del T.*)

manifestaba extraños patrones de conducta. No podía hablar, y se retorcía en la cama, sacudiendo los brazos y las piernas. Al final hubo que sujetarlo. Gritaba y lloraba.

Frío.
Socorro.
«¡Buaaahhh!», gritó el joven. Al pie de la cama había un letrero con su nombre: COLIN BRYCE.

Calor.
Socorro.
«¡Buaaahhh!»

Hambre.
Socorro.
«¡Buaaahhh!»

Necesito achuchón.
Socorro.
«¡Buaaahhh!»

Quiero mear, cagar.
Socorro.
«¡Buaaahhh!»

El doctor Callaghan sentía que quizá a través de sus gritos el joven estuviera tratando de comunicarse; aunque no podía estar seguro.

* * *

En la sala de maternidad Jenny sostenía a su hijo. Le llamarían Jack o Tom, como habían acordado, porque, pensó en un repentino acceso de cinismo, eso era lo que la gente como ellos solía hacer. Pertenecían a un estrato anglohablante de los ochenta en el que la cultura y el acento son homogéneos y la nacionalidad un artificio en su mayor parte irrelevante. Los profesionales de clase media socioconscientes y políticamente correctos, meditó desdeñosamente, tendían a emplear aquellos viejos nombres proletarios y artesanales: idóneos para la sociedad sin clases.[1] Su amiga Emma había anunciado su intención de ponerle a su hijo Ben, si era chico, así que las opciones se habían reducido a una de dos.

Cómo está mi pequeño Jack, se dijo Rory a sí mismo, tocando la mantecosa mano del bebé con su dedo índice.

Tom, pensó Jenny, meciendo a su hijo.

¿Qué cojones pasa aquí pues, so capulla?

* * *

En el transcurso de los días siguientes la familia de Colin Bryce se resignó al hecho de que su hijo, tras el accidente, parecía oscilar entre los estados vegetal y lunático delirante. Los amigos dieron fe de que Coco se había tomado no uno, sino dos tripis, Supermarios además, y la prensa se agarró a aquello. El joven del hospital se convirtió en una pequeña celebridad. Los periódicos planteaban todos la misma pregunta retórica:

¿FUE UN RAYO O EL LSD LO QUE ACHICHARRÓ
LOS SESOS DE COLIN BRYCE?
COLIN BRYCE: ¿VÍCTIMA DE UN ACCIDENTE ANORMAL
O UNO MÁS DE NUESTROS JÓVENES
DESTRUIDOS POR LA AMENAZA DE LA DROGA?

Mientras que la prensa parecía saberlo con certeza, los médicos se hallaban perplejos ante el estado del joven, por no hablar de sus posibles causas. No obstante, pudieron detectar signos de mejoría. Con el transcurso de las semanas hubo un creciente contacto visual, e indicios declarados de comprensión. Animaron a los amigos y la familia a visitar al joven, considerando que el mayor número de estímulos posible sería beneficioso para él.

* * *

Al bebé le pusieron de nombre Tom.

---

1. Alusión a uno de los lemas electorales del gobierno Major, según el cual los Tories iban a hacer de Gran Bretaña una «sociedad sin clases». (*N. del T.*)

¡Coco, capullos desgraciaos! ¡Coco Bryce! ¡Brycie! ¡CCS!
Los Hibs Boys destrozan a toda la puta competencia. Ya lo creo.
Una Becks pues, cabrón.

Jenny le dio el pecho a su hijo.

¡Fuaa, hija de puta! Esto sí que mola. Coco Bryce, ¿ése quién es? ¡Me llamo Tam, o sea, Tom!

La criatura comió con avaricia, chupando con fuerza el pezón de Jenny. Rory, que se había tomado unos días de vacaciones además de su permiso de paternidad, observaba la escena con interés. «Parece que disfruta. Mírale, casi resulta obsceno», se reía Rory, ocultando la creciente sensación de inquietud que le abrumaba. Era el modo en que a veces le miraba el bebé. De hecho parecía que a veces le enfocase y le mirase, bueno, agresivamente y con desprecio. Aquello era ridículo. Un bebito. Su bebé.

Pensó que aquél era un tema importante que compartir con algunas de las otras Personas Del Género Masculino de su grupo. Era quizá, pensaba, una reacción natural ante la inevitable exclusión del miembro masculino de la pareja del proceso de vinculación materno-filial.

¡Fuaa, cabronaza! ¡Vaya unas peras que tiene!

Jenny sintió algo pequeño y afilado que se apretaba contra su estómago. «¡Ay, mira, tiene la colita tiesa!», exclamó, levantando en alto al bebé desnudo. «¿Quién es un nenito travieso?», dijo besando su rollizo estómago y haciendo ruidos de pato.

¡Más abajo, cachondona! ¡Rodéala con las putas encías!

«Sí, interesante...», dijo Rory con inquietud. La cara de la criatura; parecía la de un viejo impúdico y lujurioso. Tendría que hacerse mirar lo de aquellos terribles celos, hablar de ello con otros hombres que estaban en contacto con sus emociones. La idea de tener un auténtico complejo que compartir con el resto del grupo le hacía una tremenda ilusión.

Aquella noche Rory y Jenny hicieron el amor por primera vez desde que volvió a casa con el bebé. Empezaron suavemente, comprobando con precaución la delicadeza del sexo de Jenny, después cada vez con más pasión. A Rory, sin embargo, le distrajeron de su actuación los ruidos que creía oír procedentes de la cuna junto a la cama. Se dio la vuelta para mirar y se estremeció, seguro de que podía ver el perfil del bebé, aquel bebé que sólo tenía un par de semanas, ¡de pie en la cuna observándoles!

¡Vaya par de guarros! ¡Y al estilo perro! Fuaa...

Rory interrumpió sus acometidas.

«¿Qué pasa, Rory? ¿Qué coño pasa?», soltó Jenny, irritada ante la interrupción en la persecución de su primer clímax posparto.

Oyeron un ruido sordo procedente de la cuna.

«El bebé... estaba de pie, mirándonos», dijo Rory débilmente.

«¡No seas imbécil!», le espetó Jenny. «¡Venga, Rory, fóllame! ¡Fóllame!»

Rory, sin embargo, se había quedado fláccido, y se corrió fuera. «Pero... la criatura estaba...»

«¡Cierra el pico de una puta vez!», dijo ella volviéndose y echándose encima el edredón. «No es una criatura, es un NIÑO. ¡Tu puñetero hijo!» Ella le dio la espalda.

«Jen», le puso la mano en el hombro, pero ella se la sacudió, su aterradora flaccidez le ponía enferma.

Después de aquello, decidieron que era hora de meter al bebé en el cuarto que habían dispuesto a tal efecto. A Jenny le parecía lamentable, pero si a Rory le quitaba tanto las ganas, adelante.

La noche siguiente el bebé se quedó despierto en silencio en su nueva ubicación. Rory tuvo que confesar que era un bebé bueno, nunca lloraba. «No lloras nunca, ¿verdad, Tom?», le preguntó pensativamente mientras se inclinaba sobre el niño en su cuna. Jenny, que había sufrido un ataque de pánico por la noche debido al silencio del niño, había enviado a Rory a comprobar su estado.

A mí no me asusta ni dios. La vez que me acorralaron aquellos putos cabrones en Cessnock cuando les meamos encima en Ibrox, no dije más que: Venid aquí si os atrevéis, putos cabrones weedjies.[1] *No voy a romper precisamente a llorar porque una capulla gafotas lleve cinco minutos de retraso con mi teta, ¿verdad? Puto gilipollas.*

Me vendría bien una puta Becks.

---

1. Denominación despectiva acuñada en Edimburgo para designar a los habitantes de Glasgow. Es apócope de *Glaswegian.* (*N. del T.*)

* * *

Seguía sin haber novedad en el estado del joven del hospital, aunque ahora el doctor Callaghan estaba seguro de que con su comportamiento trataba de llamar la atención para atender sus necesidades básicas de alimento, cambio de ropa y regulación de la temperatura corporal. Dos de sus amigos, jóvenes que vestían sudaderas con capuchas, acudieron a verle. Se llamaban Andy y Stevie.

«Una puta lástima, tío», boqueó Andy, «Coco está jodido. No hace más que estar ahí tirado llorando como un crío, eh.»

Stevie sacudió tristemente la cabeza, «Joder, dime que ese que está ahí tumbado es Coco Bryce, tío.»

Una enfermera se acercó a ellos. Era un mujer de mediana edad, agradable y de expresión franca. «Intentad hablarle de algunas de las cosas que habéis hecho juntos, cosas que le interesen.»

Stevie se quedó mirándola con asombro, boquiabierto; Andy soltó unas risitas seguidas de una burlona sacudida de la cabeza.

«Ya sabéis, como las discotecas y el pop, ese tipo de cosas», sugirió ella alegremente. Se miraron y se encogieron de hombros.

Demasiado calor.

«¡Buaah!»

«Vale», dijo Andy. «Eh, lo que te perdiste el otro día, Coco. La semifinal, ¿sabes? Estábamos esperando a esos cabrones de Aberdeen en Haymarket,[1] eh. ¡Los inflamos a patadas a los muy capullos, tío, corriéndolos hasta la estación de vuelta al tren por las vías y toda la pesca! Además, la policía se limitó a permanecer allí quieta, sin saber qué cojones hacer, a que sí. ¿Fue así o no, Stevie?»

«Chachi que te cagas, macho. A un par de los chicos se los llevó la pasma; Gary y Mitzy y esa peña.»

«¡Buaah!»

1. De las dos estaciones de ferrocarril de Edimburgo, Haymarket es la primera a la que se accede desde el sur, y la menos importante. La otra es la de Waverley. (*N. del T.*)

Miraron a su vociferante e insensible amigo y se quedaron en silencio durante un rato. Entonces Stevie empezó: «Y te perdiste lo del Rezurrection también, Coco. Eso fue de locura. Qué pasote esos pirulos, ¿verdad, Andy?»

«De locura. Yo no pude bailar, pero este cabrón estuvo toda la noche dándole. Yo sólo quería darle palique a todo dios. Toda la noche de apalanque, tío. Hay éxtasis de puta madre circulando por ahí ahora, Coco, a ver si te pones las pilas, y pillamos algo y nos vamos de clubs...»

«Joder, es inútil», se quejó Stevie, «no nos oye.»

«Esto es demasiado cutre, tío», confesó Andy, «no puedo con toda esta mierda, eh.»

Comer.

«¡Buaah! ¡BUAAAHHHHH!»

«Ése no es Coco Bryce», dijo Stevie, «al menos, no el Coco Bryce que yo conozco.»

Se marcharon mientras entraba la enfermera con la comida de Coco. Lo único que quería comer era sopa fría licuada.

* * *

Rory regresó al trabajo a regañadientes. Había empezado a preocuparse por Jenny, inquieto por cómo llevaba lo del bebé. Era evidente para él que padecía una depresión posparto. Habían desaparecido dos botellas de vino de la nevera. Él no le había dicho nada, esperando que fuese ella quien sacase el tema. Tendría que vigilarla. Los hombres del grupo le apoyarían; le admirarían, no sólo por estar en contacto con sus propias emociones, sino también por su abnegada sensibilidad ante las necesidades de su compañera. Recordó el mantra: la conciencia es el setenta por ciento de la solución.

Jenny se llevó un susto de muerte el primer día que Rory volvió al trabajo. El bebé había estado muy malito en su cuna. Despedía un olor extraño. Era como... alcohol.

No llevamos hachas de mano, no llevamos cadenas, sólo llevamos pajitas para sorber limonada.

Ay, pedazo de capullo..., la cabeza me zumba con ese vino. Ya no puedo beber tanto como antes, cuando era un crío...

Jenny empezó a comprender la horrible verdad: ¡Rory trataba de envenenar a su bebé! Encontró las botellas de vino vacías debajo de la cama. Ese imbécil asqueroso, pervertido y cobarde..., se llevaría el niño a casa de su madre. Aunque quizá no hubiese sido Rory. Habían estado en casa un par de operarios jóvenes, lijando y barnizando la madera: las puertas y los rodapiés. Seguro que no le habrían dado alcohol a un recién nacido. No serían tan irresponsables..., se pondría en contacto con la compañía. Quizá incluso llamase a la policía. Pero podría haber sido Rory. Fuese lo que fuese, lo único que importaba era la seguridad de Tom. Ese imbécil inadaptado podría gimotear lastimosamente sobre sus enfermizos problemitas a los sosos homólogos de su lamentable grupo. Ella se iba.

«¿Quién lo hizo, Tom? ¿Fue papá malo? ¡Sí! ¡Apuesto a que sí! Papá malo ha tratado de hacerle daño al pequeño Tom. Pues nos vamos a marchar de aquí, Tom, nos vamos a casa de mi mamá en Cheadle.»

¿Eh? ¿Dónde?

«Eso está cerca de Manchester, ¿no es así, Tom-Tom? ¡Sí! ¡Sí, lo está! Y se alegrará tanto de ver al pequeño Tom-Tom, ¿a que sí? ¡¿A que sí?! ¡Sí Sí Sí Sí Sí!» Cubrió de húmedos besos las pastosas mejillas del bebé.

¡Vete a la mierda, tonta del culo! ¡No puedo ir al Manchester de los cojones! Tengo que poner a esta puta guarra en antecedentes. No soy su puto crío. Me llamo Coco Bryce.

«Mira, eh, Jenny...»

Se quedó petrificada al oír la voz que salía de aquella pequeña boca, que se torcía de modo antinatural para formar las palabras. Era una voz fea, chillona, cacareante. Su bebé, su pequeño Tom, parecía un enano malévolo.

Hostia puta. Ya la he hecho. Tranqui, Coco, no hagas que la puta boba esta se vaya de la olla.

«¡Has hablado! Tom. Has hablado...», jadeó Jenny, incrédula.

«Mira», dijo el bebé, incorporándose en su cuna, mientras Jenny se tambaleaba, «siéntate», dijo apremiante. Jenny obedeció, muda de espanto. «Será mejor que no le digas nada a ningún cabrón sobre esto, ¿vale?», dijo el bebé, mirando de forma aguda y penetrante a su madre en busca de señales de comprensión. Jenny sólo parecía aturdida. «Eh, lo que quiero decir, mamá, es que ellos no lo comprenderían. Me separarían de ti. Me tratarían como a un fenómeno, me descuartizarían en una mesa de laboratorio, y me harían pruebas todos esos cabrones gafotas..., o sea, la gente de las batas blancas. Soy una especie de, eh, fenómeno. Tengo, eh, inteligencia especial y eso. ¿Vale?»

Coco Bryce se sentía satisfecho. Hizo memoria, volviendo a los vídeos de *La guerra de las galaxias* que había contemplado ávidamente de chaval. Tenía que actuar cósmicamente para mantener aquel rollo. No lo estaba haciendo mal. «Querrían llevarme lejos de aquí...»

«¡Nunca! ¡Nunca les dejaría llevarse a mi Tom!», gritó Jenny, galvanizada por la perspectiva de perder a su bebé. «¡Esto es increíble! ¡Mi pequeño Tom! ¡Un bebé especial! Pero ¿cómo, Tom? ¿Por qué? ¿Por qué tú? ¿Por qué nosotros?»

«Eh, así es la vida. Nadie lo sabe, quiero decir, simplemente nací así, mamá, el destino y eso.»

«¡Oh, Tom!» Jenny cogió en brazos a su hijo.

«¡Eh, vale!», dijo el niño, avergonzado. «Eh, escucha, mamá, o sea Jenny, un par de cosillas. Ese papeo, o sea, la comida. Es malísimo. Quiero lo que les dan a los mayores. No todo ese rollo vegetariano que coméis vosotros. Carne, Jenny. Un poco de bistec, ¿sabes?»

«Bueno, Rory y yo no...»

«Me importa un cojón lo que tú y Rory..., quiero decir, o sea, no tenéis ningún derecho a negarme la libertad de elegir.»

Aquello era cierto, concedió Jenny. «Sí, tienes razón, Tom. Evidentemente, eres lo bastante inteligente como para articular tus propias demandas. ¡Esto es asombroso! ¡Mi bebé! ¡Un genio! Pero ¿cómo sabías de la existencia de cosas como el bistec?»

Ay, macho. No la cagues ahora. Esto que tienes aquí es un chollo que te cagas.

«Eh, he aprendido un montón de la tele. Escuché a esos dos chicos, los carpinteros que tuvisteis aquí haciendo el maderaje, hablando entre ellos. Aprendí mucho de ellos.»

«Eso está muy bien, Tom, pero no deberías hablar como esos operarios. Esos hombres son, bueno, un poco ordinarios, probablemente un tanto sexistas en sus conversaciones. Deberías tener modelos de conducta más positivos.»

«¿Eh?»

«Intenta parecerte a algún otro.»

«A Rory», se mofó el bebé.

Jenny tuvo que pensarlo un poco. «Bueno, puede que no, pero... ay, ya veremos. Dios, menudo susto se va a llevar cuando se entere.»

«No se lo cuentes, es nuestro secreto, vale.»

«Tengo que contárselo a Rory. Es mi compañero. ¡Es tu padre! Tiene derecho a saberlo.»

«Madre, o sea Jenny, es que ese desgraciao me da mal rollo. Me tiene celos. Daría el soplo, haría que se me llevasen.»

Jenny tenía que confesar que Rory se había mostrado lo bastante inestable en su comportamiento hacia su hijo para suponer que no estaba emocionalmente preparado para hacer frente a semejante shock. Le seguiría la corriente. Sería su secreto. Tom sería un bebé normal cuando hubiese terceros alrededor, pero cuando estuviesen a solas sería su hombrecito especial. Con ella guiando su desarrollo, crecería sensible y no sexista, pero fuerte y auténticamente expresivo, en vez de ser un payaso insípido que se aferra a un patrón de comportamiento por fláccidos motivos ideológicos. Sería el perfecto hombre nuevo.

* * *

El joven al que llamaban Coco Bryce había aprendido a hablar. Al principio pensaban que repetía palabras en plan loro, pero entonces empezó a identificarse a sí mismo, a otras personas y a los objetos. Parecía particularmente sensible a su madre y a su novia, que acudían a visitarle regularmente. Su padre nunca le visitaba.

Su novia, Kirsty, se había cortado el pelo a los lados. Hacía mucho tiempo que quería hacerlo, pero Coco se oponía. Ahora ya no estaba en situación de hacerlo. Kirsty masticaba su chicle mientras le miraba, tendido en la cama. «¿Va bien, Coco?», le preguntó.

«Coco», dijo señalándose a sí mismo. «Co-lin.»

«Sí, Coco Bryce», dijo ella, escupiendo las palabras mientras masticaba.

Al final se le ha frito la cabeza. Son los tripis esos, los Supermarios. Se lo dije, pero así es Coco, vive para el fin de semana; fiestas, fútbol. La semana no es para él sino algo que hay que soportar, y ha estado metiéndose demasiados tripis para poder aguantar. Bueno, pues yo no me voy a quedar esperando a que un vegetal se ponga las pilas.

«Parece que Skanko y Leanne van a prometerse», dijo, «bueno, eso es lo que he oído.»

Esta afirmación, aunque no provocase respuesta alguna en Coco, supuso el arranque de una dirección interesante en las ideas de Kirsty. Si no recordaba nada, puede que no recordase el carácter de su relación. Quizá no recordase el puto dolor que sentía cuando se trataba de hablar de su futuro común.

Retrete.

«¡Cacas! ¡CACAS!», gritó el joven.

Apareció una enfermera con una chata.

Después de que hubiese cagado, Kirsty se sentó en la esquina de la cama de su novio y se inclinó sobre él. «Skanko y Leanne. Prometidos», repitió.

Él alzó la boca hacia sus pechos y empezó a chuparlos y morderlos a través de la camiseta y el sujetador. «Mmmmm..., mmmm...»

«¡Quita de ahí, joder!», gritó ella, apartándole. «¡Aquí no! ¡Ahora no!»

La brusquedad de su voz le hizo llorar. «¡BUAAHH!»

Kirsty sacudió desdeñosamente la cabeza, escupió su chicle y se marchó. Con todo, si, como suponían los médicos, era una hoja en blanco, Kirsty se daba cuenta de que podría pintarla del color que quisiera. Le mantendría alejado de sus colegas cuando saliese del hospital. Sería otro Coco. Le cambiaría.

* * *

El material que tenía Jenny sobre cuidados tras el nacimiento no la había preparado del todo para el tipo de relación que mantenían ella y su bebé.

«Escucha, Jenny, quiero que me lleves al fútbol el sábado. Hibs contra Hearts en Easter Road.[1] ¿Vale?»

«No hasta que no dejes de hablar como un obrero y te expreses correctamente», dijo ella. El contenido de sus conversaciones y el tono de su voz la preocupaban.

«Sí, lo siento, pensé que me gustaría ver algo de deporte.»

«Eh, no entiendo mucho de fútbol, Tom. Me gusta ver cómo te expresas y desarrollas un interés por las cosas, pero el fútbol... es una de esas cosas terriblemente machistas, y no creo que quiera que te aficiones a él...»

«Sí, claro, quiero decir, ¡para que de mayor sea como ese gilipollas! ¿O sea, como mi padre? ¡Venga, mamá, espabila! ¡Es un puto mamón!»

«¡Tom! ¡Ya está bien!», dijo Jenny, pero no pudo dejar de sonreír. Decididamente, el chaval no andaba desencaminado.

Jenny accedió a llevar al niño a la Grada Este de Easter Road. Él la obligó a estar de pie junto a una barrera policial fuertemente custodiada que dividía a los grupos de hinchas rivales. Observó que Tom parecía pasar más tiempo mirando a los jóvenes que había entre la multitud que el fútbol. Unos policías alarmados que reconvinieron a Jenny por su conducta irresponsable se los llevaron. Tenía que reconocer la triste verdad; sería un gran fenómeno de la naturaleza y un genio, pero su bebé era un gamberro.

A medida que pasaban las semanas, no obstante, Coco Bryce se sintió cada vez más feliz en su nuevo cuerpo. Iba a tenerlo todo. Que pensaran que el cuerpo del hospital era el auténtico Coco Bryce. Allí estaba perfectamente; había oportunidades. Al principio le parecía que echaba de menos follar y beber, pero descubrió que su libido era muy débil y que el alcohol le sentaba muy mal a su cuerpo de bebé. Ni siquiera su comida favorita resultaba ya apetitosa; ahora prefería cosas más ligeras, más líquidas y fáciles de digerir. Sobre todo, se sentía muy cansado siempre. Lo único que quería hacer era dormir. Cuando estaba despierto, aprendía mucho. Sus nuevos conocimientos parecían desalojar muchos de sus antiguos recuerdos.

1. Easter Road es el estadio donde juega el Hibernian F. C. (Hibs). (*N. del T.*)

Con el joven del hospital había fallado un programa intensivo de terapia de memoria y recuerdo. Los psicólogos educadores habían decidido que en vez de intentar hacer que recordase nada, lo aprendería todo desde cero. Este programa dio resultados inmediatos y pronto se le permitió al joven irse a casa. Visitar los alrededores que había visto en fotografías le dio una identidad, aunque fuera un concepto aprendido más que recordado. Para asombro de su madre, incluso quiso ir a visitar a su padre a la cárcel. Kirsty iba a verle a menudo. Estaban, después de todo, casi prometidos, le había dicho ella. Él no podía acordarse, no se acordaba de nada. Tuvo que aprender otra vez a hacer el amor. Kirsty estaba contenta con él. Parecía deseoso de aprender. Antes a Coco nunca le habían interesado los prolegómenos. Ahora, bajo su instrucción, había descubierto la lengua y los dedos, convirtiéndose en un amante hábil y sensible. Pronto se prometieron formalmente y se fueron a vivir juntos a un piso.

Los periódicos se interesaban de vez en cuando por la recuperación de Coco Bryce. El joven renunció a las drogas, así que el Consejo Regional pensó que sería buena publicidad ofrecerle un empleo. Le dieron trabajo como mensajero, aunque el joven, tras reemprender con ahínco sus estudios, quería trabajar de oficinista. Sus amigos pensaban que Coco se había ablandado un poco desde el accidente, pero la mayoría lo atribuía al compromiso. Había dejado de ir de correrías con los *casuals*. Eso había sido idea de Kirsty; podría traerle problemas y tenían un futuro en el que pensar. A la madre de Coco aquello le parecía estupendo. Kirsty había sido una buena influencia.

Una noche, unos dieciocho meses más tarde, el joven conocido como Colin Bryce viajaba en autobús con su esposa Kirsty. Habían estado visitando a la madre de ella y ahora regresaban a su piso de Dalry. Delante de ellos iban sentados una mujer joven y su crío regordete. El niño se había vuelto y estaba encarado con Colin y Kirsty. Parecía fascinado por ambos. Kirsty jugó desenfadadamente con el pequeño, apretándole la nariz.

«Tom», se rió la madre del bebé, «deja de molestar a la gente. Siéntate bien.»

«No, no pasa nada», sonrió Kirsty. Miró a Coco, intentando calibrar su reacción frente al niño. Ella quería tener uno. Pronto.

El crío parecía hipnotizado por Coco. Estiró su mano blandita y recorrió la cara del joven, trazando sus contornos. Kirsty ahogó una risita cuando su marido echó la cabeza hacia atrás con expresión algo azorada.

«¡Tom!», se rió la madre del bebé con disimulada ira, «eres un incordio. Venga, ésta es nuestra parada.»

«¡KOKORBIGH! ¡KOKORBIGH!», chilló el niño mientras ella lo cogía y se lo llevaba. Él señaló en dirección al joven, gimiendo lacrimosamente al abandonar el autobús: «¡KOKORBIGH!»

«Ése no es Kokirbigh», explicó ella, refiriéndose al demonio que atormentaba constantemente los sueños de su hijo Tom, «no es más que un joven.»

Kirsty estuvo hablando de bebés durante el resto del viaje, ensimismada con el tema, sin advertir en ningún momento la expresión de temor y confusión de la cara de su marido.

Un listillo
Novela corta

Para Kevin Williamson,
rebelde con varias causas

1. PATRULLA DE PARQUES

Llevaba ya un mes viviendo y trabajando en el parque, qué pasote. El alojamiento era adecuado y gratuito. La paga era bastante mierdosa, pero si había suerte se podía trapichear con la caja del minigolf, lo que normalmente ocurría un par de veces a la semana. Si lo podía estirar un mes más antes de que los capullos de la móvil se percatasen del chollo, reuniría un fajo espléndido para Londres.

El parque de Inverleith estaba bien, muy céntrico y tal. No podría haber sobado en un parque de las afueras, habría sido un rollo. Mejor estaría en casa del viejo. La garita en que dormía era espaciosa y cómoda. Ya tenía un hornillo para cocinar, y un radiador eléctrico, así que lo único que necesitaba ocultar era mi colchón, que estrujé detrás de la caldera, el saco de dormir y mi tele portátil en blanco y negro, que podía guardar en la taquilla que me habían asignado. Me hice un juego de llaves extra, de forma que después de que la patrulla móvil recogiera las llaves al final del turno, pudiese ir a tomar una pinta y más tarde volver y entrar.

Había un servicio de duchas y aseos más que correcto en el pabellón, que albergaba los vestuarios de los futbolistas, además de mi garita. Así que mis gastos eran puramente en priva y drogas y, aunque bastante sustanciosos, mangoneando un poco, haciendo fraudes de seguros y de tarjetas de crédito, podía afrontarlos más que cómodamente, lo que me permitía ahorrar. No estaba mal, ¿no?

Y a pesar de todo no era tan buena vida. Estaba el problemilla de tener que estar en el puesto.

La enfermedad profesional del *parkie* (u Oficial de Parques Estacional, como un tanto pomposamente nos designaban) era el aburrimiento. Los humanos tienden a adaptarse al medio y, por consiguiente, en los parques uno se vuelve tan inactivo que hasta pensar en hacer algo se convierte en una amenaza. Me refiero a las obligaciones esenciales del puesto, que sólo ocupan media hora dentro de un turno de ocho, imprevistos aparte. Preferiría quedarme todo el día sentado leyendo biografías (no leo otra cosa) y hacerme una paja de vez en cuando que ir a limpiar el vestuario, que iba a estar igual de sucio al cabo de unas horas, cuando entrase la siguiente remesa de futbolistas. Incluso la perspectiva de un corto viaje hasta un armario que estaba a pocos pasos de distancia para enchufar el termostato se carga de tensión y aborrecimiento. Parecía más sencillo, cuando mi mente se hallaba en semejante disposición, decir a seis cochinos equipos de futbolistas que las duchas estaban rotas o dando guerra, que ir allí y enchufar las cabronas. Era también un modo de comprobar cuál era exactamente la reacción de la jerarquía de la patrulla de parques ante semejantes acontecimientos. Las lecciones aprendidas siempre podrían ser útiles en el futuro.

Los jugadores, por su parte, reaccionaban de un modo bastante previsible:

«¡QUE NO HAY PUTAS DUCHAS! ¡VENGA A TOMAR POR CULO! ¡HOSTIA PUTA!»

«¡SUELTAS LA PUTA PASTA A CAMBIO DE UNOS SERVICIOS...!»

«¡TENDRÍAN QUE DEVOLVERNOS EL DINERO! ¡TENEMOS QUE DU-CHARNOS, HOSTIAS!»

Me rodean unos setenta sudorosos jugadores y directivos mosqueados con la cara colorada. En ese punto, sí, deseé haber puesto el culo en marcha antes y haber enchufado las duchas. En tales ocasiones mi estrategia es lanzarme al ataque y actuar como si estuviese aún más disgustado que ellos por el problema de las duchas. Disfrazarme de virtuoso indignado.

«Escucha, colega», dije sacudiendo la cabeza con enojo, «joder, les dije a los capullos la semana pasada que el calentador no iba bien. Joder, estoy más que harto de decírselo. Ese puto calentador. A veces funciona perfectamente, y otras veces no hay manera de que chute una mierda.»

«Ya, funcionaba perfectamente la semana pasada, cuando estaba de turno el otro tío...»

«Eso es, joder; ¡sólo porque funcione bien dos o tres veces seguidas, esos capullos se creen que no tienen que molestarse en mover el culo hasta aquí y echarle un ojo! Les dije a los cabrones del ayuntamiento que mandaran al técnico. Una puta revisión total, eso es lo que hace falta. Con este tiempo necesitamos unas duchas fiables, le dije al tío. ¿Movieron el puto culo?»

«Ya, esos cabrones no, no se van a molestar.»

«Ya, pero el caso es que vosotros venís aquí después del partido con ganas de daros una puta ducha. Los que se llevan la bronca no son los cabrones estos; es el pringao de mi menda, joder», dije haciendo lacónicos pucheritos y golpeándome el pecho con el dedo.

«Tranquilo, amigo», dijo uno de los capitanes, «contra ti no va nada.»

«Nah, claro que no, nadie le echa la culpa al chaval», le dice otro jugador al capitán. Todos asienten con la cabeza, salvo un par de capullos de la periferia, que siguen quejándose. Entonces uno de los capitanes se sube al banco y grita: «No podemos poner en marcha las duchas, muchachos. Ya sé que es un mal rollo, pero así está la cosa. El chaval ha hecho lo que ha podido.»

El aire se llenó de sonoros bufidos y maldiciones.

«Bueno, así es la vida. El chaval no tiene la culpa. Se lo dijo a los del ayuntamiento», dice en mi apoyo otro jugador.

Se visten a regañadientes, los muy tontos del culo. Ya les he jodido la noche. Tendrán que ir a ducharse a casa, en vez de ir de cabeza al pub para discutir sobre el partido y pontificar acerca del estado del fútbol, la música, la televisión, el sexo, el agobio que suponen los colegas en el mundo moderno. Se habrá perdido el ímpetu para afrontar la noche. El pub al que van, con su mierdoso velador, ingresará menos de lo normal. Qué coño, estamos en época de recesión. Las novias y esposas se encontrarán las expresiones de amargura de sus compañeros, que se sienten privados de su noche fuera de casa. Los hombres se dirigirán hoscamente a la ducha sintiéndose abatidos y estafados: una victoria que no puede saborearse, o una

197

derrota sin el consuelo y linimento de la rubia. Concejales y funcionarios de ocio se verán agobiados por los cagarros bocazas, caricolorados, menopáusicos, tripudos e incompetentes sexuales que en Escocia dirigen el deporte rey a todos los niveles.

Tanta desdicha porque el *parkie* no quiere tomarse la molestia de darle a un interruptor. Ahí lo tenéis, joder, eso sí que es poder. ¡Chupaos ésa, pedazo de cabrones! Qué loco estoy.

Cuando el último jugador desfila por la puerta, me voy al cuarto de las calderas, al fondo de mi garita, y enciendo el calentador. Necesitaré agua caliente para ducharme antes de salir esta noche. Hago unas flexiones y unas sentadillas antes de acomodarme para leer otro capítulo de mi libro: una biografía de Peter Sutcliffe.

Lo único que leo son biografías; no sé por qué, pues no disfruto especialmente con ellas. Lo que pasa es que me considero incapaz de interesarme por otra cosa. Jim Morrison, Brian Wilson, Gerald Ford, Noele Gordon, Joyce Grenfell, Vera Lynn, Ernest Hemingway, Elvis Presley (dos biografías distintas), Dennis Nilsen, Charles Kray (el hermano de Reg y Ron), Kirk Douglas, Paul Hegarty, Lee Chapman y Barry McGuigan, todas devoradas desde que empecé a trabajar en los parques. Realmente, no puedo decir que haya disfrutado con ninguna, con la posible excepción de la de Kirk Douglas.

A veces me pregunto si aceptar este empleo fue una buena jugada. Me gusta porque disfruto de mi propia compañía y demasiada relación social puede ponerme de mala uva. No me gusta porque no puedo moverme y detesto estar clavado a un solo lugar. Supongo que podría aprender a conducir, y de ese modo podría conseguir un empleo que ofreciese estos dos importantes rasgos, soledad y movilidad, pero un coche sería una atadura, me impediría tomar drogas. Y eso sí que no.

El señor Garland, el jefe del parque, era un hombre amable, bastante liberal para la media de los empleados de parques. Comprendía cuál era la condición del *parkie*. Garland había pasado por suficientes reuniones disciplinarias del ayuntamiento como para calar el problema. «Es un trabajo aburrido», me dijo con ocasión de mi reclutamiento, «y el demonio creó el trabajo y todo eso. El caso es, Brian, que son tan pocos los oficiales de parques que muestran iniciativa. El oficial de parques chapucero hace el mínimo imprescindible y después se larga, mientras que el oficial más concienzudo siempre encontrará algo que hacer. Puedes creerme, sabemos quiénes son las manzanas podridas y puedo decirte una cosa: sus días están contados. Así que si causas buena impresión, Brian, podríamos muy bien estar en disposición de ofrecerte un puesto permanente en el Departamento de Parques.»

«Eh, bueno...»

«Claro, ni siquiera has empezado a trabajar todavía», sonrió, dándose cuenta de lo mucho que se había adelantado a los acontecimientos, «pero aunque no sea el trabajo más emocionante del mundo, muchos oficiales hacen que sea todavía peor. Verás, Brian», su mirada se hizo más amplia, como de evangelista, «siempre hay algo que hacer en un parque. Es un trabajo que exige caminar, Brian. Hay que mantener limpio de cristales rotos el patio de los columpios de los niños. Los adolescentes que se reúnen detrás del pabellón; he llegado a encontrar agujas ahí detrás, Brian, ya sabes...»

«Terrible», sacudo la cabeza.

«Hay que desalentarles. Hay formularios sobre daños y vandalismo contra la propiedad del Departamento que tenemos que rellenar. Siempre hay basura que recoger, malas hierbas que extirpar alrededor de la garita y por supuesto limpiar continuamente los vestuarios. El oficial de parques emprendedor siempre hallará algo que hacer.»

«Creo que es mejor trabajar duro; hace que el tiempo pase más rápido», mentí.

«Exactamente. Reconozco que a veces, sobre todo cuando el tiempo resulta inclemente, el aburrimiento puede ser un problema. ¿Tú lees, Brian?»

«Sí. Soy un lector bastante voraz.»

«Eso está bien, Brian. Un lector nunca se aburre. ¿Qué clase de cosas lees?»

«Principalmente biografías.»

«Excelente. Alguna gente se llena la cabeza con teorías políticas y sociales: eso sólo puede causar resentimiento e insatisfacción con la suerte que a uno le ha tocado», reflexionó. «De todos modos, no viene al caso. Confieso que este trabajo podría ser mejor. Nos han reducido el presupuesto. No podemos reemplazar las viejas furgonetas móviles ni el equipo del interfono. Claro que yo les echo la culpa a nuestros gerifaltes políticos del Comité de Ocio. Ayudas para colectivos de madres solteras lesbianas negras para proyectos de teatro experimental; para esas cosas siempre encuentran dinero.»

«No podría estar más de acuerdo, señor Garland. Es criminal esa forma de malgastar el dinero de la *poll-tax*.»

Recuerdo el gesto de asentimiento solícito y agradecido que me dispensó Garland. Parecía querer decir: He aquí a alguien con madera de oficial de parques modélico. Vaya un capullo.

Me di una ducha rápida antes de que llegaran los de la móvil. Justo a tiempo; apenas me había secado y vestido cuando oí llegar la furgoneta de la patrulla de parques. Las furgonas de la patrulla de parques, los de la móvil, son los capullos de uniforme. Esos cabrones tienen el mismo rango que nosotros, sólo que son móviles. Técnicamente se supone que controlan los parques más pequeños, los que carecen de oficial de parques. Extraoficialmente, es otro asunto. De hecho, se dedican a vigilarnos; a nosotros, a los que por definición inversa habría que llamar los oficiales de parques estáticos. Se aseguran de que estemos currando, en nuestros puestos oficiales de trabajo, y no en algún pub. Pillaron a un tío, Pete Walls, literalmente en plena faena la semana pasada en Gilmerton. Estaba tirándose a una colegiala en una garita. Le suspendieron de empleo pero no de sueldo, a la espera del informe. El ayuntamiento sabe cómo hacerte daño de verdad: te dan dispensa oficial para hacer lo que cualquier *parkie* intenta extraoficialmente: no estar en el puesto pero cobrar.

Vacío las pavas del cenicero en una papelera mientras el oficial de parques móvil Alec Boyle sale del coche. Boyle lleva la gorra calada sobre sus gafas de espejo. Las mangas de la camisa arremangadas, a menudo se asoma por la ventana del coche cuando está en un semáforo, y debe de gastar una fortuna en chicle. Lo único que le falta es el acento de Brooklyn. Quién sabe qué clase de mierda le ronda la cabeza a ese capullo. Un tío pequeñito; demasiado canijo y descerebrado hasta para ser poli. Qué zumbado está.

«¿Qué pasa con las putas duchas?», pregunta.

«Ni me mientes a esas jodidas, Alec. Llevo con esas cabronas todo el día. Es como si la luz del piloto no parase de apagarse, ¿sabes? Ahora ya la he puesto en marcha, pero el agua no estaba lo bastante caliente para los tíos del fútbol, ¿sabes? Se volvían locos.»

«Eso ya lo sé. El Tiburón se me ha echado encima por radio. Con un mosqueo que te cagas.»

El Tiburón. Superintendente de División de Parques Bert Rutherford. Era su turno hoy. Joder, lo que nos faltaba. «Bueno, pues tendremos que conseguir que venga el técnico.»

«Ya ha estado aquí, joder, pero no encontró nada que funcionase mal.»

«¿Por qué siempre tiene que pasar esto cuando es mi turno?», gemí con el tono de autocompasión que utilizan los tíos que curran aquí. «Joder, parece que sea gafe.»

El oficial de parques Boyle asiente con la cabeza en señal de empatía. Entonces sus rasgos se desfiguraron en una sonrisa de reptil. «Tu colega Pete Walls, menudo cabrón está hecho, ¿no?»

En realidad yo no definiría a Wallsy como colega, sólo un tío legal con el que he trabajado un poco en el golf, trapicheando y tal. Supongo que eso es todo lo colega que se puede llegar a ser en los parques. Ahí es donde se hace el dinero de verdad en los parques; en la caja del minigolf. Todo dios quiere currar en ese tema.

«Sí, oí que a Wallsy le pillaron con los pantalones a la altura de los tobillos», asentí.

«Corrupción de menores.» Boyle arrugó la cara mientras pulía ociosamente con un pañuelo sus gafas de sol. El tonto del culo no cae en que está manchando los cristales de mocos, entonces se percata y para, vagamente consciente de sí mismo durante un momento.

Evito ponerle en evidencia. «Oí que la chica tenía dieciséis años; era su novia. Que estaban a punto de prometerse y tal. Ella entró con unos bocatas y se les fue un poco la mano.»

«Ya he oído toda esa mierda. No importa un carajo. A ese capullo le dan puerta. La cosa es de despido.»

Yo no estaba tan seguro de eso. «Nah, me juego uno de cinco a que se sale con la suya.»

Tenía un presentimiento al respecto. El ayuntamiento era una organización muy asexual. Si las cosas se calentaban un poco se rajarían. Aquello era potencialmente una caja de Pandora que a lo mejor preferirían no abrir. Cha McIntosh, el del sindicato, encontraría un modo de presentar las cosas. Viendo las cosas desde fuera pensaba que había muy buenas posibilidades de que Wallsy saliese de aquélla sin que le tocasen un pelo. Bien valía la pena jugarse uno de cinco.

«Anda ya», dijo Boyle despectivamente.

«No, venga. Me juego un billete azul.»

«Hecho», dice Boyle. Mientras yo estrechaba su pata grasienta, él adoptó una expresión de conspirador y susurró, pese a que estábamos en un pabellón vacío en medio de un parque desierto: «Ojo con el puto Tiburón. Te tiene echado el ojito. Se cree que eres un vivales. Me dice: ¿Cómo anda el chaval ese de Inverleith? Voy y le digo: Bien, es buen chaval y tal. Dice él: A mí me parece un poco listillo.»

Adopté una forzada expresión de sinceridad: «Gracias, Alec. Se agradece que me des el soplo.»

Cabrito vacilón. Puede que el Tiburón fuese a por mí, pero también puede que no. A mí qué cojones me importaba. Esos capullos de la móvil siempre jugaban a tenerte paranoico y así dar ellos mejor imagen. El trabajo les aburría tanto como a nosotros; tenían necesidad de generar intriga para mantener el nivel de interés.

Se marchó, haciendo chirriar las ruedas del coche por la gravilla que había fuera de la garita. Yo me fui al pub de al lado a tomarme un vodka y echar una partida de billar con un tío que tenía un tic nervioso. Después de eso volví, me hice una paja y leí otro capítulo de la biografía de Pete Sutcliffe. Boyle volvió para recoger su juego de llaves y mi turno terminó. Abandoné el parque, pero regresé sobre mis pasos después de que Boyle se hubiese ido, introduciéndome de nuevo en el pabellón. Antes de prepararme para salir al centro, monté la tele y la cama, por si estaba demasiado destrozado para hacerlo por la noche. Entonces caí en la cuenta de que tenía cuatro días de fiesta. En los parques se trabajaba cinco días seguidos y se guardaban dos de fiesta, y estos últimos cambiaban cada semana. Se me habían juntado unos con otros, así que tenía un largo fin de semana por delante. Eso quería decir que sería otro el que estuviese allí por la mañana. Volví a guardar mis cosas. Era poco probable que fuese a sobar allí esa noche. Solía quedarme sobando en el queo de alguien el fin de semana, o en casa del viejo.

Llegué al centro con esa sensación alienada y traumática que me invadía cuando acababa un turno, sobre todo el de tarde, que terminaba a las nueve. Tenía la impresión de haber sido excluido, de que todo el mundo había empezado a divertirse en serio. Sin duda, tenía que ponerme al mismo nivel. Fui a ver si podía pillarle algo de speed a Veitchy.

2. TELE DE SOBREMESA

Mi viejo estaba sentado tomando té con Norma Culbertson, la del piso de arriba. Le daba caladas a un cigarrillo mientras yo me hacía un bocata: un pedazo de filete de Dundee.

«El caso es, Norma, que siempre la toman con sitios como éste. Como si la zona no tuviese ya suficientes problemas, puñeta.»

«No podría estar más de acuerdo, Jeff. Es una puñetera vergüenza. Que lo pongan en Barnton o algún sitio así. Se supone que es una zona de viviendas para la gente trabajadora normal.» Norma sacudió la cabeza con amargura. Resultaba bastante sexy con el pelo recogido y aquellos grandes pendientes de aro.

«¿De qué va esto?», pregunto.

El viejo suelta un bufido. «Tienen previsto abrir un centro para todos esos yonquis. Intercambio de agujas y prescripciones y demás. Siempre igual; atienden a todos los puñeteros inadaptados, y pasan de los inquilinos que pagan su alquiler todas las semanas con la precisión de un mecanismo de relojería.»

Norma Culbertson asiente con la cabeza.

«Sí, es un rollo chungo, ya lo creo, papá», sonrío.

Veo que están redactando una especie de petición; tontos del culo. Pero de qué van. Salgo de la cocina y hago oreja un rato detrás de la puerta.

«No es que sea dura de corazón, Jeff», dice Norma, «no es eso en absoluto. Sé que esa gente necesita que la ayuden. Lo que pasa es que tengo a la pequeña Karen y estoy sola. Sólo de pensar en todas esas agujas tiradas por ahí...»

«Ya, Norma, más vale ni pensarlo. Bien, pues les haremos frente en las playas,[1] como suele decirse.»

Qué pomposo es este viejo pedorro.

«Sabes, Jeff, la verdad es que te admiro, criar solo a esos dos muchachos. Seguro que no fue fácil. Y lo estupendos que han salido, además.»

«Bah, no están mal. Al menos tienen talento suficiente como para no meterse en esa tontería de las drogas. El problema es Brian. Nunca sabes dónde está, o adónde va. Con todo, al menos ahora trabaja, es sólo un trabajo temporal en los parques y tal, pero ya es algo. Eso sí, no creo que sepa lo que quiere hacer con su vida. A veces pienso que vive en un planeta diferente. Espera que te cuente la última: llevaba semanas sin verle ni oírle, y aparece con una chica. Se la sube a su cuarto. Luego, más tarde, está aquí abajo con ella preparando una comilona. Me lo llevo aparte y le digo: Eh, tú, venga, esto no es un picadero, sabes. Me da algo de dinero por la comida. Le digo: Ésa no es la cuestión, Brian. Trata este lugar con algo de respeto. Y se supone que tiene el corazón destrozado porque su novia se marchó a una universidad que está en Londres. Pues tiene una curiosa manera de demostrarlo. Demasiado listo para su propio bien, ése. Ahora, Derek ya es otra cosa...»

Vaya, conque empiezo a tocarle los cojones al viejo. Es verdad eso de que nunca escucharás nada bueno de ti si haces oreja de esa forma, pero a veces vale más saber de dónde sopla el viento.

Me quedo en mi cuarto viendo la tele; bueno, la tele de Derek, si nos ponemos picajosos, como invariablemente es su caso. Oigo al viejo gritándome y salgo a la escalera. «Eh, nos vamos arriba, a casa de Norma. Hay que resolver unas cosillas del comité», dice, todo furtivo e inquieto.

Bravo. Enciendo una vela. Después saco mis herramientas y empiezo a preparar un poco de caballo. Esta mandanga tiene buena pinta, el mercado está un poco saturado ahora mismo. Dios bendiga a Raymie Airlie; Dios bendiga a Johnny Swan. Yo

---

1. Alusión a uno de los más célebres discursos bélicos de Churchill: «We will fight them on the beaches...» (N. del T.)

no soy picota, en realidad no, pero el festín suele preceder a la hambruna. Será mejor aprovecharse.

Busco un cinturón, pero sólo encuentro una inútil correa de piel de serpiente con elástico, así que la arrojo a un lado y utilizo el cable de la lámpara de la mesilla de Derek. Me lo enrollo alrededor del bíceps y golpeo mi muñeca hasta que hace acto de presencia una enorme y oscura vena. Entonces meto la aguja y retiro un poco de sangre antes de chutar a puerta. Chachi.

Joder.

Joder, no puedo respirar.

Hostia puta, qué mal estoy.

Me levanto y trato de llegar al cuarto de baño pero no llego tan lejos. Consigo dirigir la pota sobre un viejo ejemplar del *New Musical Express*. Me apoyo en la pared un rato, recupero el aliento y después abro la ventana y tiro la guarrada al patio de atrás.

Me tumbo en la cama. Eso está mejor. Hay una mujer de aspecto agradable en un culebrón de la tele. De pronto la veo como a una vieja bruja arrugada, pero ya no está en la tele, está en la habitación. Entonces las cosas cambian y estoy con un tío llamado Stuart Meldrum, que cuando éramos críos resbaló y cayó del tejado de una fábrica que había en Leith. Eso fue antes de que viniéramos a vivir aquí. Era un tejado de hierro ondulado, con una pendiente abrupta. Stu perdió el equilibrio, se cayó y empezó a resbalar hacia abajo. El caso es que había una hilera de remaches dobles que sobresalían y más o menos le despedazaron.

Ahora estoy con él otra vez, y tiene la cara desgarrada y se le caen a trozos partes ensangrentadas del cuerpo. Tiene una pelota, una pelota amarilla debajo del brazo. «¿Te apetece un partido de fútbol-frontón, Bri?», pregunta.

A mí no me parece mal. Fútbol-frontón. Contra la pared de la fábrica. Se coloca muy cerca de la pared y le pega a la pelota una fuerte patada. Sale despedida de una esquina y empieza a alejarse rodando, la pelota amarilla esa. Yo empiezo a correr detrás de ella, pero parece que va cogiendo velocidad. Intento ponerme a su altura pero tengo la impresión de que soy incapaz de incrementar el ritmo. Lo único que veo es la pelota esa, botando carretera abajo, como si la impulsara el viento, casi como si fuera un globo, pero al mismo tiempo todo lo demás está quieto y tranquilo. Mi madre está delante de mí con un vestido de flores, sujetando la pelota. Se la ve joven y hermosa, como la última vez que la vi, cuando aún iba a la escuela primaria. Soy del mismo tamaño que ella, igual que ahora, pero me coge de la mano y me lleva por una calle empinada llena de chalets pijos y le pregunto: «Mamá, ¿por qué nos abandonaste?»

«Porque cometí un error, hijo. Tú fuiste un error. Nunca debió ocurrir. Tú, tu padre, los sitios donde vivíamos. Os quiero a Derek y a ti, pero necesitaba tener mi propia vida, hijo. Tú nunca tenías que haber sucedido. Nunca quise dar a luz a un Capullo Listillo.»

Veo a Alec Boyle y al Tiburón, vestidos con trajes blancos. Asienten con aire sagaz. Entonces me doy cuenta de que estoy mirando fijamente la pantalla y todo está en orden, es otra vez el culebrón de la tele, no el mío.

Al cabo de un rato empiezan a darme unos calambres terribles, así que me meto debajo del edredón e intento dormir hasta que se me pase. Cuando entra el viejo, le digo que me parece que tengo el trancazo y me paso tres días en la cama, antes de tener que volver al parque.

3. ASOCIACIONES OPIÁCEAS

No vuelvo a tocar el caballo. Es un juego de perdedores. Todos los capullos que he conocido que dicen que pueden controlarlo están muertos o muriéndose o llevando una vida que no merece la pena vivir. Vaya un primo que estoy hecho. Todavía estoy tirado aquí en la garita. Un fin de semana desperdiciado. Nah, mi droga es el speed, el speed y el éxtasis. A la mierda el caballo.

Va a ser un turno de tarde aburrido. El libro de Sutcliffe no estaba mal. Buena lectura. La verdad es más extraña que la ficción. Sutcliffe fue un hombre muy perturbado. Sutcliffe era un gilipollas. Qué zumbado estaba el capullo. Algunas cosas no se pueden entender jamás, algunas cosas no se prestan a los razonamientos, al análisis y la explicación racionales. He empezado la biografía de la Madre Teresa, pero no consigo que me enrolle. La verdad es que no la aguanto demasiado; a mí me parece que está un poco chiflada, joder. Según ella, Dios le dice que haga las cosas que hace; no tiene una puta mierda que ver con ella. Ése es exactamente el mismo argumento que utiliza Sutcliffe. Todo eso no es más que pura mierda; la gente debería asumir un poco más su responsabilidad personal.

Este parque es deprimente. Es como una prisión. No, no lo es. Puedes marcharte, irte al cálido y acogedor pub, pero ocurre que te dan la carta de despido si te pillan los de la móvil. En los parques se utiliza el dinero para aparentar; te pagan por estar ahí. No para hacer, sino para estar. Me siento en una garita, luego soy un chalao.

Llaman a la puerta. No puede ser la patrulla; ellos nunca

llaman. Abro la garita y ahí está Raymie Airlie. Me mira con una tétrica sonrisa grabada en la cara. «Los robots renegados murieron tiempo ha, los de metal se oxidaron, los humanos se desangraron.»

Eso mismo pienso yo. Raymie es o un imbécil o un genio, y ni siquiera me interesa mucho intentar averiguarlo.

«¿Todo bien, Raymie? Adelante.»

Entra en la garita de una zancada. Después inspecciona los vestuarios y las duchas con una meticulosidad digna del más esmerado oficial de parques móvil. Regresa a la garita y coge el libro de la Madre Teresa, enarcando las cejas, antes de volver a tirarlo sobre la mesa.

«¿Tienes herramientas?», pregunta.

«Sí..., quiero decir, no. Encima y eso, no.»

«¿Te apetece ponerte?»

«Eh, la verdad es que no, quiero decir, o sea, estoy currando, eh..., sí, pero sólo un poco y tal...»

Preparó algo de caballo y me metí un chute usando sus herramientas. Empecé a pensar mucho en nadar, y en los peces. Hasta qué punto son libres; dos terceras partes de la superficie del planeta y eso.

Lo siguiente que vi fue al Tiburón, de pie, mirándome. Raymie se había marchado.

«Llaves», soltó.

Le miré a través de unos ojos vidriosos. Me sentía como si mi cuerpo fuese un pasillo y el Tiburón estuviese en la puerta al otro extremo del pasillo. ¿Qué cojones quería decir? ¿Llaves?

Llaves.

Llaves.

La Madre Teresa y los niños de Calcuta. Alimentar al mundo.

Llaves.

Las llaves abren puertas; las llaves cierran puertas.

Llaves.

Suena bien. «Llaves.»

«¿Las tienes, pues? ¿Las llaves?», pregunta. «Venga, hijo, es hora de irse. ¿Es que no tienes una casa adonde ir?»

Mamá, ¿dónde estás?

«Ésta es mi casa», le digo.

«Estás zumbado, amigo. ¿Has estado bebiendo?» Se acerca más a mí para ver si puede oler algo en mi aliento. Parece perplejo, pero me mira profundamente a los ojos. «Estás más volado que una puñetera cometa, hijo. ¿Qué te has tomado?, ¿has estado fumando hierba? ¿Qué te has tomado?»

Estoy en el planeta Tierra. Lo estamos todos. Toda la lamentable escoria terrícola. Yo, el Tiburón, la Madre Teresa, Sutcliffe..., le paso las llaves.

«¡Jesús! Ni siquiera puedes hablar, ¿verdad?»

Jesús. Otro terrícola. Éste es el planeta Tierra. El Tiburón y yo. Ambos formas de vida humana que comparten el mismo planeta en este universo. Ambos humanos, miembros de la especie dominante del planeta Tierra. Los humanos han establecido estructuras e instituciones para gobernar nuestras vidas aquí en este planeta. Iglesias, naciones, corporaciones, sociedades y toda esa mierda. Una de esas estructuras es el ayuntamiento. Dentro de su campo de acción, el ocio y el entretenimiento, de los que forma parte el Servicio de Parques. El humano conocido como el Tiburón (un humanoide al que los miembros de su propia especie se refieren con el nombre de otra debido a la semejanza de su apariencia y conducta con la de ésta) y yo estamos comprometidos con una actividad económica. Se nos paga, a nuestra pequeña escala, para mantener la estructura de la sociedad humana. El nuestro es un papel pequeño pero integral de un todo místico y maravilloso.

«Desempeñamos un papel...»

«¿Eh? ¿Qué dices?»

«Un papel en el mantenimiento de la sociedad humana...»

«Estás ido, hijo. ¿Qué te has tomado?»

El Tiburón. Un océano en el que nadar, todo un océano. Dos terceras partes de la superficie del planeta por las que vagar. Aún más, puede nadar a distintas profundidades, con lo que las posibilidades son casi infinitas. Infinitas opciones en el océano y la cosa esta tiene que aparecer en tierra firme; tiene que aparecer en este pequeño trozo de tierra firme que yo ocupo. No soporto estar en las proximidades de esta criatura.

Paso de largo, dejándole atrás, fuera de esta garita, fuera de este parque.

«¡Garland va a enterarse de esto!», me grita.

Pues neh-neh-neh-neh-neh, bobochorra.

Lo que pasa con la torre de Montparnasse es que es muy cutre, realmente sucia y de aspecto destartalado. Es una estructura tan maravillosa, no obstante, pero está en la ciudad equivocada, en el continente equivocado. Es una estructura muy nueva, pero puesto que está en París, no impresiona a nadie. El Louvre, la Ópera, el Arco del Triunfo, la Torre Eiffel; a la gente le impresiona toda esa mierda, todos esos hermosos edificios. En realidad la Torre de Montparnasse no le importa un carajo a nadie. El caso es que desde el observatorio de Montparnasse hay unas vistas estupendas de París.

Los dos estamos sentados en el restaurante que hay en la cima de la torre. Es un restaurante feo, demasiado caro, con una decoración chillona y una oferta pobre de comidas. Pero allí somos felices, porque sólo estamos nosotros dos. Echamos un vistazo al observatorio interior, con sus enormes paneles de cristal rayados y mugrientos. Detrás de los radiadores que hay debajo de la barandilla que rodea el observatorio han arrojado basura, comida vieja putrefacta y colillas. Lo más impresionante que hay en ese piso son las fotos de la Torre de Montparnasse en diversos estadios de su construcción, desde los cimientos hasta su conclusión. Incluso esas hermosas fotografías, sin embargo, se han descolorido por el sol. Pronto no se verá nada en ellas.

Sin embargo, la suciedad y la mugre me dan igual, porque estamos juntos y resulta hermoso. No puedo pensar en los parques. La única realidad son textos e imágenes. Le cuento que escribí un poema sobre ella cuando estaba de servicio en el parque. Me pide que se lo recite, pero no puedo recordarlo.

Se levanta y me dice que quiere bajar andando. Todos esos pisos. Baja las escaleras, saliendo del restaurante por la salida de incendios. «Venga», dice, moviéndose en la oscuridad. Miro hacia la oscuridad, pero no la veo, sólo oigo su voz. «Venga», grita.

«No puedo», grito yo.

«No tengas miedo», dice ella.

211

Pero lo tengo. Miro hacia atrás, hacia el observatorio, que está iluminado. Ahí está iluminado y ella quiere guiarme hacia la oscuridad. Sé que si salgo detrás de ella ahora jamás podré alcanzarla. Ahí abajo no hay una oscuridad normal, no son matices de oscuridad; es una oscuridad fea, espantosa, absoluta. Doy la vuelta, de regreso hacia la luz blanca y amarilla. Allí, además de su voz, están presentes otras. Voces que nada tienen que ver con ella pero todo que ver conmigo. Voces a las que no puedo enfrentarme; es de locura total.

Me meto en el ascensor. Se cierra la puerta. Aprieto el botón de la planta baja; cuarenta y dos pisos más abajo.

No se mueve. Intento abrir la puerta pero parece atascada. Me siento inquieto. Tengo los pies pegados al suelo; es como si en el suelo del ascensor hubiese chicle. Hebras rosadas de chicle pegajoso se aferran a las suelas de mis botas. Miro al suelo del ascensor; empieza a hincharse. Es como si la cubierta del suelo se estuviera convirtiendo en una burbuja. Mis pies se hunden dentro de ella y, a continuación, mis piernas la atraviesan por completo. Caigo por el suelo del ascensor, lentamente, cubierto por una película rosácea, transparente y elástica que es lo único que hay entre mi persona y una caída mortal por el oscuro hueco de ese ascensor.

No se rompe, sin embargo; sigue estirándose. Miro hacia arriba y me veo a mí mismo descendiendo lentamente por un agujero en el suelo del ascensor. Planta 41 40 39 38

Entonces empiezo a coger velocidad mientras pasan a toda prisa grandes letras pintadas en blanco indicando los pisos: 37 36 35 34 33 32 31 30 29 28 27 26 25 24 23 22 21 20 (ralentizamos otra vez, mi burbuja aún resiste, de puta chorra.)

19 (Colgando inmóvil, ahora mi cuerda es sólo del grosor de un hilo, y así de resistente.)

(Después más movimiento, más movimiento veloz) 18 17 16 15 14 13 12 11 10 9 8 7 6 5 4 3 ¡¡OHH, NOOOO!! 2 1 PB S -1 -2 -3 -4 -5 -6 -7 -8 -9 ¿QUÉ COJONES ES ESTO? -10 -11 -12 -13 -14 -15 -16 -17 -18 -19 -20 -21 -22 -23

Sigo deslizándome hacia abajo atrapado en esa película de chicle. Ahora estoy en menos -82 -83 -84 -85 -86 -87 -88 y a -89 mis pies tocan suavemente tierra firme. Parece que hubiese aterrizado en otro ascensor, éste sin techo. Me pongo la mano sobre la cabeza y la hebra de chicle se parte al hacer contacto con ella.

Tengo el cuerpo cubierto de esta película rosácea, cubierto de la cabeza a los pies. Me corroe la ropa, sencillamente la disuelve, pero no hace reacción con mi piel. Se fija sobre ella como una segunda capa de piel, dura y protectora. Debo parecer un maniquí. Estoy desnudo pero no me siento vulnerable. Me siento fuerte.

El indicador del ascensor me dice que menos 89 es el final. Más de dos tercios de este edificio están bajo tierra. Debo de estar a kilómetros, bueno metros, por debajo de la superficie terrestre.

Salgo del hueco del ascensor. La puerta parece haber desaparecido y sencillamente me bajo en el menos 89. Sigo dentro de algún tipo de estructura, y aunque las paredes parecen moverse y respirar, continúa teniendo el aspecto del inmenso sótano que debe ser. Es árido y parece desierto. Gigantescos pilares de hormigón sostienen esta estructura tan rara, artificial y orgánica al mismo tiempo.

Una pequeña figura humanoide con cabeza de reptil se acerca arrastrando los pies, vestida con un gabán marrón, resollando, empujando lo que parece un carrito de la compra lleno de cajas.

«Perdone», grito, «¿dónde estamos?»

«Joder, el último piso», grita la cosa esa, al parecer apurada.

«¿Y ahí qué hay?» Señalé hacia una señal que ponía SALIDA, una señal hacia la que se dirigía la criatura.

«Quejas», me dice sonriendo, dándole lametones con aquella lengua de lagarto a un lateral de su cara llena de escamas. «Algún cabrón ha estado echándome pulgones por la calefacción central. Quiero que lo arreglen ahora mismo. ¿Has bajado aquí a buscar a una mujer?»

«Eh, no..., quiero decir, sí.» Pensaba en ella, dónde estaría, a qué altura.

Posó sobre mí sus fríos ojos. «Puedo follarte ahora mismo si quieres. Lo haré gratis. No necesitas mujeres», jadeó, acercándose a mí. Doy un paso atrás...

¡BLEEEEEEGGGHHHH! «¡JODIDO ESTÚPIDO CABRÓN!»

213

Suena una bocina y una voz ruge.

Estoy en Ferry Road y el denso tráfico que se dirige hacia Leith pasa de largo zumbando. Un camión se detiene y el conductor se asoma agitando el puño. «¡Puto tonto del culo! ¡Casi te mato, joder!» Abre la cabina, se baja de un salto y viene hacia mí. «¡Yo es que te mato!»

Echo a correr. No me importa ser atropellado por su camión, pero no quiero que lo haga él. Es la indignidad del asunto. Resulta demasiado personal. No hay nada peor que llevarse una paliza de una persona vulgar. La violencia física con otra persona se parece demasiado a tener relaciones sexuales con ella. Demasiada inversión del inconsciente.

Me siento fatal, pero no puedo ir a casa. No puedo volver al parque. Doy vueltas durante un rato, intentando aclararme. Acabo en el queo de Veitchy en Stockbridge. Menos 89. Joder, menos mal que estoy fuera de ese sitio. Pero ahora estoy temblando, me siento chungo. O le echo huevos o vuelvo al nivel menos 89.

«¿Todo bien, bobochorra?»

«¡Ja, ja, ja, el mismo que viste y calza!» Veitchy sonríe y me deja pasar. «Tienes cara de haber visto un fantasma.»

«Nah. He visto algo peor. He visto a Raymie, a un Tiburón, a una mujer, a un reptil. Pero fantasmas no.»

«Ja, ja, ja, menudo cabrón estás hecho, Brian, ya lo creo. ¿Quieres una cerveza?»

«Nah, ¿tienes algo de speed?»

«No.»

«Me tomaría una taza de té, si me la ofreces. Con leche y sin azúcar. ¿Está por ahí Penman?»

Evidentemente, he tocado una fibra sensible. «A ese cabrón ni me lo nombres. Se cree que puede ir por ahí dejando la mandanga en mi queo. Ya te digo, Bri, estoy dispuesto a ayudar a un colega, pero ése se toma muchas libertades. Muchas libertades se está tomando, y no bromeo.»

Me siento en el sofá a ver la tele, dejando a Veitchy babear a propósito de Penman. A la mierda esta vida; dadme otra, por favor.

Al día siguiente Ian Caldwell me dice que estuve en su piso de Inchmickery Court en Pilton. Una torre de pisos. No me acuerdo. Tengo que volver a París algún día, a la Torre de Montparnasse otra vez. Con ella. Pero se fue. Todas las mujeres de mi vida se han ido. Mi propia madre se fue, joder.

El turno de tarde resultó más accidentado de lo que había pensado.

4. DISCIPLINA CONSTRUCTIVA

La expresión de Garland era de tristeza; la de un hombre más decepcionado y dolido que enojado.

«Lo peor, Brian», me dijo, «es que yo te tomé por un joven inteligente y decente. Pensé que demostrarías ser un oficial de parques diligente y concienzudo.»

«Sí, supongo que metí la pata un poco...»

«¿Se trata de drogas, Brian? ¿Es eso?», me rogó.

«No, más bien es una especie de depresión, ¿sabe?»

El Tiburón estaba presente. «¡Y una mierda, depresión! ¡Estaba tan colocado que no sabía ni dónde tenía la cabeza!»

«¡Ya basta, señor Rutherford!», soltó Garland. «Deje que Brian hable por sí mismo.»

«Es que llevo algún tiempo tomando antidepresivos. A veces me paso de la raya, me olvido de que ya los he tomado y me tomo una dosis doble, ¿sabe?»

Garland parecía pensativo. «¿Cómo es posible que un joven con buenas perspectivas y toda una vida por delante esté deprimido?»

Desde luego, cómo es posible. Trabajando en un empleo temporal en los parques. Residiendo en un barrio gris con su papá, que está a punto de enemistarse con todos los colgados del barrio con una cruzada antidrogas. No ha visto a su madre desde que tenía ocho años. Abandonado por su novia. Tiene el mundo en sus manos...,[1] venga, todos conmigo...

---

1. «*He's got the whole world in his hand.*» Canción que hizo famosa a Nina Simone. (*N. del T.*)

«Los médicos dicen que es una depresión exógena. Desequilibrio químico. Aparece de improviso.»

Garland sacudió la cabeza comprensivamente. «No la mencionaste durante la entrevista, esa condición tuya.»

«Lo sé y quiero disculparme. Lo que pasa es que pensé que sería perjudicial para mis perspectivas de empleo en el Departamento de Ocio del Distrito Municipal, División de Patrullas de Parques.»

La mandíbula inferior del Tiburón se crispó. El tío del sindicato asintió solemnemente. El de personal permaneció impasible. Garland respiró hondo. «Nos has dado que pensar, Brian. Pero abandonar el puesto de trabajo, eso es una falta de disciplina grave. Si eres tan amable de dejarnos a solas unos minutos...»

Salí al pasillo. Estuve allí de pie un ratillo antes de que Garland me llamase otra vez adentro.

«Vamos a suspenderte de empleo, pero no de sueldo, durante el resto de la semana, a la espera de una decisión.»

«Gracias», dije yo, y lo decía sinceramente.

Me fui de copas con mi colega The PATH aquella noche. Comprobé mi saldo. Pasase lo que pasase con aquella decisión, yo me iba a Londres.

Volví a casa del viejo, llevándome la tele portátil que guardaba en el parque. Deek estaba sobado en mi cama. ¿Qué cojones hacía él en mi cama?

Al ir a darle un meneo, le vi aparecer en la puerta. O había dos Deeks o no era él el que estaba en mi cama. Ambas proposiciones parecían igualmente probables, dado mi estado de ánimo.

«¿Qué es esto?», le pregunté al Deek de la puerta, señalando al hipotético Deek de la cama.

«Es Ronnie. Estaba buscándote. Va verdaderamente hasta el culo de gelatinas.[1] Le he subido aquí para que el viejo no le viera. Ya sabes cómo se pone con las drogas y eso.»

«Vale, gracias.» Ese inútil de Ronnie. Dejaré que el cabrón la duerma.

Ronnie se quedó allí tirado durante horas. No pude mo-

1. Se trata de gelatinas de metadona. (*N. del T.*)

verle. Cuando estaba listo para irme a dormir, lo tiré al suelo y le eché una manta por encima.

A la mañana siguiente hice la mochila para Londres. Mientras me preparaba, Ronnie volvió en sí.

«Un día fuerte ayer, ¿eh, Ron?», le pregunté.

«Jodido», dijo, señalándose la cabeza.

Me hacía ilusión lo de Londres.

5. ESPITOSOS

Todavía me siento tan hecho polvo como anoche; ¿es todavía anoche o qué?, pero a quién le importa, porque Simmy ha colocado las bolas y pedido una Guinness y una de *bitter* y el viejo Harry dice: Putos bobos, Jocks borrachines, y Simmy le da un abrazo al viejo cascarrabias y a continuación lo levanta y lo coloca sobre la barra y Vi, con su malhumorado, mezquino y pastoso rostro apoyado en sus fofos brazos blancos, me cuenta que cómo iba yo anoche, y odio la suposición automática, arrogante y esquivajabones[1] de Simmy de que quiero jugar al puto billar, como si eso fuese parte del orden natural de las cosas...

Uy, pedazo de cabrón.

Joder..., por un momento pensé que se me venía todo encima; el curry ese. No sé si escupir, tragar o masticar y Simmy rompe, me mira a la cara, ruborizada, sudorosa e incómoda, y me explica el concepto de:

«Ímpetu. Ímpetu machote, ahí está el quid de la cuestión. ÍM-PE-TU. Hay que subirse a la ola, dejarse llevar, ir todo lo lejos que se pueda. Ímpetu. Cuando te funciona, no se puede ignorar.»

Simmy ha estado hablando con Cliff en el piso. Cliff lee el *Independent*. En el diario utilizan palabras como ésas; por lo general en las páginas deportivas.

---

1. *Soapdodger*: término despectivo empleado en Edimburgo para designar a los naturales de Glasgow. Alude a la reputación de insalubridad asociada a Glasgow por su pasado industrial. (*N. del T.*)

Envío una rayada mesa abajo al agujero del fondo de la izquierda. Un trabajo excelente. El extremo grueso del taco de Simmy golpea sordamente el linóleo en señal de reconocimiento. «Muy buena, compañero», dice Simmy.

«Qué ímpetu ni qué cojones, es el speed este que llevamos esnifando y metiéndonos hace días, y oye, cuando termine con todo esto, cuando por fin siente la cabeza y diga: A dormir, chicos, será durante días, nah, que sean semanas, joder, no, meses, durante meses.»

Simmy va y dice: «Pues te diré una cosa, compañero, tú y yo nos vamos al puto oeste la semana que viene. De cabeza al autobús 207 y a Uxbridge Road. No nos vamos a bajar en Ealing Broadway ni a abrevar en el Bush. Al oeste. Clubs y mujeres. Sin tregua. Sin cuartel.»

Se pone a silbar «Derry's Walls».[1]

El cabrón me desconcentra y la cago en un tiro fácil al agujero del centro. Demasiado preocupado por quedarme en buena posición para la amarilla.

Éste es el cabrón que siempre se caga con lo de subir al oeste; él es el que nos apalanca en Ealing o Bush, con el bolo hecho puré. A él le basta con eso; es un hijoputa gordo, feo, *weedjie*, esquivajabones, fanático anaranjado,[2] huno,[3] con una pollita requesón y la cara desfigurada por la tinta china, las cicatrices y los pequeños vasos capilares reventados, y tiene ese pelo ensortijado que suelen tener muchos hunos que parece trasplantado de un pubis y también un culo enorme propenso a los derrames fecales. Todo lo cual hace que sus posibilidades de conocer a una mujer que no tenga pinta de poder comer tomates a través de una raqueta de tenis sean bastante reducidas. Pero qué repulsivo es. El problema es, sin embargo, que el cabrón me estorba en mi odisea por conocer

1. Canción sectaria protestante. (*N. del T.*)
2. Miembro de la Orden de Orange, sociedad secreta fundada en Irlanda en 1795 para el mantenimiento de la supremacía y la dinastía protestantes frente a los católicos y los nacionalistas irlandeses en general. Por extensión, fanático protestante en general. (*N. del T.*)
3. Huno (*hun*): a los seguidores de los Glasgow Rangers se les conoce despectivamente como «*the huns*» (los hunos); por extensión, el término puede designar a los protestantes en general. (*N. del T.*)

a alguien aceptable, y tiene el piso tan lleno de mierda como él, con envoltorios de *fish and chips* y cartones de comida china por todas partes, platos apilados por doquier, y en cuanto a su habitación, bueno, habría que llamar a los de Rentokil para hacer esa puta cama. Y también está ese capullo de Cliff, y sus putos calcetines, tirados en la puerta de su habitación, apestando todo el piso. Ni las tías esas del otro lado de la calle que conocimos, Nazneem, Paula y Angela, quieren venir a fumar tate, así que ¿cómo voy a llevarme a alguien allí? Además, fui yo el que se hizo coleguita de ellas, entrándoles con mi clásico vacile: «Nací el mismo día que Ian Curtis, Linda Ronstadt y Trevor Horn, ¿conoces a Trevor Horn? ¿"El vídeo mató a la estrella de la radio"? ¿"Viviendo en la Era del Plástico"? Un gran productor pop de los ochenta.» ¿Cómo podría fracasar alguien con un vacile como ése? Pues yo fracasé, y todo porque me asocian con ese cabrón. Ahora los demás no quieren que yo vaya por su piso porque eso le anima a él a venir y dar la lata. Pero tengo que ir ahí para salir de nuestro piso porque el olor de la arena del gato tumba, hasta arriba de pis y mierda. No es culpa del animal, aunque el cabrón se lo hace por todas partes. Simmy tendría que haberle dado matarile; hace jirones el papel de la pared y las cortinas y el sofá, pero él se limita a decir que los gatos son criaturas higiénicas y que ahuyentan a los ratones..., estaría mejor en casa de mi viejo, estaría mejor con los de los putos parques que ni siquiera me echaron, por lo menos era un empleo...

«Venga, machote, que te duermes...»

Meto dos bolas. Esta noche iré a ver a Nazneem y le diré que estoy enamorado de ella. No. Eso sería mentira. Sólo quiero tener relaciones sexuales con ella. Ya estoy harto de juegos cínicos ahora que ella se fue, se fue, se fue, se fue y nunca me escribió aunque la última vez que la vi dijo que con un poco de suerte podremos volver a empezar donde lo dejamos una vez que haya resuelto algunos asuntos y eso fue hace meses y está aquí, aquí en Londres, y supongo que es por eso por lo que yo estoy aquí; como si fuera posible encontrarse por casualidad con alguien en Londres, de compras por Londres y tal, en Oxford Street, como puede ocurrir en

Prinny.[1] Quizá pudiera encontrarla en un club, en el Ministry of Sound o algo así, pero yo nunca voy de compras por Londres, por EL CENTRO DE LONDRES, nunca voy a los clubs, sólo a los pubs o los clubs de priva que cierran tarde llenos de alcohólicos a los que Simmy pinta como la sal de la tierra, pero que sólo son gente quemada y apaleada sin nada que decir, ninguna agudeza, nada..., voy a la negra y el viejo Harry se ríe con malicioso disimulo y un tío escocés de Greenford dice: «Venga, colega, métele a este cabrón anaranjao», y él y Simmy se arrancan con un banal y tedioso numerito a dúo de rivalidad futbolística y religiosa que pasa por ser ingenio *weedjie* de altos vuelos y se supone que tendríamos que estar todos revolcándonos de la risa e interesados y sólo la negra se interpone entre mí y la humillación de ese gordo huno cabrón.

Me deja meterla sin decir palabra.

«Lo siento, machote, gano yo. No has señalado el agujero.» El viejo Harry asiente sabiamente. Las filas se cierran incluso antes de que empiece a protestar. Simmy nunca sale del Red Lion de Greenford, odio este sitio. Todos toman partido por el reglamento de la casa y por el *weedjie* afable y parlanchín. Pero qué hijoputa es el cabrón.

«Tiempos duros, machote, no ha habido suerte», sonríe tendiendo la mano y estrechando la mía histriónicamente.

«Victoria moral», dice el otro tío escocés, «escamoteada con la ayuda arbitral de los masones. Los hunos son así, ya sabes.»

«Vale», digo, «me voy. Le dije a Cliff que me encontraría con él en el Lady Margaret.» No puedo ocultar mi enojo. Que le den por culo a Cliff, a quien quiero ver es a Nazneem; la tía que nació el mismo día que Barbara Dickson, Meat Loaf y Alvin Stardust.

«Estos elementos de la costa este. Un par de días de priva y ya están follaos. No tienen ningún aguante», se ríe Simmy. «Nos vemos en el piso, machote.»

Le dejo en presencia de la corte de probables víctimas de

1. Diminutivo de Princes Street, la avenida principal de Edimburgo. (*N. del T.*)

cáncer de pulmón, cirrosis hepática, asfixia provocada por inhalación de vómitos debida al consumo de alcohol, fuegos de sartén y puñaladas domésticas que habita el Red Lion de Greenford, Middlesex.

Vuelvo a casa y trato de quedarme a leer un rato, pero me zumba la cabeza y no puedo concentrarme, ni siquiera en la historia de Marilyn Monroe.

Cuando voy a casa de Nazneem y adelanto la proposición, me rechaza. «Yo no tengo relaciones sexuales con gente así», dice. «Me gustas como amigo, eso es todo.» Se ríe un poco y después me pasa el porro. La habitación de Nazneem huele a fresco y a plantas, los colores son de tono pastel y femeninos. Me entran ganas de quedarme aquí para siempre.

Le doy una calada al porro. «Vale pues, ¿qué tal si nos cambiamos los queos? Yo me quedo aquí y tú te coges mi habitación, allí enfrente, con Simmy y Cliff.»

Esta segunda proposición tiene para ella, en todo caso, menos atractivo aún que la primera.

«No, no creo que me interese», sonríe. Entonces me mira fijamente y dice: «No eres feliz contigo mismo, ¿verdad?»

Me sacude directo al pecho. Siempre pensé que lo era. Aunque quizá no. «No lo sé. ¿Quién lo es?»

«Yo lo soy», dijo ella. «Me gustan mis amigos, me gusta mi trabajo, me gusta donde vivo, me gusta la gente con la que vivo.»

«No, hace falta estar enamorado para ser feliz. Yo no estoy enamorado», le cuento.

«No sé si eso es cierto», dice ella. A continuación: «Eres un poco

NONONONONONONONONONONONONONONONONONONONOOOOOOOOOO

Mi cerebro hace involuntarios ruidos de eco que retumban en mis oídos, y ahogan sus palabras.

«Perdona, ¿un poco qué?», pregunto.

«Sabelotodo. Crees que tienes todas las respuestas.»

Un sabelotodo. Una manera pija de decir listillo.

Estuvimos charlando toda la tarde y me fui al Ministry of Sound con ella y algunos de sus amigos. Es una noche agradable, buen rollo, buena música, buen éxtasis, gente maja. Al día siguiente nos quedamos sentados y enfriándonos.[1] Rezo para que Simmy sufra un accidente de tráfico. Ese mismo domingo por la noche más tarde decido dar la cara. Cruzo la calle.

«¿Dónde has andado, machote? ¿Es que nuestra compañía no es lo bastante buena para ti? No conseguirás nada olisqueando alrededor de esa zorrilla *wog*, es un consejo gratis.»

Le saqué más partido a ella en unas pocas horas que a él en dos meses. Justamente cuando piensas que la cosa está jodida del todo, aparece alguien como Nazneem y te parece que después de todo el mundo no está tan mal. En cuanto a Simmy, ¿qué hacía yo respirando el mismo aire rancio que ese gilipollas?

Era hora de volver a la carretera. El lunes me compré un billete de ida para Edimburgo. El martes lo empleé. De todas formas ya faltaba poco para las Navidades. Probablemente volviese después de Año Nuevo. Probablemente.

1. En la subcultura *acid house/rave, chill out* («enfriarse») es lo que se hace después de estar bailando durante horas; en los clubs de fiestas con drogas hay áreas habilitadas a tal efecto. (*N. del T.*)

6. NAVIDADES CON EL CIEGO CABRÓN

Nuestra antipatía por el Ciego Cabrón se cocía desde que me alcanza la memoria, pero empezó a hervir del todo una vez que rompimos el tabú compartido de reconocerlo abiertamente. El tabú era bastante poderoso. Después de todo, se supone que uno ha de apreciar, y conceder quizá mayor licencia social a alguien afectado por una discapacidad tan terrible. El destino es cruel con algunos; y se espera que, como seres humanos, compensemos. La naturaleza arbitraria de esta discapacidad es impresionante; prevalece la actitud del ése podría ser yo a Dios gracias que no. O debería.

Semejante actitud, sin embargo, está gobernada por el fariseísmo y el miedo. Por el fariseísmo en tanto que los videntes pueden aparentar superioridad y benevolencia, o ser aún más respetables porque arman un gran revuelo tratando a la gente como el Ciego Cabrón exactamente de la misma manera como tratan a todos los demás. El miedo también juega un papel en todo ello: además del temor primitivo a ser abatidos por una fuerza omnímoda si no somos buenos, hay otro más sofisticado. Establece que contribuimos a definir lo que constituye un comportamiento aceptable hacia individuos que se hallan en tales circunstancias, y en caso de que un destino semejante nos acaeciese, esperaríamos un trato decente.

No obstante, ser ciego no te convierte en buena persona. Puedes ser exactamente igual de cabrón que cualquier hijoputa vidente. A veces más aún. Como el Ciego Cabrón.

Íbamos por la cuarta pinta en Sandy Bell's cuando rompimos el tabú. Estábamos poniendo a parir a gente que no nos

225

gustaba y finalmente Roxy tomó aliento y me echó una mirada encendida por encima de la montura plateada de sus gafas. «Y un cabrón al que no aguanto, joder: ese capullo de ciego que va al Spider's. ¡No me digáis que no es un puto dolor!»

Me atraganté con mi cerveza. Me sobrecogió brevemente un escalofrío, que dejó paso rápidamente a una gloriosa sensación de alivio. Ciego Cabrón. «Ese cabrón me toca los putos huevos de verdad», asentí.

El viernes siguiente por la noche yo, Roxy y The PATH estábamos en el piso de Sidney fumando unos mais. Hacía una noche de lo más hijoputa; calles heladas, tormentosas tempestades que habían causado muchos daños, y ventiscas esporádicas. Una noche como para quedarse en casa; pero puesto que era viernes, aquello era sencillamente imposible. Después de terminar la petada, nos enfrentamos a los elementos y bregamos por Morrison Street hasta llegar al pub.

«¡Puto Bertie Auld!»,[1] dijo The PATH, mientras entrábamos en el garito tambaleándonos, sacudiéndonos la nieve de la ropa y las botas.

«Joder, tío, brutal», asintió Sidney.

Big Ally Moncrief estaba en la barra, haciendo el crucigrama del *Evening News*. Me dirigí hacia él, pero entonces vi la cara retorcida del Ciego Cabrón asomando por detrás de aquel capullo enorme. Me detuve en seco cuando oí el tono chillón, agudo y cortante del Ciego Cabrón:

«¡RECTIFICACIÓN! ¡HEART OF MIDLOTHIAN FOOTBALL CLUB PLC, COMO SE LES DENOMINA OFICIALMENTE EN EL REGISTRO DE SOCIEDADES!»

Bobby, detrás de la barra, miró al Ciego Cabrón como si quisiera partirle la boca. Big Moncrief sonrió tolerante, y entonces se fijó en nosotros. «¡Chavales! ¿Qué tomáis?»

De modo que fuimos así absorbidos por la compañía de Ally Moncrief y, puesto que el Ciego Cabrón había estado disfrutando del patrocinio del enorme capullo, la de la mismísima vagina visualmente impedida en persona.

Tuvimos que soportar los pedantes comentarios del Ciego Cabrón durante la mayor parte de la noche. Ni a Sidney ni a

---

1. Argot rimado: «Bertie Auld» por *cauld* («frío»). (*N. del T.*)

The PATH les molestó, los dos estaban totalmente ciegos, pero Roxy y yo habíamos amasado un buen caudal de odio y asco por el muy hijoputa la otra noche en Sandy Bell's, y él lo estaba reactivando rápidamente.

El punto culminante fue cuando The PATH, Roxy y Big Moncrief se pusieron a discutir sobre un programa *revival* de los setenta que habían dado por televisión recientemente.

«El clip clásico, sin embargo», se extasiaba Roxy, «es ese de Roxy Music del Whistle Test.»

A esto le siguieron unos gestos de cabeza en señal de acuerdo, pero yo pensé: Bueno, es lógico que Roxy diga eso, siendo como es un fanático de Roxy Music.

«¡RECTIFICACIÓN!» salta el Ciego Cabrón. «THE OLD GREY WHISTLE TEST, PARA SER EXACTOS», pinchando el aire con un dedo pedante.

Después de aquello, Roxy y yo abandonamos su compañía, poniendo la excusa de que queríamos hablar con Keith Falconer, que estaba sentado en la otra punta de la barra. Nos sentamos a cascar con Keith durante una hora más o menos. Cuando hizo señal de marcharse, hablamos con un par de tíos que no conocíamos; era mejor que volver donde los demás.

Después de un rato, The PATH nos dijo adiós y cerró los ojos mientras él y Sidney salían tambaleándose delante de nosotros, en dirección a la nieve. Había sonado el último aviso. Más tarde Big Moncrief, evidentemente borracho, se escabulló, callado y estoico, entre la ventisca. El Ciego Cabrón se había quedado solo en la barra. «Ese Ciego Cabrón», dijo Roxy, señalándole al otro extremo de la barra, «¿has visto el tamaño del fajo que llevaba? No me digas que no iba forrado.»

«Nah.»

Me miró con ojos traicioneros. «Pero es como para pensarlo.»

Conseguimos sacarles otra cerveza antes de enfrentarnos a la tormenta. Era horrible, la nieve me sacudía con fuerza, la cara entumecida y palpitante, la cabeza me zumbaba. Era imposible ver nada a unos pocos pasos. Sin embargo, pudimos distinguir una lenta silueta caminando despacio, sujeta a las verjas negras.

«¡Allí está el Ciego Cabrón!», gritó Roxy.

En ese momento, una teja se desprendió del tejado de una casa, estrellándose a unos pocos pasos delante de nosotros. «¡Hostia puta!», boqueó Roxy, «¡nos podría haber arrancado la cabeza!» Entonces me agarró, los ojos iluminados por lo que se le acababa de ocurrir. Cogió la teja y aceleró calle abajo. Deteniéndose a escasos metros detrás del Ciego Cabrón, tiró la teja como si fuera un disco de lanzamiento. Ésta pasó rozándole la oreja, pero con el follón que armaba la nevada y el vendaval, el Ciego Cabrón ni oyó ni, por supuesto, vio nada.

«¡Ya le daré yo ¡RECTIFICACIÓN! a ese cabrón!», gruñó Roxy. Cogió otra teja caída en la nieve y salió corriendo detrás del Ciego Cabrón. A dos manos y con mucha fuerza, se la estrelló contra la cabeza. El Ciego Cabrón se tambaleó hacia delante y cayó de bruces. Roxy le sacó la cartera del bolsillo del abrigo como un rayo. Yo le eché un montón de nieve en la cara de una patada, sólo por maldad, y nos marchamos en silencio, dando botes alegremente por el pasadizo subterráneo que conduce a Fountainbridge mientras Roxy extraía los billetes de la cartera del Ciego Cabrón, arrojando el billetero vacío por encima de la tapia del cementerio. Cogimos el autobús número 1 que daba tumbos para llegar a Tollcross, donde entramos al Tipplers a tomarnos la última.

El Ciego Cabrón no llevaba, en efecto, mal fajo. «Pasta para las compras de Navidad, seguro», dijo con júbilo Roxy. «¡No me digas que no está de coña! ¡Doscientas libras!

«¡RECTIFICACIÓN!», solté yo. «Doscientas diecisiete libras con treinta y cuatro peniques, para ser exactos.»

Roxy estaba por ir a medias, pero yo me di por satisfecho con ochenta papeles, puesto que él había corrido todos los riesgos, los que fueran.

Al día siguiente volvimos al mismo pub para tomarnos una copa a la hora del almuerzo. Enseguida se unió a nosotros Big Moncrief. «¿Habéis oído lo de anoche?»

«No», dijimos a coro.

«¿Conocéis a, cómo se llama, el chico ciego y tal? ¿El chaval con el que nos tomamos una ayer por la noche en la barra?»

«Sí», dijo Roxy con fingida inquietud.

«Murió anoche; hemorragia cerebral. El pobre cabrón murió en medio de la nieve en Dalry Road. Los quitanieves del ayuntamiento lo encontraron anoche.»

«¡Hostia puta! ¡Y estuvimos con él anoche!», dijo Roxy.

Yo estaba demasiado conmocionado para admirar su desfachatez.

«Una puta pena», gruñó Big Moncrief, «un tipo inofensivo, además. ¿Sabéis una cosa? Algún cabrón miserable le levantó la cartera. El pobre cabrón está tirado en la nieve muriéndose. ¿Llamaron a una ambulancia? ¡Y una mierda! Algún cabrón pasa por ahí y sólo dice: Oye, oye, ¿esto qué es? En vez de llamar a una ambulancia, el cabrón le registra los bolsillos y le levanta la cartera. La encontraron vacía en el cementerio.»

«Joder, eso es horrible», dijo Roxy sacudiendo la cabeza. «Espero que encuentren al cabrón que lo hizo.»

«Mira, como yo le ponga las manos encima...», rezongó Moncrief.

«Pero qué mal rollo», dije yo tímidamente, antes de cambiar de tema. «¿Qué queréis tomar?»

Pobre Ciego Cabrón. No era mal elemento de todas maneras. Ojalá pudiera recordar su nombre pero.

7. GELATINAS Y MAMADAS

Se notaba que el chaval desconfiaba cuando dijo: Tengo que ver a un hombre con un paquete envuelto en papel marrón. Se notaba que el chaval pensaba que yo pensaba que él desconfiaba. Se notaba que disfrutaba con el hecho de que yo pensara que desconfiaba. El problema es que yo pensaba que desconfiaba no porque, como él pensaba, yo le viese como a una especie de gran traficante sórdido y toda esa mierda; yo pensaba que él desconfiaba porque pensaba que era un gilipollas.

Paquete envuelto en papel marrón; y mi culo un futbolín. De qué va.

Quizá Ronnie también habría pensado que el tío era un gilipollas de no haber estado tan ocupado, como en el dicho, mirando las avutardas. Tenía las pupilas como cabezas de alfiler a pesar de que sobre ellas colgaban con holgura unos párpados abolsados, pesados. La pinta de ponzoña que descansaba intacta ante él estaba perdiendo su frescura y efervescencia, tomando el aspecto del pis rancio que era en realidad. Ahora ya no la tocaría.

Yo seguía con mi triunfal boicot a los productos de Scottish & Newcastle Brewers, dándole un lingotazo tras otro a mi Becks. Este boicot, que traté inútilmente de mantener a lo largo de varios años, lo estimulaba ahora la anquilosada mediocridad de los productos S&N; se habían estancado frente a la competencia.

Levanté cansinamente una mano en señal de reconocimiento mientras el gilipollas se marchaba; sin duda, a gestionar el primer cuarto de hachís de Edimburgo jamás envuelto en un paquete de papel marrón. Mientras decía: «Chao, chavales», Ronnie logró hacer algo indeterminado con los ojos y los labios.

«¿De gelatinas, Ron?», le pregunté.

Por toda respuesta, Ron descansó la cabeza sobre la mano, con el codo apoyado sobre la mesa, y dejó que sus labios se plegaran levemente.

Miré otra vez la pinta que tenía delante de él; los traficantes no tenían auténtica competencia en el sector de las drogas legales. Me fastidiaba más que nunca el hecho de que S&N hubiese logrado zafarse de aquella oferta de absorción que le hicieron unos elementos australianos. Recuerdo que la describieron como una OPA hostil. ¿Hostil para quién? Para mí no, desde luego. Seguro que ninguna otra raza del mundo se conformaba con unas drogas tan mierdosas.

Meto a Ronnie en un taxi, ligeramente resentido porque nos hemos perdido una hora de la mal llamada hora feliz,[1] que no es ni una cosa ni otra: algo así como la puta mayoría moral. Su duración era de cinco a ocho un día entre semana en una tasca pretenciosa donde vendían tóxicos químicos a precios simplemente abusivos en vez de criminales. Viendo a los clientes luchar por las atenciones de los camareros, la felicidad era la última de las emociones a la vista. Deberían rebautizarla como la hora de los desesperados.

Ronnie se dejó caer pesadamente dentro del taxi, golpeando fuertemente con la cara la ventana lateral. «Stockbridge, colega», le grito al conductor, cavilando que lo que Ronnie padecía era un desequilibrio químico y que lo que le hacía falta era algo de anfetamina para recuperar cierto grado de equilibrio.

Cuando llegamos al piso de Veitchy, Denise y Penman están allí. Van todos bastante puestos, después de haber esnifado coca. A Ronnie le pueden dar por culo. Ni de coña nos plantearíamos desperdiciar algo de coca con él. Tendría que dormirla hasta el final de la movida. Veitchy me ayuda a ponerle

---

1. *Happy hour*: estratagema de venta de algunos pubs, consistente en vender alcohol a precios inferiores, generalmente coincidiendo con el término de la jornada laboral. (*N. del T.*)

en el sofá, y se queda inconsciente sin más. Denise frunce los labios: «Vaya, vaya, vaya, Brian nos ha traído un trofeo. ¿Es Ronnie un trofeo, Brian, nuestro pequeño trofeo?»

«Sí, eso es», digo yo, mirando a Penman. Me hace una raya y me abalanzo encima como si fuera un chocho que mease Becks. De repente, todo va mejor.

«¿Qué tenemos aquí?» Denise le ha desabrochado la cremallera a Ronnie y sacado su fláccida polla. Resulta bastante repulsiva, rebotando en sus muslos como un muñeco de resorte roto.

Veitchy se ríe estrepitosamente: «Ja ja ja ja ja ja pobre Ronnie ja ja ja ja, es increíble. Denise vaya cabrón estás hecho ja ja ja ja.»

«Ésta sí que es de tamaño familiar», dice Denise poniendo morritos y guiñando el ojo con descaro, «pero aún será mayor empalmada. A ver si puedo insuflarle algo de vidilla al viejo Ronnie.»

Empieza a chuparle la polla a Ronnie. Veitchy y yo escrutamos la cara de Ron buscando señales de agradecimiento, de gozo, pero para mí que sigue muerto. Entonces Veitchy saca un rotulador y le dibuja en el careto unas gafas y un bigote a lo Hitler.

«Hostia puta», digo volviéndome hacia Penman, «y yo arrastrando a este capullo hasta un taxi y trayéndolo aquí para cuidarle. No puedo dejar al cabrón en el pub en ese estado, pensé yo. Le llevaré a casa de Veitchy, allí estará bien.»

«Sí, típico de esos cabrones», bufa Penman, y se saca un moco de la nariz. Como ve que lleva pegada mucha coca, se lo come. «Por cierto, ¿qué vida llevas últimamente?», me pregunta.

«Una vida de mierda», le digo. «Pero es curioso, tío, voy a echar de menos los parques este verano, ¿sabes? No tendría que haber quemado mis naves. Me daba tiempo para escribir canciones, para el grupo y eso, ¿sabes?»

Algunos de nosotros habíamos pensado en empezar a formar un grupo. Eso era lo que me iba a mí; estar en un grupo.

«Bueno, yo me voy a apuntar para las basuras este verano. ¿Te interesa? El Departamento de Limpiezas, ¿sabes?»

«Sí, a lo mejor», dije yo. Suena demasiado a trabajo, demasiada gente por ahí. No habrá tiempo suficiente para pensar, para comunicarte contigo mismo, para disfrutar de la soledad. No es como los parques.

No parece que a Denise le vaya muy bien con la polla de Ronnie. Sigue igual de sedada que el resto de su cuerpo, pero Veitchy ha sacado la polaroid y les está haciendo fotos.

«Primero unas palabritas cariñosas, Denise, susúrrale al cabrón dulzuras al oído», le recomienda Penman.

Denise frunce los labios y dice: «Eh, Penman, ya sabes que eso lo guardo para ti. ¿Te crees que soy una guarra o qué?»

Penman sonríe, se levanta y me indica que salga por la puerta. Vamos al dormitorio. Se inclina sobre una cómoda y saca una caja, a la que quita el cierre. Contiene una bolsa de plástico llena de pastillas.

«¿Éxtasis?», pregunto.

«Snowballs», asiente, con una sonrisa. «¿Cuántas podrías colocarme por ahí?»

«Cuarenta sin problema. El caso es que ahora mismo no tengo pasta.»

«No importa», dice, contándolas y metiéndolas en una bolsa más pequeña. «Me la das cuando tengas. Sólo quiero diez libras por cada una. Podrás venderlas a quince fácilmente, dieciocho si las guardas hasta la semana antes de lo del Rezurrection. Después haremos cuentas. A Veitchy le pone nervioso la cantidad que tengo aquí.»

«Una pregunta, Penman. ¿Cómo es que siempre las escondes en el queo de Veitchy?»

«Veitchy es un puto julandrón; es el único cabrón que me deja hacerlo. No voy a guardarlas en casa, ¿verdad que no?»

Eso parecía bastante lógico.

Pocos minutos después, los emocionados gritos de Denise llegan hasta el dormitorio. «¡BRI-AN! ¡PEEN-MAN!»

Regreso al cuarto de estar y veo a Denise y a Veitchy subidos a horcajadas sobre el respaldo del sofá, mirándose el uno al otro. Tienen las pollas sacadas, ambas en erección. Ronnie sigue tumbado inconsciente, con la cabeza descansando en el respaldo del sofá. Denise y Veitchy le hurgan las orejas con sus erecciones.

«La cámara», bufa Denise, «¡haznos una foto!»

«Esto será un clásico, joder, ja, ja, ja», se carcajea Veitchy.

Cojo la cámara y tomo posición. «¿Dónde está el puto botón?», pregunto.

«Arriba», chilla excitado Denise, «¡aprieta el puto botón negro de arriba! ¡Que tienes los dedos en el objetivo, so primo!»

Saco un par de fotos que salen bien. Realmente captan la personalidad de los tres elementos involucrados. Seguro que de eso se trata en el retrato fotográfico.

Nos pasamos las fotos y nos reímos un rato, y entonces va Denise y dice: «Necesito más coca. ¿Queda algo de puta coca?»

Veitchy dice: «Nah, tío, ya se ha acabado.»

«Pues no me vendría mal tomar un poco más, Veitchy», dice Penman. Penman y yo nos hemos metido medio éxtasis cada uno, pero algo más de coca vendría de perlas.

«Supongo que podría llegarme hasta casa de Andy Lawton en el buga», asintió Veitchy.

Eso sonaba bien. Le dimos algo de metálico a Veitchy y nos dejó en el piso.

Después de un rato empecé a aburrirme de ver la tele. «¿Hay alguna puta cerveza en este cuchitril?», pregunté.

«Acabas de meterte medio éxtasis. ¿Todavía no te ha subido?»

No me pegaba una puta mierda el éxtasis. Sin embargo hice como que sí; es fundamental pensar positivamente en ocasiones como ésa. «Sí, me ha entrado bien, pero es un poco suave, por eso. Pon algo de tecno. Quita esta mierda de tele; acaba con el puto arte de conversar.»

Nos abalanzamos sobre la colección de discos y cintas de Veitchy. Jamás había visto tanta mierda.

«Esto es una puta mierda. Habría que arreglarle la cara al cabrón por tener mierda como ésta. Joder, nada de *house*, tío», gemía Penman.

«Algunas cosas no están mal», opinó Denise.

«Este cabrón se quedó en la mierda disco de los ochenta», dijo Penman con amargura. «Ese cabrón es un tontolculo, siempre lo ha sido y siempre lo será, joder.»

«Venga, Penman», dije yo, «deja de meterte con él. Es su hospitalidad la que estamos disfrutando.»

«Eso, Penman, a veces eres tan malababa», dijo Denise, besándole suavemente en la mejilla, «pero también tienes tu lado malo.»

«Pues yo me voy a buscar una cerveza», dije yo. Nada más decirlo, me dio el subidón. Vaya un puto desperdicio, que me dé el subidón aquí cuando podría estar en un club.

«No tomes alcohol con el éxtasis», dice Denise. «No se puede beber si has tomado éxtasis», dice con remilgos de sabidillo, «anula todos los efectos.»

«Eso es un mito», digo yo.

«Eh, ¡escúchate, Brian! Te acuerdas de aquella vez en The Pure que me dijiste: Estás loco privando, la priva y el éxtasis no son buenos compañeros, vas a provocarte un bajón», me reprende Denise.

«Ya, pero eso es cuando quieres bailar. La deshidratación y eso. Si lo que quieres es apalancarte, en realidad no importa. Además, llevo casi todo el día pegándole a la Becks.»

«Yo no pienso volver a tocar la priva, por lo menos durante unos siglos. Y tampoco voy a tomar nada de éxtasis hasta que sepa cómo está el tema coca. Se debe escoger una droga nada más y serle fiel. Ésa es la lección que he aprendido yo. La semana pesada iba por el centro con un pedo que te cagas. Me había tomado ocho Becks y seis Diamond Whites. Un capullo va y me da un secante. Luego había un desgraciao dándome la tabarra en The Pelican así que me di la vuelta y le dije: ¡Joder, tío, no me jodas, que te inflo el coño a patadas! De todas formas me puse paranoico total, así que acabé en el City Cafe.[1] ¿Conoces a la periquita esa que va de "siniestra", una tía bastante rancia?»

«¿La que iba con la Moira esa?», pregunté.

«Creo que sí.»

«Moira. Te la tiraste, ¿no?», preguntó Penman.

«Sí, en el meadero de tías en el Ceilidh House», le dije.

«De todos modos», cortó Denise bruscamente, irritado por nuestras interrupciones y digresiones, «la periquita iba en plan *fag-hag*[2] total conmigo. La acompañé a su casa, me dice que

1. Local situado en Blair St., junto a la Milla Real, y punto de encuentro de la «modernidad» local. (*N. del T.*)

2. Literalmente «bruja de maricones»; se denomina así a las mujeres que se rodean de homosexuales masculinos, a veces con la intención de «convertirlos» a la heterosexualidad. (*N. del T.*)

tiene algo de maría. Entonces empieza a preguntarme por mi sexualidad, sabes, todo eso de qué te parecería darte una vuelta por el otro lado, toda esa mierda presuntuosa con la que salen las *fag-hags*, tío, ¿sabes? Quiero decir, ¡como si nunca me hubiese follado antes a una tía! ¡Zorrilla estúpida!»

«¿Te la hiciste?», preguntó Penman.

«Espera, espera un momento», corté yo. Odiaba interrumpir a Denise cuando estaba lanzado, pero había algo en aquel relato que me molestaba. Necesitaba que me aclarara algo. «A ver si te entiendo. Estamos hablando de una tía que anda por ahí con Moira y Tricia. Olly, o algún nombre gilipollas por el estilo, ¿no es eso?»

«¡Ésa es!», dice Denise.

«¿Que lleva unos pendientes con la hoz y el martillo? ¿Con una especie de cuelgue estalinista?»

«Ésa es, ya lo creo», dice Denise. «Así que me la estoy follando y tal, por el coño, además», dice, levantándose y dando un teatral golpe de caderas. «No se quitó aquellos guantes negros largos, como una putilla boba, y venga a decir: AY, ES ESTU-PENDO... ES MAGIA... FÓLLAME MÁS FUERTE, y todo eso. Entonces ella se corre y yo empiezo a pensar en Hutchie, el de Chapps, un cachas que te cagas al que llevo siglos tirándole los tejos, y yo también me corro. Entonces la puta boba esa se da la vuelta y me dice: No me digas que no ha estado guay, toda engreída. ¡Como esperando que tirara el tubo de vaselina a la basura y saliera corriendo al St James Centre a buscar un puto anillo de compromiso! Bueno, pues tuve que aclararle las cosas; le dije que ni siquiera había estado a la altura de una mala paja, que con ella tenía que usar más la imaginación, hacer como que me estaba follando algo que merecía la pena. Se queda totalmente hecha polvo y me dice que me vaya. Yo sólo le dije: No te preocupes, mona, que ya me voy.»

Era una historia preocupante. Recuerdo que esa tía me eliminó. Creo que fue en el City Cafe, pero puede que fuese en Wilkie House. La vi unas cuantas veces en 9Cs, incluso una vez en The Pure. Mientras sonreía a Denise, me recorrió el cuerpo un temblor fantasmal por el rechazo de aquella mujer que hizo que se me derrumbara el frágil dique de la autoestima, del que rara vez son conscientes nuestros colegas. No obstante, moderé aquella sensación con la idea de su humillación a manos de Denise. Me sentí deliciosamente rehabilitado, y después vagamente culpable. En eso consiste estar vivo, todos esos sentimientos chungos. Los necesitas; cuando dejas de tenerlos, ojo.

Dios, qué aburrida era la puta tele, y sólo había dos latas de pis McEwan's en la nevera. No podía forzarme a mirar aquella mierda. «¿Dónde está el jodido Veitchy?», maldije, sin dirigirme a nadie en particular. El canciller Norman Lamont apareció en pantalla.

«Me gustaría matar a ese cabrón, si no estuviera muerto ya», refunfuñó Denise.

Sentí otro subidón de éxtasis y me levanté y me puse a bailar allí mismo. No pude seguir mucho rato, no había ni un puto estímulo. Me apetecía meterme otro y encaminarme al Citrus o al 9Cs. «Ese cabrón», dije, apuntando con el dedo a Ronnie, que seguía dormitando con la polla fláccida colgándole de los calzones como una especie de serpiente surrealista muerta, «de qué va: es un puto lastre. Lo llevas a cuestas, ¡y no hace más que quedarse sobao en todas partes!»

En un arrebato de cólera saqué a Ronnie del sofá y lo eché al suelo. Me inspiró una oleada de asco, con aquellas estúpidas gafas y el bigote. «Está igual de bien en el suelo, y nos podremos meter un chute de sofá. Está demasiado follao para notar la diferencia.»

Nos sentamos los tres en el sofá, usando a Ronnie como reposapiés. Estaba totalmente fuera de este mundo. Seguíamos aburridos, así que me levanté, traje algo de harina de la cocina y se la eché por encima a Ronnie. Me atraganté con un breve *flashback* triposo del Ciego Cabrón tumbado en la nieve.

«Ey», dijo Penman riéndose a carcajadas, partiéndose el culo de risa, «a ver si tenemos cuidado con la alfombra de Veitchy.»

«Sólo es harina», dije, pero Denise había ido a la cocina y vuelto con unos huevos y empezó a romperlos sobre el cuerpo postrado de Ronnie.

Ésa fue la señal para enloquecer, presa de una histeria colectiva. Fuimos a la cocina y miramos lo que había. A continuación cubrimos sistemáticamente a Ronnie con todo tipo de alimentos y productos de limpieza de los que pudimos echar mano.

Cuando terminamos estaba cubierto por un horrible fango blanco grisáceo en su mayor parte, coloreado en algunas partes por judías de color naranja, yemas de huevo amarillas y líquido de fregar verde. Penman volvió de la cocina con una bolsa de basura y vació el contenido sobre él. Yo le volqué encima un par de ceniceros. El fango se le escurría y empapaba la fea alfombra roja. Aun así Ronnie no se despertaba. Entonces Denise se le cagó en la cara; un enorme, humeante y húmedo zurullo. Para entonces yo temía por mi propia salud. Tenía convulsiones, un dolor abrumador en el costado provocado por demasiadas risas, y Penman casi pierde el conocimiento después de un ataque de carcajadas.

Hicimos más fotos. Yo me había puesto malo, cosa fácil en vista de la guarrada que habíamos organizado y lo que había bebido, y vomité sobre la cara irreconocible y el pecho de Ronnie. Parecía un montículo de fango bacteriano procedente de un pozo séptico; un pegote de vertidos tóxicos; un derrame de un basurero municipal.

Nos reímos hasta más no poder y la adrenalina nos bajó simultáneamente mientras examinábamos la porquería.

«Hostia puta», dije. «Cómo somos. ¡Pero qué locos estamos!»

«Veitchy va a coger un cabreo con nosotros que no veas. Su alfombra se ha ido a tomar por culo», suelta Denise.

Penman parecía un poco acojonado. «Ronnie también. Ron es bastante mangui. Llevaba una navaja aquella vez en el Burnt Post. No se sabe lo que hará un capullo que lleva una sirla cuando va hasta el culo de gelatinas.»

Eso era cierto. «Vámonos a tomar por culo de aquí», sugerí. «Les dejamos un dinero a Veitchy y Ron. Para que limpien.»

Nadie dio argumentos demasiado sólidos en favor de quedarse a dar la cara. Salimos pitando y nos fuimos hacia Tollcross en taxi. Nos pusimos muy borrachos, pero seguíamos pensando en probar suerte y tratar de entrar en el Citrus Club, cuando Veitchy entró en el pub. Para sorpresa nuestra, se lo tomó bien, al parecer mejor que Ronnie.

Veitchy parecía realmente alucinado, en el sentido de asombrado, por todo el asunto. «Nunca en la vida he visto a nadie con semejante aspecto. Era de locura, joder. Me he quedado acojonado cuando he entrado y he encendido la luz. He echado periódicos viejos por el suelo por todo el camino hasta el cuarto de baño. Ha sido un pasote de cutre cuando Ronnie se ha despertado. Sólo gritaba: ¡PUÑETEROS HIJOS DE PUTA! ¡PUTOS CABRONES! ¡ALGÚN VIVALES MORIRÁ POR ESTO! Después va dejando un rastro hasta la ducha, y se mete debajo, completamente vestido y tal, y se riega. Después sale totalmente empapado y dice: Me voy a casa.

Miré a Denise y Penman. A veces los colegas son la última gente del mundo de la que te puedes fiar.

«¿Has pillado algo de coca?», le pregunta Denise a Veitchy.

«Nah, sólo éstas», dijo mostrándonos unas cápsulas.

«¿Éxtasis?», pregunta Penman. «Yo no quiero éxtasis. Tengo mogollón de putos éxtasis, tío.»

«Nah, es ketamina. Special-Ks y tal. ¿Sabes?»

«Yo no pienso tocarlas», dijo Denise estremeciéndose.

Penman me mira. «Yo estoy por la labor.»

«Ya puestos», asiento yo, «por ver qué pasa y tal.»

Nos tragamos una cada uno, salvo Denise, pero al cabo de unos minutos le suplica a Veitchy que también le pase una a él. Empiezo a encontrarme pesado y cansado. Todos decimos chorradas.

Lo siguiente que recuerdo es estar bailando solo en los Meadows un domingo a las cinco de la mañana.

8. PARANOIA

Estoy pensando en mi vida y eso siempre es muy, muy estúpido. La razón es que pensar en algunas cosas es insoportable, hay cosas que si las piensas te dejan más hecho polvo todavía.

Oigo a mi viejo gritándome: «¡BRIAN! ¡ARRIBA! ¡VENGA! ¡MUÉVETE!»

«Sí, ya voy.» Es inútil discutir. Hoy tengo que ir a fichar al paro. Una vez que el viejo decide que debería estar levantado, no para.

Me levanto fatigosamente. Derek está en su cama, desperezándose.

«¿Hoy no trabajas?», le pregunto.

«Nah. Tengo el día libre.»

Derek no se lo está montando mal. Tiene previsto presentarse a los exámenes de oficial ejecutivo del Cuerpo de Funcionarios del Estado, o quizá ya lo haya hecho. No lo sé. Los detalles de las triviales actividades de las clases laboriosas nunca han tenido demasiado atractivo para los señoritos ociosos.

«¿Te acuerdas de mamá, Deek?» No puedo creer que acabe de preguntarle eso.

«Sí, claro que sí.»

«Sólo tenías seis años cuando se largó.»

«Pero me sigo acordando de ella y tal.»

«Ah..., quiero decir que como hace tanto tiempo que no hablabas de ello..., supongo que quería decir que no hablábamos de ello», dije yo.

«No hay mucho que decir al respecto», bufó, «ella se fue, nosotros nos quedamos.»

No me gustaba aquella actitud de *c'est la vie*, y me pregunté si intentaría ocultar algo, y, después, qué podría ser. Supongo que era sólo que Deek era un poco duro de mollera. Pero probablemente aprobaría el examen de oficial ejecutivo del Cuerpo de Funcionarios del Estado.

Abajo el viejo había hecho un plato de tostadas y algo de té. «Vaya puñetero estado en el que llegaste otra vez anoche», dice con amargura.

De hecho, no iba en ningún estado. Iba un poquito pedo. Roxy, Sidney y yo habíamos forzado la puerta de una tienda de *fish and chips* en Corstorphine y robado un montón de dulces y tabaco. Logramos que el cuñado de Rox, que tiene una camioneta de reparto de helados, nos hiciera de perista. Después nos emborrachamos un poco. No estaba en ningún estado, pues de ser así no habría vuelto a casa.

«Sólo fueron unas pintas», rezongué.

«Si quieres hacer algo útil, vente por el barrio conmigo y con Norma a recoger firmas para la propuesta.»

Cómo no se me habrá ocurrido a mí. Una idea genial. Sólo me crucificarían, eso es todo. Ya es bastante malo que pretenda que me maten con sus estúpidas actividades sin objeto, ahora quiere que sea yo mismo el que apriete el gatillo.

«Me encantaría, papá, quizá en otra ocasión, ¿vale? Es que hoy tengo la mierda esta de ir a fichar en el paro. Después tengo que ir a la oficina de empleo. ¿Qué tal va la campaña?»

«Fuimos a ver al puñetero consejero ese. Eso nunca ha sido un laborista. He votado a los laboristas toda mi vida, pero nunca más, te lo digo así de claro.»

Me fui andando hasta la ciudad. Está lejos que te cagas, pero detesto pagar el importe del transporte. Estoy pelado. El golpe del *chippie*[1] rindió dulces dividendos, tanto en sentido figurado como literalmente. Voy y ficho. Después me voy al queo de Sidney a fumar maría. Es curioso cómo tiendo a andar por ahí con gente distinta cuando estoy metido en movidas de drogas diferentes:

1. Diminutivo de *chip shop*, tienda de *fish and chips*. (*N. del T.*)

241

Alcohol:	The PATH, Roxy, Sidney, Big Moncrief
Drogas ilegales no opiáceas (speed, ácido, éxtasis, etc.):	Veitchy, Denise, Penman
Opiáceos:	Swanney, Raymie, Spud

Pero, sea cual sea la movida, siempre está Ronnie. Ese cabrón es mi penitencia por ser un..., por algún crimen cometido en una vida anterior.

Esa tarde, me encuentro con Penman, que está jodido por una movida que tuvo el fin de semana. Tiene los ojos legañosos y colorados. Nos metemos un ácido. Lunes por la tarde y nos metemos un micropunto. Son fuertes, además. «¿Sabes cuál es tu problema, tío?», me pregunta de un modo que me desconcierta.

«Eh», digo yo, «no sabía que tuviera un problema...»

«Acabas de ejemplificármelo, tío. Acabas de proporcionarme, como dirías tú, una demostración gráfica de lo que quería decir con lo que acabas de decir ahora mismo, ¿sabes?»

«¿Qué quieres decir?», pregunto, un poco picado.

«No te cabrees, colega. Hablamos entre colegas. Sólo te lo digo porque tú y yo nos conocemos desde hace mucho. ¿Vale?»

«Vale», asiento, lleno de inquietud. No duermo últimamente y siempre me pongo paranoico cuando no duermo. No son las drogas las que me ponen paranoico, es la falta de sueño lo que me pone paranoico. Las drogas sólo dificultan que pueda dormir, de forma que sólo son indirectamente responsables. Si pudiera hacerme con algo para poder dormir, joder...

«Esa mierda de "no sabía que tuviera un problema"», se mofa Penman. «Todos tenemos problemas. Todos los cabrones que hay en este bar tienen problemas.» Barre con el brazo el sórdido pub. Aquella afirmación no era fácil de refutar. «Todos los cabrones del mundo tienen problemas.»

«Éste no es el ejemplo más representativo...», digo yo, pero toma nota y me corta.

«Ya empiezas otra vez: "Éste no es el ejemplo más representativo"», se burla, empleando una voz más parecida a la de Denise que a la mía. «En serio te lo digo, colega, eres legal, pero eres demasiado listillo. La cuestión es que a todo el mundo le divierte un listillo en un momento u otro. El listillo hace una gracia, todo dios se desternilla de risa. Después el listillo le toca los huevos a la gente y al listillo le parten la boca. Así es como funciona.»

Me quedo pasmado en la silla.

«No es que diga que hayas cruzado ese límite y tal. Lo único que estoy diciendo es que algunos mendas pueden salirse con la suya más que otros.»

«¿Qué quieres decir?»

«Mira Denise, por ejemplo. Todos sabemos de qué va. Así que se sale con cosas que tú y yo no podríamos. Pero algún día irá demasiado lejos...»

Ahora sí que estaba paranoico de verdad. Penman nunca me había hablado así. «¿Algún cabrón te ha contado algo sobre mí?»

«Mira, colega, lo único que estoy diciendo es que empiezas a dar cierto cante», dice sorbiendo su cocacola y rodeándome el hombro con el brazo.

«No voy por ahí creyéndome mejor que los demás», alego.

«Mira, colega, no te lo tomes todo tan a pecho. Sólo estoy diciendo que ojo. ¿Vale?» Sacude la cabeza durante un rato, y después la deja caer entre las manos. «Oye, mira», jadea exasperado, «olvida lo que he dicho, no es más que el ácido.»

«No, mira tú, ¿qué es lo que pasa? ¿Quién te ha estado contando cosas?»

«Olvídalo.»

«No, venga, quiero saberlo. ¿Qué cojones pasa?»

«He dicho que lo olvides. Me estaba pasando, ¿vale?»

Hay una expresión de dureza en los ojos de Penman, así que me resulta cómodo someterme a su punto de vista. «Este puto ácido, tío...», comento.

«Sí, verdad...», asiente, pero hay en él cierta maldad, un punto inquietante. Tengo ganas de estallar en lágrimas y rogar: POR FAVOR, SÉ BUENO CONMIGO.

Penman me había dejado la cabeza hecha polvo. Penman y el ácido. Cuando me empezó a dar el bajón volví a casa del

243

viejo y subí a mi habitación. Me tumbé en la cama haciendo un balance de mi vida con una crueldad brutal y despreciándome. Sin trabajo, sin estudios salvo bachillerato de letras, sin lazos sentimentales ahora que ella se ha ido y desde luego no va a volver, colegas que solamente me toleran. Perspectivas bastante tétricas por todos lados, joder. Sí, poseía una cierta vivacidad y extroversión social, pero la fe en mí mismo que me había impulsado frente a todas las abrumadoras pruebas en sentido contrario se evaporaba ahora rápidamente. Penman había escrito mi epitafio: Un listillo. A nadie le gusta un listillo; un listillo que además es cómplice de asesinato tiene problemas muy serios.

Puede que sean las drogas, puede que sea el Ciego Cabrón, o puede que esté volviéndome loco, pero las cosas no van bien. Cuando subo a un autobús o entro en un pub, la gente deja de hablar al verme. En el autobús nadie se sienta a mi lado. Soy la última persona del mundo junto a la cual se sentaría alguien. ¿Será que huelo? Creo que sí huelo. Me huelo la ropa, los sobacos, la entrepierna. Me doy una ducha. ¿Soy feo? Me quedo mirándome al espejo durante siglos. Soy feo. No, peor aún, soy totalmente vulgar. Una cara completamente anodina; sin ningún carácter. Tengo que salir de aquí, así que me voy a casa de Roxy.

«El rollo ese del Ciego Cabrón me está jodiendo vivo, tío», le cuento. «Pero qué hecho polvo estoy.»

«Son las drogas las que te están dejando hecho polvo», se burló, «déjalas en paz y quédate tranqui, so tontolculo.»

«Puede que me baje a Londres una temporada. Este sitio me da grima. La gente va muy pasada por la calle, tío. Vas camino de casa y cualquier capullo podría llevar un cuchillo, totalmente ido de la cabeza con las gelatinas. Tu vida podría terminar tal que así, ya está. Un cabrón al que le dan los resultados de la clínica del sida: ha dado positivo. ¿Qué tiene que perder? Podría coger un coche y pasarte por encima sin más.»

«Mierda pura.»

«Fíjate en el Ciego Cabrón, si no. ¡A él le pasó! ¡Se lo hicimos nosotros! Podría sucedernos a nosotros. Debería sucedernos a nosotros. Sería lo justo y tal.»

Temblaba y me castañeteaban los dientes. Sentía un duro nudo de ansiedad en el centro de mi cuerpo que contagiaba escalofríos tóxicos a mis miembros.

«Eso es un montón de mierda. Vale, puede que fuera un poco pasada lo que le hicimos al Ciego Cabrón, pero esa cosa cerebral podría haber ocurrido en cualquier momento. Ese tipo de cosas son una bomba de relojería. Eso no nos convierte en asesinos ni nada de eso. El menda podría haberse levantado una mañana, bostezado un poco y ¡bingo! Adiós muy buenas. Sólo porque resulta que sucedió por casualidad cuando le di al cabrón no significa una puta mierda. Lo he leído todo acerca de la mierda esa de las hemorragias cerebrales en la biblioteca. Es una lástima para el Ciego Cabrón, pero eso no significa que tengamos que jodernos la vida. ¡No me digas que el Ciego Cabrón volverá a estar entre los vivos porque nosotros vayamos al maco, porque eso no es más que mierda!»

«Ya, pero...», empecé.

«Ahora escucha, Bri», me interrumpió, sacudiendo belicosamente la cabeza. «No llores más por el Ciego Cabrón. No me digas que no era un puto coñazo. Más pronto o más tarde, alguien le habría dado su merecido, así es como lo veo yo.»

«A lo mejor el Ciego Cabrón lo hubiera visto de forma un pelín diferente», repliqué, dándome cuenta de golpe de la fea ironía de lo que acababa de decir. El pobre cabrón. Me sentí fatal. Roxy no tuvo compasión.

«El Ciego Cabrón no veía una puta mierda, por eso le llamaban Ciego Cabrón», dijo, torciendo el gesto en una mueca cruel.

De nuevo necesitaba marcharme. Estaba rodeado de demonios y monstruos. Somos todos mala gente. No hay esperanza para el mundo. Me marché y caminé por la vía férrea abandonada llorando a moco tendido por la inutilidad de todo.

9. CIRUGÍA ESTÉTICA

Estoy sentado sujetándome la cara con las manos para que no se me caiga a trozos; o al menos eso me parece. Sé que hay gente a mi alrededor, sus escandalizados gritos de indignación me indican lo mal que está la cosa. Ya lo sé. La sangre se escurre entre mis dedos y va a parar al suelo de madera del pub en gotas continuas y uniformes.

Hobo y yo fuimos muy colegas en tiempos, hace ya unos años. No le gustó que me enganchara a él, suplicándole ayuda.

«Apártate de mi vista de una puta vez, Brian, ¡te lo advierto, tío!»

Me advirtió varias veces. Nunca me tomé a Hobo lo bastante en serio. Siempre pensé que iba un poco de pose, eso de andar por ahí con esos piraos. Pero en semejante compañía, no obstante, uno puede acabar convirtiéndose en un pirao. Tiene mucha más palabra de lo que creía. Que me demuestren que me equivocaba me duele casi tanto como la cara. Lo que más duele son mis células, mis células chungas desprovistas de jaco. Le he pegado fuerte al caballo esta semana. Las cosas se estaban poniendo demasiado feas; necesitaba borrarlo todo. Todo.

Bastó con un movimiento tajante del vaso. Un movimiento y aquí estoy sujetándome la cara, y Hobo grita a la defensiva qué puto agobio los yonquis, y se larga del bar mientras se acumula la ira colectiva:

«Vaya pasada...»

«El chaval no molestaba a nadie...»

Hobo se escabulle. No le guardo rencor, ni planeo vengarme. Aún no, en cualquier caso; tengo cosas más importantes que hacer. Necesito algo para sacudirme el mono febril este. Que Hobo se piense que estoy obsesionado con él, planeando mi venganza..., un justo castigo divino por lo del Ciego Cabrón, y si así es, he salido bien librado. Merezco sufrir...

Por qué se fue ella.

Se fue por el mismo motivo por el que te han rajado la cara con un vaso, tío, distintas manifestaciones del mismo motivo, a saber que eres un

Alguien me toca suavemente la cara con un pañuelo. «Será mejor llevarle al hospital, habrá que ponerle unos puntos.» Una voz de mujer. Veo al menos con un ojo. No como el pobre Cie... No

Un «siniestro» ángel de la caridad: cabello negro, ojos negros, rostro pálido..., podría ser cualquier vieja tipa del City Cafe...

Bajo la calle con ella y otros más, pero sólo reparo en ella, en mi cuerpo chungo y en el aire que me escuece en la cara. Dios, cómo me duele la herida ahora. «¿No es *weedjie* ese acento?», le pregunto a esa benévola diosa de la siniestrez.

La vi en su solapa. La chapa con la hoz y el martillo de una «siniestra» estalinista. La que me eliminó. La que intentó convertir a Denise.

«Soy de Ayrshire», dijo ella.

«Qué fue lo que dijo Burns[1] de Ayrshire: ninguna ciudad la supera en hombres honrados y mujeres bonitas...»

«Soy de Saltcoats, no de Ayr.»

«Saltcoats..., el Metro. Buen club. Pero, aparte de eso, no es un sitio que merezca mucho la pena, ¿verdad?»

«¿Ah, sí?¿Y tú de dónde eres, pues?»

«Muirhouse.»

«¡Ja! ¿Entonces quién eres tú para hablar?»

«Mira, la casa de mi viejo tiene una vista panorámica desde

1. Robert Burns (1759-1796). Poeta escocés, considerado como el «bardo nacional»; se conmemora la fecha de su nacimiento todos los 25 de enero (incluso en países tan alejados como Rusia) en los «Burns Suppers», cenas en las que se rinde homenaje a la vida y la obra del poeta, y en las que es comienzo obligado la presentación y consumo de *haggis* con nabos y puré de patata y, por supuesto, whisky. (*N. del T.*)

el Forth hasta Fife. Hay una pista de golf enfrente, una bonita playa a un cuarto de hora de agradable paseo. Además, hay una biblioteca bien provista, especialmente abundante en biografías de famosos...»

La sangre sigue chorreando.

«Shh», dice ella, «que te abres la herida.»

Empieza a doler. Dios, cómo duele.

«¡Estupendo!», dice el chico de la enfermería. «Eso quiere decir que no hay nervios dañados. En realidad es un corte bastante superficial. Sólo necesita unos ocho puntos.»

Me cosió. Ocho cochinos puntos. Acerté la primera vez; Hobo era una nenaza ñoña. Ocho puntos. Me reí nerviosamente: «Ocho puntos.»

Fui valiente cuando me pusieron los puntos. Quedaban bien en mi mejilla; con un poco de suerte no se irían del todo. Mi anodina cara necesitaba un poco de carácter. La cicatriz sería un tema de conversación. La gente pensaría que era un tipo duro. Está bien para Yul Brynner decir en *Los siete magníficos*: Del que hay que preocuparse es del que le hizo la cicatriz; él nunca fue de copas a The Gunner, el cagao.

La «siniestra» me dice que se llama Olly. «¿Como en Stan y Ollie?», le pregunto.

«Ah, muy bueno. No se le había ocurrido nunca a nadie», dijo ella, destilando sarcasmo por la lengua. «De hecho, es el apócope de Olivia», me explicó pacientemente. «La única Olivia famosa es Olivia Newton-John y la odio. Así que Olly.»

Eso podía entenderlo. Debe de ser un rollo de mierda ser «siniestra» y que te comparen con Miss Bomba de Neutrones.[1] «¿Y qué me dices de Olivia de Havilland?», pregunté.

«¿Quién?»

«Fue una estrella de cine.»

«Anterior a mi época, estoy segura.»

«Y a la mía. A mi viejo se le caía la baba con ella. Decía que mi madre era su doble.»

Vi cómo se le esbozaba el aburrimiento en la cara. ¿Por qué me había ayudado? «Eh, gracias, por ayudarme», dije.

---

1. Juego de palabras entre «Newton-John» y «Neutron Bomb», y que alude probablemente a las opiniones políticas de la cantante. (*N. del T.*)

«Ese hijo de puta de Hobo. Odio a esa peña. Forrester y demás. ¿Sabías que Forrester violó a Liz Hamilton? ¡La violó, joder!», bufó. Olly odiaba a alguien que era amigo de alguien que me había atacado.

«Escucha, ¿conoces a alguien que pueda conseguirme unas gelatinas?», pregunté.

«¡No! ¡No las tocaría por nada del mundo!»

Yo las necesitaba. «¿Puedo usar tu teléfono?»

Fuimos a su casa y me tumbé en el sofá, con el monazo. Intenté llamar a Ronnie, pero había desaparecido. Su madre llevaba semanas sin verle y en absoluto parecía preocupada por su paradero.

Olly finalmente dio con un tío llamado Paul que se acercó y me trajo valium. Me tragué unos cuantos y después fumamos algo de maría. Él se fue y Olly y yo nos fuimos a la cama. Pero no pude follármela, estaba demasiado chungo. Tenía una erección pero me aterraba la idea de juntar nuestros cuerpos. Esperé hasta que se quedó dormida y me hice una paja mirándola, eyaculando contra su espalda.

A la mañana siguiente echamos un buen polvo. Era guay follar. Ella tenía un cuerpo delgado y aquello resultaba terapéutico. Hacía funcionar el organismo. Por la tarde lo hicimos de costado, en el sofá, para que yo pudiese mirar los resultados que salían en el teletexto. Era feliz.

5.40

PREM Manchester City 1 Nottingham Forest 0
D2 Bolton 3 Gillingham 1

«Ah, es estupendo, nena..., guapo que te cagas...»

D1 Newcastle 4 Portsmouth 1
SC1 Cowdenbeath 0 Raith Rovers 4
D3 Barnet 2 Colchester 2
SPL Aberdeen 6 (Seis)*

«Ah, nena..., me corro..., me corro...», empiezo a vociferar yo.

«Aguanta, aguanta...», se retorcía y meneaba ella.

5.41

SPL Aberdeen 6 (Seis) Heart of Midlothian 2

«¡Qué gozada! ¡Sí! Jesús, no puedo más...»
«¡AAAAAYYYY, BRIAN, ME CORRO..., ¡AY, DIOS MÍO!»

D2 Oxford United 2 Bristol City 1
PREM Wimbledon 1 Tottenham Hotspurs 1
PREM Chelsea 2 Everton 1

«Voy a seguir, nena, vas a correrte otra vez...»
«Ay, Dios, Brian, sigue follándome...»
«Es fácil para Bri, muñeca, facilísimo...»

5.42
SC2 Arbroath 3 Stenhousemuir 0
D2 Southend United 0 York City 0

... es fácil, cuando Bri coge el tranquillo puede follar toda la noche...

SPL Hibernian 3*

... ay, ay, AAHHH, AAAHHH

SPL Hibernian 3 St Johnstone 1

... ¡AAGGHHHH! ¡AH, JODER!»
Dios, la tierra tembló. Qué bueno. Gloria, gloria a los Hi-bees.[1]

Aquella noche comimos en un chino y vimos concursos en la caja tonta. Era lo que necesitaba. Relajarme.
Lo que yo necesitaba.
¿Qué era lo que necesitaba ella?
Olly había cuidado de mí. La bondad era lo que necesitaba. ¿Qué sacaba ella con todo aquello? Quizá algunas personas sean sencillamente buenas y amables por naturaleza. Pensé en ella y en Denise. En la vez que me rechazó.
«¿Por qué me rechazaste aquella vez?»
«Ibas pasado y estuviste totalmente desagradable», respondió. «De verdad, aburrido que te cagas...»

1. Hibernian Football Club. Tanto a los seguidores del club como a éste se les denomina «Hibbys» o «Hibees». (N. del T.)

250

Supongo que era motivo suficiente.

No le gustó nada que nombrara a Denise.

«Odio a ese cabroncete asqueroso. Puto maricón asqueroso. Va diciendo que me acosté con él. ¿Por qué iba a acostarme con un maricón? No soy una puta *fag-hag*. Se está dando gusto, el sucio gilipollitas. ¿Qué pensará que tiene que demostrar para soltar esa clase de mierda?»

Decidí dejar el tema. Tenía la cara rígida y entumecida. Era un entumecimiento doloroso, no un entumecimiento cómodo. Era como si estuviera hecha de tejidos gravemente quemados por el sol que hubiesen sido pegados toscamente con celofán. Pero había merecido la pena. Sí, decididamente tenía mucho más carácter ahora, y sí, sería un tema de conversación interesante. Estaba, además, la expectativa de la simpatía. A fin de cuentas, las cosas habían salido lo mejor posible.

10. NOVICIAS

He estado intentando moderar mi consumo de bebida y drogas para poder dormir un poco y así sentirme menos paranoico. Mi antiguo colega Donny Armstrong ha venido a ver a mi viejo. Han estado discutiendo de política. Como revolucionario, Donny tiende a ir a la caza de los elementos de las asociaciones de barrio metidos en temas concretos, como el viejo, e intenta convertirles a la política revolucionaria pura y dura.

«Vaya un *Mars Bar*[1] que tienes ahí, tío», dice Donny.

«Tendrías que haber visto al otro tío», digo yo, todo chulo. Suena bien. El otro tío, Hobo, tiene la cara como el culo de un bebé y está casi tan preocupado de que yo salga a buscarlo por ahí (y tampoco es que lo busque mucho) como los peces gordos del continente por la vuelta de los Hearts a la liga europea.

No obstante, el viejo le exaspera. Donny tiene que darse por vencido en esta ocasión. Norma asoma la cabeza por la puerta y mi padre se escabulle astutamente. Donny vuelve su atención hacia mí, intentando reclutarme para el «partido». «No puedes pasarte toda la vida patinando sobre la realidad social», dice. Eso me deprime. En jerga revolucionaria eso quiere decir: No puedes pasarte toda la vida siendo un listillo.

La solución, según Donny, está en construir el partido revolucionario. Eso se hace a través de una activa militancia política en los lugares de trabajo y entre las comunidades en el punto donde se produce la opresión. Le pregunto si eso le ha

---

1. Argot rimado: *Mars Bar* (marca de chocolatinas) por *scar* («cicatriz»). (*N. del T.*)

parecido eficaz hasta la fecha, y si la colección de estudiantes, asistentes sociales, periodistas y maestros que parecen engrosar las filas de su partido constituye una fiel representación del proletariado.

«De acuerdo, tío, pero es por el reflujo», dice, como si fuera una explicación.

«¿Y cómo es que los de Militant son capaces de reclutar a gente normal mientras vosotros reclutáis a toda esa peña de clase media?»

«Mira, tío, no voy a poner a parir a los de Militant, porque ya hay bastante sectarismo en la izquierda, pero...»

Se lanza a un largo y amargo ataque contra la política y las personalidades del Scottish Labour Militant.[1] Me pongo a pensar, ¿qué puedo hacer yo, qué puedo hacer realmente en pro de la emancipación de los trabajadores de este país, en los que los ricos se cagan, y que están sujetos a la inactividad política por su dependencia servil de un Partido Laborista reaccionario, moribundo e invotable? La respuesta es un clamoroso «ni hostias». Levantarse temprano a vender un par de periódicos en un centro comercial no es mi idea de la mejor manera de enfriarme después de ir de fiesta con drogas. Cuando gente como Penman, Denise, Veitchy y Roxy estén dispuestos a unirse al partido, yo estaré dispuesto. El problema es que en ese tipo de rollo hay demasiados tipos como –Dios lo tenga en su gloria– el Ciego Cabrón. Creo que seguiré con las drogas para sobrevivir a la larga y oscura noche del tardocapitalismo.

Donny se marcha, ambos totalmente agotados por la discusión. Sin embargo, hay que decir que parece más sano y feliz que yo; tiene un cierto brillo. El compromiso con el proceso de la lucha política puede sin duda ser bastante liberador, independientemente de los resultados que arroja, o más bien no arroja. Sigo meditando sobre ello una hora después, cuando aparece Ronnie. No le he visto desde el lamentable incidente del fin de semana.

1. Capítulo escocés de un grupo trotskista integrado en el laborismo hasta su expulsión durante los ochenta. Conoció cierto auge a raíz del movimiento contra la *poll-tax* y el encarcelamiento de uno de sus portavoces, Tommy Sheridan. (*N. del T.*)

Me toca los puntos, suavemente, y sonríe con cansina compasión. Después cierra los ojos y menea el dedo en el aire.

«Ron, tío, siento mucho lo de la otra noche...», empiezo, pero se lleva el dedo a los labios y sacude lentamente la cabeza. Va por el pasillo tambaleándose, hasta el cuarto de estar. Va de cabeza al sofá como un misil americano termodirigido sobre un orfelinato de Bagdad. Muy buena, Ronnie.

«¿De gelatinas, Ron?»

Sacude lentamente la cabeza y sus labios firmemente fruncidos resoplan. Pongo un vídeo y cae redondo. Pongo otro y me quedo dormido a mitad. Siento un taconeo en la suela del zapato y me levanto para ver marcharse a Ronnie. Levanta lentamente el pulgar, dice algo entre dientes y desaparece en la noche.

Entra Deek. «¿Dónde está papá?», pregunta.

«No estoy seguro. Ha salido con Norma, la de arriba.»

Deek hace chiribitas con los ojos y se marcha.

Yo me levanto y voy tambaleándome hasta la cama.

Al día siguiente he quedado con Denise en el Beau Brummel.

Denise se halla en estado de metamorfosis, pasando de un estereotipo gay a otro. Supongo que ya no es un chiquillo. Ninguno lo somos. Me doy cuenta cuando entra en el Beau Brummel con una pareja de mariconas jovencitas que tienen exactamente el mismo aspecto que tenía antes Denise. Denise, por otra parte, parece un cruel jefe de exploradores con su chaqueta bomber.

«Algo de beber para mi amigo. Un whisky», le suelta a una de las mariconas. El mariposín pega de inmediato un salto hacia la barra. Yo iba a decir algo porque a mí el whisky no me gusta demasiado, pero a Denise le encanta decidir cuál es la bebida adecuada para sus amigos según su opinión sobre su aspecto y odiaría tener que echar a perder su sentido teatral. Mi necesidad de que Denise exhiba ese sentido teatral es más fuerte que mi necesidad de ejercer la libre elección en el consumo de drogas. He ahí una ilustración del problema principal.

«Vi a tu madre el otro día», le cuento.

«¡Mi madre! ¿Qué tal está?»

«No está mal.»

«¿Dónde fue? ¿En el barrio?»

«No, por el centro.»

«Tendré que quedar a tomar el té con ella por el centro. No soporto ir al barrio. Demasiado deprimente, joder. Joder, cómo odio ese sitio.»

Denise nunca encajó demasiado allí. Era demasiado fino; demasiado complejo de superioridad. La mayor parte de la gente no lo soportaba, pero yo le adoraba por eso mismo.

Uno de los mariposones comete un terrible error de protocolo y pone en el jukebox el «Denis» de Blondie, el de «Denise Denee». A Denise eso le jode mogollón.

«¿¡QUIÉN HA PUESTO ESO!? ¿¡QUIÉN!?», dice levantándose y gritando hacia el jukebox.

Una de las mariconas hace unos pucheritos de disculpa, «Pero, Din-e-e-e-esssse, la otra noche dijiste que era tu canción favorita, ¿te acuerdas, la otra noche en Chapps?»

El otro mariconcete observa con malicioso gozo la incomodidad de su amigo.

Denise aprieta los puños y luego los deja caer junto a los costados. «¡EL QUID DE LA CUESTIÓN ES QUE ES *MI* CANCIÓN FAVORITA! ¡YO SOY EL ÚNICO QUE TIENE PERMISO PARA PONER ESA PUTA CANCIÓN! ¡TE INFLARÉ EL COÑO A HOSTIAS, HIJO!» Sacude la cabeza coléricamente: «No me incordies, simplemente no me incordies, niño», bufa despectivamente. La maricona joven desacreditada se larga. Denise se vuelve hacia mí y dice: «Novicias, a diez por penique, putas nenazas.»

Observar tal protocolo es crucial con Denise. Todo ha de hacerse a la perfección. Recuerdo que hace varios años me dio una cinta virgen para que le grabase un disco de The Fall. «Acuérdate», me dijo, «no apuntes los nombres de las canciones en la carátula. Apúntalos en un trozo de papel aparte y yo los copiaré sobre la carátula. Tengo una manera especial de hacerlo. Sólo yo puedo hacerlo.»

De verdad que no puedo recordar si realmente me olvidé, o si lo hice aposta para tomarle el pelo, pero apunté los nombres de las canciones con un boli en la carátula de la cinta.

Más tarde, cuando le pasé la cinta, se le cruzaron los cables. Fue un pasote. «¿ESTO QUÉ ES? ¡TE LO DIJE, JODER! ¡JODER, TE DIJE QUE NO LOS APUNTARAS!», bufó. «¡AHORA YA LA HEMOS JODIDO! ¡AHORA TODA LA PUTA HISTORIA NO VALE PARA NADA!»

Aplastó la cinta y la caja bajo el tacón de su bota.

«¡JODER, LO HAS ESTROPEADO TODO!»

Pero qué maniático es el cabrón.

Nos tomamos unas copas. No le nombro a Olly. Durante un rato su palique de maricona con los jovencitos resulta ligeramente entretenido. Los tipos gays que andan por el Chapps, The Blue Moon y The Duck odian a Denise. Su rollo estereotípico de loca avergüenza a la mayoría de homosexuales. A Denise le encanta que le odien. Detestaban su numerito supercamp allá en el barrio. Era divertido entonces, divertido y valiente, pero ahora empieza a dar grima y me excuso y me marcho, preguntándome, mientras salgo, qué dirá de mí a mis espaldas.

11. AMOR Y FOLLETEO

La colega de Olly, Tina, era una tía afable, nerviosa y adre-nalínica que estaba siempre en movimiento; hablando, mas-cando chicle, controlando todo y a todos con sus felinos ojos de lince. Durante la fiesta en casa de Sidney, Olly dijo con voz de colegiala: «Le gusta tu colega. Ronnie.»

«Vete a la mierda», bufó Tina, avergonzada o fingiendo es-tarlo. Ronnie estaba sentado en el suelo mirando el árbol de Navidad, fascinado. Se había tomado unas cuantas gelatinas. Sidney, por sorprendente que parezca, también iba de gelati-nas. Me explicó que se había puesto «demasiado tenso» porque temía que le destrozáramos el piso y que había contagiado su «mal rollo» a la concurrencia, así que se había tomado unas gelatinas para «quedarse tranqui».

Entonces Olly me dijo: «Si viene ese maricón asqueroso de Denise, ¡no se te ocurra hablar con él! ¡Al menos mientras yo esté por aquí!»

Aquello resultaba un tanto molesto e insultante. Su guerra con Denise no tenía nada que ver conmigo. «Claro que tengo que hablar con Denise, es mi amigo. Denise y yo práctica-mente crecimos juntos. Y vale ya de toda esa mierda homofó-bica: es un peñazo total.»

Entonces dijo algo que me dejó totalmente helado. «No me extraña que la gente diga que eres un listillo», bufó, saliendo como una exhalación.

«Qué..., quién ha dicho...», gemí en su nuca mientras se esfumaba en la cocina. Estaba demasiado apalancado para ponerme paranoico; pero sus palabras retumbaban en mi cabeza y la paranoia acabaría por aparecer, tan seguro como que la noche sucede al día. Al día siguiente me sentaría en casa del viejo fingiendo que no me sentía chungo y miserable y despreciable, y sus palabras me estremecerían el cuerpo como si de lanzas psíquicas se tratara y agonizaría en torno a su significado, torturándome inexorablemente. Menudo panorama.

Empecé a hablar con Spud Murphy, un colega de Raymie Airlie. Me gusta escuchar a Spud y a Raymie. Me llevan unos cuantos años, han pasado por todo, y siguen aquí. Supervivientes. En realidad no se puede aprender nada de ese tipo de gente, pero no tienen mala labia. Spud aún se lamenta del palo que hace siglos le dio su mejor colega. Fue un trapicheo de jaco, y su colega se abrió con el botín. «Mi mejor colega, como quien dice, mi mejor colega, ¿sabes? Entonces el tío va y me hace una jugarreta así. Totalmente primo, ya te digo. ¿Sabes?»

«Ya, hoy en día ni de los colegas te puedes fiar», dije, y reparando en ello me provoco el primer ataque serio de paranoia del día. Me toco la cicatriz. Loado sea el puto Hobo; al menos tengo algunas pruebas concretas en apoyo de mi paranoia.

«Es que las drogas son así, como te digo, tío. Es horrible y tal, pero siempre que hay picos de por medio las amistades se van a tomar viento, ¿sabes?»

Seguimos largando un rato, y entonces Tina se nos acerca, un poco bebida, agitando una botella de Diamond White. «Voy a tirarle los tejos a tu colega», dice, como quien no quiere la cosa, antes de ir a sentarse al lado de Ronnie. Cuando vuelvo a mirar, están mordiendo, o, mejor dicho, Tina le está comiendo el morro a Ronnie.

«No me vendría mal que alguien me tirara los tejos así, tío, estaría pero que dabuti, de veras», dijo Spud.

«Nah, a mí las mujeres me han desilusionado. Soy inútil para las relaciones, Spud. Soy un cabronazo egoísta. El caso es que no pretendo ser otra cosa que un cabronazo egoísta. Olly por ejemplo», me aventuré.

«¿Esa gatita "siniestra" con la que llegaste y tal?», preguntó.

«Iba de santa. Me llevó a su casa cuando el cabrón ese de Hobo me abrió la jeta...»

«Eso es propio de una buena hembra, tío. Te interesa agarrarte a ella y tal.»

«Ya, pero fíjate: un acto de bondad decente y ya se cree que tiene derecho a decirme cómo vivir mi vida. Así: nada de picos, búscate un curro, ve a la universidad, cómprate algo de ropa, no hables con gente que a mí no me cae bien, aunque los conozcas de toda la puta vida..., toda la típica mierda de las periquitas, tío. Pero qué mal rollo.»

«Eso suena de lo más mangui, socio. No es que yo sea realmente quién para dar consejos, ¿sabes? Las nenas y yo somos... pues como el agua y el aceite, ¿sabes? Me encantaría que pudiéramos mezclar un poquitín mejor, pero de algún modo el rollo nunca cuaja del todo, ¿sabes?»

Olly volvió con nosotros. Me abrazó. «Quiero irme a casa», me susurró. Se creía Juana de Arco. «Quiero ir a casa y follarte.»

La idea me hizo estremecerme de miedo. Me había pasado de drogas durante el fin de semana. No me apetecía ponerme a follar. Parecía tan fuera de lugar, una pérdida de tiempo total. No sentíamos nada especial el uno por el otro, simplemente matábamos el tiempo esperando que apareciera la persona indicada. A mí no me gusta follar por follar; me gusta hacer el amor. Eso quiere decir con alguien a quien quiera. Hay ocasiones, claro está, en que sencillamente hay que vaciar la tubería, pero no cuando vas a tope de drogas. Es como el otro día, cuando estábamos follando: era como dos esqueletos agitándose a la vez. Yo no pensaba más que: ¿Por qué cojones hacemos esto?

Lo que me preocupaba todavía más que follar era quedarme en casa de Olly durante el tiempo que fuese. No me gustaban sus amigos. Se mostraban hostiles y descorteses conmigo, lo cual en realidad no me molestaba, de hecho disfrutaba mucho con aquello. Lo que me jodía de verdad era la condescendencia con que la trataban a ella. Eran todos típicos elementos del City Cafe: camareras, vendedores de seguros, empleados de la autoridad local, dueños de bares, etcétera, que querían ser músicos, actores, poetas, bailarines, novelistas, pintores, dramaturgos, cineastas y modelos, y que estaban obsesionados con sus profesiones alternativas. Ponían sus aburridas cintas, recitaban sus mierdosas poesías, se pavoneaban y pontificaban con inagotable dogmatismo sobre las artes de las que estaban excluidos. El caso es que Olly se prestaba a que la trataran con condescendencia. Sus amigos querían ser como otra gente; ella sólo quería ser como ellos. Yo pensaba que yo tenía poca ambición, pero ella no podía ver lo limitado de sus propios horizontes. Cuando se lo comenté me tachó de celoso y amargado.

Tuvimos una discusión y acabé pasando la noche en el piso de Roxy. Le hablé de los amigos de Olly y dijo: «Pues tú deberías encontrarte perfectamente a gusto allí, tío.»

Miró mi expresión crispada y dolida y dijo: «Joder, no me digas que no estás picajoso hoy. Sólo era una broma, tío.» Pero yo sabía que no lo era. O quizá sólo estuviera poniéndome paranoico. O quizá no. Seguía atiborrado de drogas y llevaba mogollón de tiempo sin dormir debidamente.

De todos modos, rehuí a Olly todo lo que pude hasta que me puse las pilas. Intenté recuperarme en casa del viejo, lo cual resultaba difícil, pues la casa siempre estaba llena de sus colegas de la campaña, o de los colegas de Deek. No parecía que los amiguetes de Deek bebiesen o tomasen drogas o fueran nunca a fiestas con drogas. No les «iba esa mierda». Se limitaban a no hacer nada, a quedarse sentados por ahí ociosamente. Deek había aprobado su examen de oficial ejecutivo del Cuerpo de Funcionarios, pero no mostraba ningún entusiasmo o interés por una profesión. Yo admiraba su nihilismo con respecto al trabajo, eso tenía sentido para mí, pero él y sus amiguetes no parecían interesarse por nada en absoluto. Para ellos todo era «mierda»: las drogas, la música, el fútbol, la violencia, el trabajo, follar, el dinero, la diversión. Parecían un grupo de majarones completamente aislado.

Olly me acosaba por teléfono. Divagaba y se explayaba cuando hablaba de lo que habían hecho o estaban haciendo sus amigos, pero cuando se ocupaba de lo nuestro siempre se ponía tensa y agresiva. Acababa insultándome por teléfono y luego colgaba de golpe como si la parte agraviada fuera ella.

«¿Problemas de mujeres?», se reía mi padre. «Nunca vayas detrás de un autobús o una mujer, hijo. Siempre vienen más.»

Una gran estrategia, ésa. Por eso él no ha echado un polvo en catorce años, desde que mi madre se fue a tomar por culo. Por eso algún día probablemente le encontrarán muerto de hipotermia en una parada de autobús.

Después de unos cuantos días viviendo a base de té, galletas de chocolate, patatas fritas precocinadas McCain y pizzas Presto's, me encuentro lo bastante fuerte como para ir al centro. He leído las biografías de David Niven y Maureen Lipman, ambas absolutamente espantosas que te cagas. Las devuelvo a la biblioteca y le pregunto al bibliotecario si puede guardarme la biografía de Viv Nicolson. No quiero llevármela al centro, pues es posible que acabe reventado y la pierda. Además, odio llevar cosas por ahí. Se niega, diciéndome que tendré que arriesgarme. Me subo a un autobús y empiezo a ponerme cachondo con las vibraciones del motor. Hago un repaso mental de todas las mujeres con las que me gustaría follar. Me siento torpe y azorado al bajarme del autobús con una erección. Se apacigua, no obstante, mientras estoy de pie en el West End, sin saber qué hacer ahora. Ir a robar algo sería una posibilidad, e intento pensar en lo que me hace falta, para poder ir a la tienda apropiada en vez de ir a cualquier sitio y chorar por chorar.

Veo a Tina. Es bueno encontrarse de casualidad con alguien por el centro. «¡Tina! ¿Adónde vas?»

«Voy a comprarle algo a Ronnie. El jueves es su cumpleaños.»

Claro. Me acuerdo del cumpleaños de Ron. Nunca le regalo una puta mierda, ni siquiera una tarjeta, pero siempre me acuerdo de la fecha. «¿Cómo os va a los dos?», pregunto, enarcando las cejas en un intento de gesto jocoso y juguetón.

«Bien», dice ella, mascando enérgicamente y sin mirarme jamás mientras caminamos juntos por Lothian Road, «pero siempre está completamente hasta arriba de gelatinas. Quiero decir que la semana pasada fuimos al cine. Yo pago las entradas. *Damage*, así se llamaba la película. Durmió durante toda la película y no pude despertarle cuando se acabó. Joder, allí le dejé.»

«Sabia decisión», rumié yo. Me gustaba aquella tía, simpatizaba con ella. Todavía me sentía un poco tirado, pero aquellos días parecía llevar una carga más ligera. Me di cuenta del porqué: Ronnie no estaba. Tina me había quitado de los hombros un peso considerable. «Y otra cosa, el otro día lo llevé a casa. Se quedó tirado en el sofá sin más. No les dijo ni una palabra a mi madre o a mi padre. Sólo les hizo un gesto con la cabeza y se quedó pajarito.»

«Ésa no es manera de causar buena impresión», me aventuré.

«Bueno, a mi padre no le importa demasiado que la gente no hable, pero si cree que se trata de drogas, se le cruzan los cables del todo. A lo mejor la próxima vez podríais venir tú y Olly conmigo, para que vean que no todos mis amigos y los de Ronnie le pegan a las drogas.»

Era la primera vez en mi vida que me habían pedido que aportase referencias de ese tipo. Aunque me conmovió, me quedé un poco receloso y dubitativo respecto a la capacidad de observación de Tina. «Eh, no estoy seguro de ser la persona más indicada para una visita doméstica. ¿No te ha contado Olly cómo la conocí, cómo me llevó a su casa aquella vez?»

«Ya, pero eso no fue culpa tuya. Al menos tú puedes pasar sin drogas a veces», dijo ella.

Nos fuimos cada uno por nuestro lado y me sentí estupendamente durante un rato. Después de meditar acerca de por qué me sentía estupendo, empecé a sentirme fatal. Parecía que con el paso de los años el consumo de drogas me hubiese reducido al total de los brochazos negativos y positivos que otra gente me daba; un enorme lienzo en blanco que rellenaban otros. Siempre que intentaba hallar un sentido más amplio de mi yo, el término UN LISTILLO volvía a instalarse en mi cabeza.

Ronnie estaba con un ciego que te cagas cuando nos encontramos todos en el Oyster Bar de Gorgie-Dalry. Pero de qué va, el cabrón. Estaba despierto, pero se relamía con los ojos en blanco como si estuviera sufriendo una especie de apoplejía. Me cabreaba un poco verme en aquel brete. Olly y yo habíamos follado mucho aquella tarde y tenía la entrepierna en carne viva y muy pegajosa de nuestros jugos. No había querido lavarme. Siempre me sentía desorientado después de follar, siempre quería estar solo. Habíamos fumado un poco de hachís, y eso estuvo bien, pero ahora estaba rodeado por toda aquella gente en el bar aquel.

No dije nada en el bar, ni tampoco en el taxi que cogimos hasta Clermiston. Tina y Olly no paraban de cascar, pasando de mí, mientras Ronnie miraba fijamente por la ventana. Le oí decir: «Clermiston, colega» al taxista cuando ya íbamos a mitad de camino. El taxista no le hizo caso; ni tampoco los demás. Ronnie se limitó a seguir cuchicheando: «Clermiston, colega», y a reírse por lo bajini. El cabrón empezaba a tocarme los putos huevos.

«Intenta ser cortés», me bufó Olly, calando mi jeta amargada cuando la madre de Tina nos hizo pasar.

Fue embarazoso. Ron se derrumbó de golpe en el sofá y volvió la cabeza hacia un lado, abarcando la habitación con un solo ojo. Yo me senté a su lado, Olly se sentó junto a mí y Tina se hizo un ovillo a nuestros pies. Su padre se sentó en una silla frente a la televisión y su madre puso unas bebidas y unos tentempiés sobre la mesa. A continuación se acomodó en otra silla y encendió un cigarrillo. La tele seguía enchufada y acaparaba toda la atención del padre de Tina.

«Al ataque», dijo entre dientes, «en esta casa no nos andamos con cumplidos.»

Agarré una *samosa*[1] y un par de bollos con salchicha. El costo que me había fumado con Olly después de nuestra sesión de folleteo me había dado unas ganas enormes de papear.

Ronnie empezó a roncar, pero Tina le atizó un codazo y dio un respingo, despertándose. Su viejo no estaba impresionado en absoluto. Tendría que haberme repantigado y disfrutado de aquello, pero tenía los nervios de punta. «El turno de tarde», dije estúpidamente, «ése es el problema, ¿eh, Ron? El turno de

---

1. Una especie de empanadilla india. (*N. del T.*)

tarde. Estás como un muerto viviente cuando sales del turno de tarde.»

Ronnie parecía perplejo; de hecho, parecía estúpido y subnormal.

El padre de Tina le bufó a su hija: «Creí que me habías dicho que no trabajaba.»

«Ha estado haciendo algo conmigo, no por lo legal ni nada de eso», corté yo. «Instalando alarmas contra incendios. Con todos los incendios de apartamentos que ha habido, todo el mundo quiere una. Hemos estado poniéndolas en las urbanizaciones de pensionistas para el ayuntamiento, ¿sabe? Los turnos son muy largos.»

Su padre asintió con un gesto de apática comprensión. Tina, su madre y Olly largaron sobre las rebajas y el viejo se quedó dormido. Ronnie también regresó enseguida al mundo de los sueños. Yo me quedé allí sentado, poniéndome morado, aburrido, y con sed por el hachís. Parecía la peor tarde que hubiese pasado nunca. Me sentí eufórico cuando al fin nos dispusimos a marcharnos.

Después de volver a Dalry en taxi, Olly quería volver a casa y joder. Yo quería ir a Ryrie's y emborracharme. Discutimos y nos fuimos cada uno por nuestro lado. En el pub me encontré con Roxy y The PATH. The PATH estaba a punto de ir a encontrarse con una mujer en el Pelican. «Vente», sugirió.

«Puede que más tarde», dije yo. Me hacía falta una copa. Me hacían falta varias. Roxy y yo pillamos un buen palique, sin mencionar una sola vez al Ciego Cabrón.

Después de un rato decidimos ir al Pelican. Había un capullo camandulero inglés de clase media tipo estudiante haciendo de portero y no nos iba a dejar pasar, pero afortunadamente Rab Addison salía en aquel momento y nos reconoció. Le echó una mirada acerada al gilipollas y el pobre capullo casi se caga encima. Roxy y yo desfilamos como el Duque y la Duquesa de Westminster.

El sitio estaba abarrotado, y no pudimos ver a The PATH, aunque sí le oímos.

«¡ROXY! ¡BRI!»

Mirando hacia el lugar de donde provenía el sonido sólo distinguí a una mujer enorme y gorda sonriéndome. Era absolutamente grotesca, y tenía una cara enrojecida e hinchada, que no obstante era agraciada y tenía aspecto bondadoso. La cabeza de The PATH asomó por un costado. Me di cuenta de que estaba sentado en sus rodillas.

«Ésta es Lucia», dijo, sorbiendo una pinta.

«Hola, Lucia», dije yo.

Lucia se volvió hacia The PATH. «¿Quieres que se la chupe a tus colegas también?», dijo en un tono de voz agudo y emocionado. No pude captar la respuesta de The PATH.

Entonces ella le puso la mano en el muslo de Roxy. «¿A ti cómo te llaman?»

«De muchas formas, muñeca», sonrió él. Ella le magreó un poco la polla y los huevos a través del pantalón. Él parecía entretenido, pero no excitado. Yo estaba bastante cachondo. Mi cabeza empezó a darle vueltas a la idea de follarnos los tres a la vez a aquella enorme vacaburra. The PATH me guiñó lujuriosamente el ojo.

Entonces Lucia apretó su rostro contra el mío y me metió en la boca una lengua que sabía a vomitona. Me quedé traspuesto mientras ella me daba chupetones alrededor de la boca. Chasqueó la lengua hacia dentro y fuera, y después se apartó lentamente. «Oye, a ti y a tu colega», cabeceó hacia Roxy, «¡podría hacer que os corrierais en un santiamén!»

«Ya lo has hecho», le dije.

Eso le gustó, soltó unas risas de martillo neumático que atravesaron el estruendoso zumbido de las conversaciones circundantes. Entonces sacudió con los codos a The PATH, que le había metido las manos en la falda por detrás, justamente en mitad de aquellos carnosos muslos celulíticos.

Continuamos bebiendo. The PATH contó un chiste sobre un tipo que se había hecho un trasplante de ojete y todos nos reímos estrepitosamente. Me reí aunque ya lo había oído. Lucia se rió la que más. Se rió tanto que empezó a atragantarse con la bebida. Bebió un poco de Guiness de su pinta y la vomitó dentro del vaso. Sólo pareció azorada durante un momento y a continuación se echó la masa de vómito negruzco por el gaznate de un solo trago.

«Ésa es mi muñeca», dijo The PATH, y se dieron unos lánguidos besos con lengua.

Yo estaba por montar un cuarteto sin dudarlo un momento. Le indiqué a Roxy con la cabeza: «¿Tu casa?»

«De cojón», se mofó. «Anda que no eres asqueroso, por cierto. Yo no la tocaría ni con un palo de tres metros. Ni hablar, después de que The PATH haya pasado por ahí.»

Eso era algo a tener en cuenta. Fui a buscar más bebidas, y le pillé algo de speed a un tipo llamado Silver que era legal. Fui zumbando por el bar, diciendo chorradas. Ya iba diciendo chorradas de todas formas, pero ahora lo hacía con más empeño y convicción.

No vimos marcharse a The PATH, pero cuando subimos por Anderson's Close oímos su voz y la de Lucia. Él botaba sobre ella como un balón sobre un globo saltarín. Él gritaba: «¡A VER SI PUEDES CON TODA, ZORRA! ¡NO PODRÍAS CON MI PUTA POLLA! ¡TE PARTIRÍA POR LA MITAD!»

Ella decía: «¡PERO, JODER, SI AHÍ NO HAY NADA! ¡VENGA, MÉTELA! HAS EMPEZADO YA, JA, JA, JA.»

Pasamos de largo, y a continuación nos detuvimos para mirar un rato. Lucia desmontó a The PATH y se puso encima. Sus movedizas carnes sobresalían por encima.

«¡MUÉVETE SI VAS A PONERTE ENCIMA! ¡MUÉVETE, HIJA DE PUTA!», rugió él.

Ella meneó sus carnes sobre él, y después nos miró a nosotros: «¿Queréis ayudarle, chicos?»

«Jamás nos interpondríamos en el camino del amor verdadero, Lucia», sonrió Roxy.

Subimos un poco más arriba de la bocacalle y meamos. Nuestros dos riachuelos humeantes se juntaron y corrieron a toda prisa hacia ellos, alrededor de la cabeza, cuello y hombros de The PATH. Ellos siguieron follando. Dos tipos pasaron de largo nerviosamente.

«Un cabrito depravado, The PATH», sacudió la cabeza Roxy.

«Sí, vaya una puta guarrona.»

Yo estaba salido, y me tentaba la idea de ir a casa de Olly. Roxy quería beber más cerveza. Había una forma de matar dos pájaros de un tiro: Olly probablemente estuviese en una fiesta que celebraba una amiga suya, una vacaburra moderna y todo pose llamada Lynne.

Roxy no me decepcionó ni un solo momento durante la fiesta; odia esa clase de movidas. Nos instalamos en la cocina y gorroneamos tanta bebida como pudimos. Cuando llegó Olly iba acompañada de unos tipos y me dio la espalda. Habíamos estado follando durante el día, ahora me trataba como a un extraño. Y, no obstante, de algún modo tenía sentido. La vida era un rollo muy raro.

Me desperté en el suelo al día siguiente, al oír el ruido de gente limpiando el piso. Roxy estaba tumbado a mi lado.

«Dios, vaya un sabor de boca más asqueroso», dijo.

«Es culpa mía», me encogí de hombros, «no debí habérsela metido por el culo a The PATH antes de convencerte para que me la chuparas.»

«Así que es eso lo que pasó. Bueno, entonces todo encaja. Chupártela a ti no tiene nada de memorable en absoluto.»

Lynne estaba recogiendo; tirando latas y vaciando ceniceros en bolsas de basura, lanzándonos miradas que querían decir: MARCHAOS INMEDIATAMENTE.

Una voz de escuela de comercio nos rogó: «Venga, muchachos, levantaos y echadnos una mano con la limpieza.»

«Cómeme el puto rabo, pedazo de mamón», saltó Roxy. El chaval se alejó, deduciendo que se había quedado solo para la labor de limpieza. «No me digas que ese capullo no era un lechuguino. Así es el Edimburgo de los cojones, lleno de putos cabrones ingleses y capullos jugadores de rugby esnobs. Tratándote como a un puto campesino en tu propia ciudad. Bueno, pues que les follen, que limpien ellos nuestra mierda, ¡los putos cabrones no valen para otra cosa!», tronó.

Me puse en pie y encontré unas botellas de cerveza. Nos marchamos del piso dando tumbos hasta la calle, bebiendo. «¿Dónde estamos?», me pregunté.

«Stockbridge», dijo Roxy, «recuerdo que pasamos por New Town anoche.»

«No, no». Ya me acordaba. Era la casa de Lynne. El South Side. Aparecimos en South Clerk Street.

Roxy se quedó con la boca abierta.

«¡Ya, Stockbridge, ya lo veo!», dije. «¿De qué vas?»

Decidimos dirigirnos hacia el Captain's Bar, que abría a las siete de la mañana, hacía ya tres horas. Mis nervios empezaban a crisparse y sólo quería meterme dentro unas cuantas cervezas para quitarle hierro a las cosas.

Me estremecí hasta el tuétano cuando oí un grito capaz de helar la sangre: «¡BRIAN!»

Audrey la Loca estaba apoyada en una parada de autobús. Llevaba una larga trinchera negra de imitación piel con hombreras acolchadas. Dos grasientos colgajos de pelo negro le caían a cada lado de su rostro pálido y lleno de granos. Sus rasgos afilados y crueles se contrajeron al sorber un cartón de leche, parte de la cual se le escurrió por la pechera.

«¡DÓNDE ESTÁ EL PUTO PATH!»

«Eh, no estoy seguro, Auds. Anoche le dejamos en el Pelican.»

«¡DILE QUE CUANDO LE VEA LE VOY A RAJAR! ¡ESTABA CON ESA PUTA GUARRA GORDA! ¡DILE QUE ES UN PUTO CADÁVER! ¡Y ELLA TAMBIÉN! ¡ACUÉRDATE, MÁS VALE QUE SE LO DIGAS, JODER!»

«Eh, sí, se lo comentaré y tal», le digo. No nos quedamos más rato. El Captain's Bar nos había estado llamando en voz alta; ahora lo hacía a voz en grito.

«¡ACUÉRDATE Y DÍSELO!», gritó a nuestras espaldas. «¡Y DILE QUE VENGA AL MEADOW BAR A LAS SIETE!»

Le dije adiós con la mano. «Cuando The PATH muera, todas las pendonas repulsivas de la ciudad deberían reunirse y levantarle al cabrón un monumento.»

«Sí, con una picha vibratoria sobre la que puedan empalarse.»

Unas cuantas en el Captain's dieron el resultado deseado. Volví a casa de Roxy y eché una larga cabezada en su sofá. Cuando me despertó estaba follao. «Ha llamado The PATH», me dijo. «Nos veremos con él en el Meadow Bar a las siete.»

«¿El Meadow Bar? Para qué le has dicho eso..., pero qué cabrón», me reí. Aquello prometía.

«Le dije que se trajera a Lucia también. Audrey contra Lucia, vaya una puta bulla que sería. Un combate reñido en los Meadows. ¿Quién necesita a Hank Jensen? No puedo esperar a ver la cara de The PATH. No me digas que no se cagará en los gallumbos.»

Me lo perdí, simplemente porque no podía moverme. Pero The PATH me lo relató. Audrey era más despiadada y le marcó fuertemente la cara a Lucia, pero finalmente la mujer más corpulenta empleó su mayor fuerza y potencia para dominar a Auds y machacarla contra el césped. Tuvo suerte de que fuera una pelea limpia y que Audrey no llevara chatarra. Al parecer, mientras transcurría la gresca, The PATH se frotaba discretamente la entrepierna. Él se iría a casa con la vencedora.

12. COMIENDO COÑOS Y PERSPECTIVAS DE FUTURO

Cliff, el de Londres, se puso en contacto conmigo y me dijo que a Simmy lo habían enchironado. Cliff se había ido a vivir a un piso nuevo, por Hanwell. Había sitio para mí, me dijo. Hice las maletas y otra vez estaba en *the Smoke*.[1]

Era un buen queo. Pasé un par de semanas en el suelo del cuarto de estar, pero conseguí un trabajo temporal en las oficinas de Ealing Council. Consistía en introducir en un ordenador información sobre solicitudes de planificación. Habían adquirido toda aquella nueva tecnología, pero seguían necesitando burros de carga para teclear todos los archivos manuales. Nos contrataron a mí y a cuatro mujeres de mediana edad. El trabajo no era interesante.

Un fulano llamado Graham se largó del piso y me dieron su habitación. Era un poco alcohólico y su colchón olía a meados que mataba, así que el domingo me hice con uno nuevo, y esperaba pasar una buena noche durmiendo antes de ir a currar el lunes. Jamás pude dormir debidamente en el cuarto de estar; demasiada gente entrando y saliendo a todas horas.

«¡Arriba, arriba!», me gritó Cliff, asomando la cabeza por la puerta de mi cuarto. No había tomado drogas la noche anterior, ni siquiera hachís. Me había ido a la cama temprano y era como si hubiese dormido sólo una hora.

«No me jodas que ya es hora», protesté.

«Sí, las siete y cuarto. Venga, colega, ¡arriba y al ataque!»

Me levanté, pero no ataqué. Hacía un frío brutal mientras

---

1. Una denominación informal para Londres. (*N. del T.*)

me dirigía hasta el cuarto de baño en camiseta y calzoncillos. Tenía que llegar a trabajar puntualmente. Gleaves, el gerente de la oficina, me estaba controlando. No obstante, iba a ir a cenar a casa de May y Des por la noche, dios les bendiga, así que decidí lavarme la polla, los huevos y los sobacos con agua tibia. No fue una experiencia agradable. Me cepillé los dientes, me reventé un par de granos, me puse los vaqueros rotos y el jersey de cachemir. Me calcé las Doc Martens y me puse la guerrera de Oxfam,[1] la bufanda y los mitones. Nada de desayuno, ai jo, ai jo...

El trabajo es un puto peñazo. Gleaves cree que estoy desmotivado. Así es como me describe. Gleaves me reclutó. En vez de decir escogí a un zoquete que no sabe hacer la O con un canuto, persiste en la ilusión de que introducir información en un ordenador, meter papeles en sobres y fotocopiar me pondrá en vereda. Me había comprado una guitarra y hacía jam-sessions con Cliff y Darren en el piso, pero aquel trabajo me hacía perder valiosas horas de práctica. Sin embargo, necesito el dinero para ese amplificador. Indudablemente, el estrellato está a la vuelta de la esquina.

Cuando entro, May me dice suavemente: «El señor Gleaves quiere verte, cariño. En cuanto llegaras, me dijo.»

Hostia puta. ¿Ahora qué? Ese cabrón está zumbado o qué.

Penny tiene una expresión de júbilo en el rostro. Esa vacaburra me odia desde la fiesta de despedida de no sé quién, yo estaba demasiado pasado para follármela. Las mujeres odian esas cosas. Si se van a descontrolar y marcharse con alguien, esperan sacarle un buen polvo al asunto. Si se van con alguien y a ese alguien en cuestión no se le levanta, pues ya la has cagao: el peor de los mundos posibles.

Gleavsie, como le llamo yo, con acento chino (El Santo y Gleavsie),[2] es un hombre pequeño y obeso con gafas y una barba al estilo ruso. Tiene una polla pequeña y rechoncha, casi

---

1. Organización caritativa que regenta tiendas de género de segunda mano. (*N. del T.*)

2. Referencia a un programa televisivo de los años ochenta dedicado a comentar los partidos de fútbol del fin de semana, cuyos presentadores eran conocidos por los apodos de «El Santo» y «Greavsie», en alusión a sus respectivos papeles de «bueno» y «malo». (*N. del T.*)

toda capullo, pero es de esperar que sea más formidable en erección. (Me coloqué a su lado en los servicios de personal para echarle un vistazo.)

«Señor Gleaves», sonrío, tomando asiento.

«Quería hablarte de tu atuendo, Brian.»

«¿De cuál? ¿De la falda de gasa amarilla o la del estampado azul?», pregunto, haciendo chiribitas con los ojos.

«Hablo totalmente en serio», me informa tétricamente Gleaves, con el tono de un personaje de culebrón de clase media. Puta diva melodramática. «Por el amor de Dios, Brian, te asoma el culo por el pantalón.»

Aquello era cierto. Mis calzoncillos morados eran claramente visibles. Tenía el trasero helado. La polla y los huevos se me encogían. Se convertirían en un coño a fin de mes. Con la siguiente paga me voy a Carnaby Street. No debería viajar tan ligero de equipaje.

«Bueno, al menos cuando sea famoso podrá decir que me conoció cuando el culo me asomaba por el pantalón.»

«No estoy seguro de que hayas comprendido la gravedad de la situación...»

«Vale, vale. Es saludable tener el aire circulando por allí. Me oxigena.»

«O estás deliberadamente esquivando la cuestión o has perdido el buen juicio que Dios te dio. Voy a tener que deletreártelo. En Ealing Borough Council intentamos mantener ciertos requisitos de vestimenta y conducta. El ciudadano, después de todo, paga nuestros salarios y tiene derecho a...»

«Yo también soy un ciudadano. Pago mi *poll-tax*», mentí.

«Sí, pero...»

«¿Quién fija los requisitos de los que hablamos? ¿Exactamente quién es el que va de gran asesor de moda aquí?»

«¡Hablamos de requisitos corporativos! Los requisitos que exigimos a todos los empleados de esta institución.»

«Escucha, tío, no me puedo permitir comprar un traje. Elijo vestir de manera funcional, de un modo que a mí me resulta cómodo, para poder realizar mejor mi trabajo. No podría llevar corbata, tío, es un símbolo fálico total, una estratagema psicológica compensatoria para hombres que se sienten sexualmente inseguros. No podría con eso. No se me puede obligar a plegarme a los complejos de la masa de los empleados masculinos de Ealing Borough Council. ¿De qué vais?»

Gleaves, exasperado, sacudió la cabeza. «Brian. Cállate un segundo, por favor. Mira. Comprendo cómo te sientes. Sé por dónde vas. Eres un tipo inteligente, así que no te hagas el tonto. No te servirá de nada. Tienes potencial para ascender en esta organización», me dice, su tono se vuelve alentador.

Aquella afirmación habría resultado graciosa de no ser tan aterradora. «¿Para hacer qué?», pregunté.

«Para obtener un empleo mejor.»

«¿Por qué? Quiero decir, ¿para qué?»

«Bueno», empezó con un tono de autojustificación ligeramente presuntuoso, «la paga no está mal cuando llegas a mi nivel. Y es un desafío estar comprometido con toda la gama de actividades del ayuntamiento.»

Se detuvo, viendo reflejado en mis ojos su creciente ridículo. «Escucha, Brian. Sé que crees que eres una especie de superradical y que yo soy una especie de cerdo fascista reaccionario. Pues tengo noticias para ti: soy un socialista, un sindicalista. Sé que tú sólo me ves como una figura trajeada del establishment, pero si los Tories se salieran con la suya, habría chavalines bajando a las minas. Soy tan antiestablishment como tú, Brian. Sí, soy propietario de mi hogar. Sí, vivo en una buena zona. Sí, estoy casado y tengo dos hijos. Me voy de vacaciones al extranjero dos veces al año y conduzco un coche caro. Pero soy tan antiestablishment como tú, Brian. Creo en los servicios públicos, en que la gente es lo primero. Para mí es algo más que un cliché. Para mí, estar en contra del establishment no consiste en vestirse como un vagabundo, tomar drogas y asistir a esas juergas con drogas incluidas. Ésa es la salida fácil. Eso es lo que quiere la gente que controla las cosas; que la gente no participe, que tome el camino fácil. Para mí supone llamar a la puertas de la gente en una tarde fría, y asistir a mítines en el hall de un colegio para que vuelvan los laboristas y se vayan Major y su pandilla.»

«Ya...»

Este tipo hace que la palabra gilipollas esté de más.

«Bien, estoy casi hasta la coronilla de ti, Brian. A menos

que espabiles en lo concerniente a tus ideas, tu comportamiento y tu vestimenta, tendré que abrirte expediente disciplinario. Mírate. Peor que un vagabundo. He visto gente mejor vestida viviendo en casas de cartón.»

«Escucha. ¿Me hablas de jefe a empleado, o de hombre a hombre? Porque si es de jefe a empleado considero tu comportamiento un insulto y un acoso y quiero que mi representante sindical esté presente para que sea testigo de esta persecución. Si me hablas de hombre a hombre, la cosa es más sencilla. Podemos salir a la calle y resolverlo. No pienso aguantar esta mierda», dije, levantándome. «Si eso es todo, me gustaría ir a trabajar un poco.»

Dejé al capullo acojonao con la cara roja detrás de su escritorio. Refunfuñó algo acerca de advertencias finales. ¿Cuántas advertencias finales pueden darte? Fui pavoneándome hasta mi lugar de trabajo y me enfrasqué en el crucigrama del NME. Tenía derecho a una pausa, hostia puta.

A la hora de cerrar, May me llevó a su casa y de Des. Eran una encantadora pareja de Chester-Le-Street, en el condado de Durham, que más o menos me habían adoptado. May preparaba un gran papeo, lamentando mi delgadez, mientras Des y yo hablábamos de fútbol tomándonos unas latas de Tetley Bitter.[1] Él era un gran seguidor del Newcastle United y no paraba de largar acerca de Jackie Milburn, Bobby Mitchell, Malcolm McDonald, Bobby Moncur y demás.

Por lo general una pareja muy relajada y distendida, estaban muy apurados por quien supuse que sería su hijo. «Ni rastro del chico», decía Des frunciendo el ceño mientras miraba al reloj, «normalmente nunca llega tan tarde.»

Sabía que tenían cuatro hijas entre dieciséis y veintidós años. Las chicas estaban siempre fuera, tomando drogas, yendo a clubs, follando con tíos, las cosas que hace cualquier chica de esa edad con algo de luces. Una de ellas iba al Ministry of Sound, lo cual estaba guay. Ésa era la que me gustaba a mí, la que era un poco New Age, la más joven, me parece. En realidad me gustaban todas. Sin embargo, Des y May no pare-

---

1. Cerveza de barril con un alto contenido en lúpulo, lo que le da un sabor particularmente amargo. (*N. del T.*)

cían preocupados por ellas, pues era el bienestar del chico su mayor preocupación.

«¡Ahí está!», exclamó Des, mientras se oía un ruido procedente de la puerta trasera de la cocina y un gato negro con pinta de gruñón egoísta entraba serpenteando por la gatera. «¡Ven aquí, chico, aquí junto al fuego! ¡Debes estar helado! Cuéntanos, ¿en qué has andado metido, pues? ¡Eeeh, jodido!»

La manduca estaba buena y llego al piso un poco bebido. Es bueno volver a tener el estómago lleno de comida pesada. Lo mejor de todo era que el lunes estaba resuelto. Por descontado que el martes era cabrón, pero las cosas empezaban a mejorar el miércoles. Los miércoles por la noche bajábamos todos al pub del barrio, yo, Cliff, Darren, Gerard, Avril y Sandra. Estaba bien compartir el piso con unas tías; mantenían alto el nivel, bueno, más alto de lo que habría estado en caso contrario. Era un piso guay y todo el mundo se llevaba bien o al menos la mayor parte del tiempo. Pensé en Simmy languideciendo en los Scrubs por allanamiento de morada y me sentí bastante bien. Intentaba no pensar en ella, en el Ciego Cabrón, en mi madre, en Escocia. Aquí todos tomábamos drogas, pero parecía menos desesperado, más una cosa de ocio que un estilo de vida. Nos sentábamos en el pub los miércoles y los jueves por la noche a discutir en qué clubs, conciertos y drogas nos meteríamos el fin de semana.

Después de volver a casa, me fui directamente a mi habitación. Puse una cinta de KLF y me eché en la cama sintiéndome bastante satisfecho. Pensé en las hijas de Des y May, y después en Gleaves, y resolví pedirle prestado a Cliff un par de pantalones de pinzas, para que aquel sacomierda encorbatado y disminuido fálico me dejara en paz.

Llamaron a la puerta y entró Avril. Realmente no la conocía lo suficiente como para hablar con ella; era mucho más reservada que Sandra, aunque bastante simpática.

«¿Puedo hablar contigo un momento?», preguntó.

«Claro, siéntate», sonreí. En la habitación había una silla de mimbre. Se me levantó el ánimo. Era bastante obvio que albergaba una loca pasión por mí y que quería llevarme al huerto. Debí haber captado las ondas con anterioridad. Ensanché la sonrisa y dejé que mis húmedos ojos se inundaran de vida. La pobre chica está por mis huesos y ni siquiera me he dado cuenta.

«Esto me resulta muy difícil», empezó, «pero tengo que decirlo.»

La compadecía. «Mira, Avril, no tienes que decir nada.»

«Darren..., Gerald..., ¿te lo han dicho? ¡Les dije que no te lo dijeran! ¡Quería decírtelo yo!»

«No, no, no lo han hecho..., es sólo que...»

«¿Qué? No habrás sido tú, ¿verdad?»

Aquello era desconcertante. «¿No he sido yo qué?»

Respiró profundamente. «Escucha, creo que hay un malentendido. Esto me resulta muy difícil de decir.»

«Ya, pero...»

«Pero escucha. Quiero que sepas que no te estoy acusando de nada. Quiero que lo entiendas, por favor. He hablado con Darren y Gerald. Aún no he tenido oportunidad de hablar con Cliff, pero lo haré. Esto resulta bastante embarazoso. Es que alguien se ha llevado ropa interior de mi cajón. Pero no te estoy acusando. Quiero hablar con todo el mundo. Es sólo que no me gusta la idea de vivir con un pervertido.»

«Ya veo», dije; dolido, decepcionado, pero intrigado. «Bueno», sonreí, «soy un pervertido, desde luego, pero no de esa clase.»

Eso provocó una leve y breve risa. «Sólo preguntaba.»

«Sí, bueno, alguien tiene que ser, supongo. Para ti, resulta tan probable que sea yo como cualquier otro. No me imagino a Cliff o a Darren, o ni siquiera a Gerald, comportándose de ese modo. Bueno, Gerald lo haría, pero no lo disimularía. No es su estilo. Él iría al pub con tus bragas en la cabeza.»

La idea no le hizo gracia. «Como te decía, sólo preguntaba.»

«No creerás que he sido yo, ¿verdad?»

«No sé qué pensar», dijo ásperamente.

«Pues joder, qué bien. Mi jefe cree que soy un vagabundo apestoso y una de las personas con las que vivo cree que soy un pervertido.»

«No vivimos juntos», me corrigió gélidamente, «compartimos casa.»

«Bueno», dije, mientras ella se levantaba para marcharse, «si veo a alguien comportándose sospechosamente, ya sabes, sin tomar drogas, pagando el alquiler puntualmente, cosas así, te lo haré saber.»

Se marchó, evidentemente incapaz de verle el lado gracioso. Me pregunté quién sería el pervertido. A mí me parecía que tenía que ser Sandra.

El jueves volví a cenar a casa de May. Me quedé hasta tarde, porque Lisanne, la más joven de sus hijas descontando a una, estaba en casa. Su conversación era tan buena como su aspecto. Además, no pensaba que yo fuera un pervertido, aunque supongo que no me conocía demasiado bien. Des había salido, y May insistió en llevarme a casa.

Aquello era poco habitual, pero era tarde. No le di mayor importancia al meterme en el coche. Estaba habladora, pero de un modo nervioso, mientras íbamos por Uxbridge Road. Entonces se hizo a un lado en una bocacalle y se detuvo en un aparcamiento detrás de unas tiendas.

«Eh, ¿qué pasa May?», pregunté. Pensé que algo debía pasarle al coche.

«Entonces, ¿te gusta Lisanne?», preguntó.

Me sentía un tanto cohibido. «Eh, sí, es una chica muy maja.»

«Me sorprende que no te hayas echado novia.»

«Bueno, la verdad es que no soy muy partidario de los compromisos.»

«Eres de los que las aman y luego las dejan, ¿eh?»

«Bueno, yo no diría tanto...»

Era más bien de los que las aman y luego ellas me dejan.

Metió el dedo en uno de los rotos de mis vaqueros y empezó a acariciarme el muslo. Tenía unas manos mantecosas, unos dedos como muñones. «El señor Gleaves llevaba razón contigo. Vas a tener que invertir en un par de vaqueros nuevos.»

«Eh, ya», respondí. Me sentía inquieto. Excitado no, para nada, pero presa de una mórbida curiosidad por ver qué se traía entre manos.

La miré a la cara y lo único que vi eran dientes. Empezó a hacer círculos en mis carnes con los dedos. «Tienes la piel suave como la de un bebé, ¿verdad?»

No hay gran cosa que pueda uno contestar a eso. Me limité a reír.

«¿Crees que tengo buen cuerpo? Apuesto a que piensas que ya no estoy para esos trotes, ¿no?»

«No, no, yo no diría eso, May.»

Pensaba: Ni por asomo.

«Verás, es que Des está tomando unas píldoras, sabes. Tuvo un paro cardíaco hace un tiempo. Impiden que se le coagule la sangre y la mantiene fluida. El problema es que no se le pone dura. Quiero a Des, sabes, pero sigo siendo una mujer joven, cariño. Necesito divertirme un poco, un poco de diversión inocente, ¿no? Eso no es demasiado pedir, ¿verdad que no, cariño?»

La miré con dureza. «¿Son reclinables estos asientos?»

Lo eran.

Bajé la cabeza y le comí el coño; dándole diestros lengüetazos a su clicli, y después chupeteando provocativamente por los alrededores. Empecé a pensar en Graeme Souness, porque él tenía problemas cardíacos. ¿Tendrá problemas para empalmarse debido a las píldoras? Empecé a pensar en su carrera, concentrándome en el Mundial de España 1982 que recuerdo haber visto con mi padre. Sólo hacía tres años que mi madre se había ido, y habíamos vuelto de casa de mi tía Shirley. Cuidó de nosotros durante todo ese tiempo, hasta que papá se sintió capaz de arreglárselas solo. Había sufrido una especie de crisis nerviosa. Nunca habla de ello. El caso es que estábamos a gusto en casa de Shirley en Moredun, y en realidad no queríamos volver a Muirhouse, tener «a la familia reunida», como decía él. Como soborno, nos dejó ver los partidos del Mundial de 1982. Colocó un enorme tablero en el cuarto de estar, encima de la chimenea. Las marcas que dejó el celo todavía revelan dónde estaban las cuatro esquinas, aunque ha recibido al menos una mano de pintura desde entonces, que yo sepa. Pintura barata, supongo. De todos modos, la de elogios que echaron a Souness por aquel entonces, pero a mí me parecía que se limitó a aparentar y pavonearse durante todo el campeonato. Quiero decir, el empate a dos con la Unión Soviética, no me jodas.

«Ahh, eres un picarón, no cabe duda... aah... aah», jadeaba

de excitación, aplastándome la cara contra su coño. Yo no iba a ningún sitio con aquello, luchaba por absorber algo de aire a través de unas narices llenas de un tufillo acre. No tenía ningún sabor, sólo el olor que lo sugería.

Veo a Souness jactándose arrogantemente como un pavo real en medio de un campo, pero no hace nada con el balón, sólo lo retiene, y necesitamos una victoria mientras el tiempo se agota. Pero eso fue en los tiempos en que a la gente le importaba algo la selección escocesa de fútbol.

«Métemela...», susurró, «estoy toda mojada, cariño, métemela ya...»

No la tenía lo bastante dura para penetrar, pero se la metió en la boca un rato y me endurecí. Se la metí y ella gemía tan estrepitosamente que me avergonzó. Saqué la mandíbula hacia fuera al estilo Souness y me puse a empujar. Después de aproximadamente media docena de golpes de riñón se corrió intensamente, amasándome las nalgas. «¡SUCIO CABRONCETE! ¡EEH, MIERDECILLA ASQUEROSO! QUÉ BUENO...», gritaba.

La vieja faena de lengua nunca falla. La única puta utilidad real de la buena lengua escocesa.[1] Pensé en su hija y le solté dentro el chorromoco.

Me pregunté si volvería a invitarme a cenar.

---

1. «*the guid Scotch tongue*», en «escocés» en el original, con evidente intención de burlarse de la «lengua literaria» escocesa y de los intentos artificiales de restaurarla desde el siglo pasado (empezando por el poeta Robert Burns, y acabando con Hugh McDiarmid y su creación durante el primer tercio de este siglo del llamado «*synthetic Scots*»), que siguen gozando del beneplácito del nacionalismo ramplón y sentimental. Desde mediados de este siglo diversos poetas y escritores (Tom Leonard y James Kelman, entre otros) trabajan en la reproducción del lenguaje hablado cotidianamente en Escocia, el llamado «demótico escocés», pero en una dirección diametralmente opuesta y refractaria a cualquier intento homogeneizador. (*N. del T.*).

13. MATRIMONIO

May siguió como si nada hubiese pasado, salvo que de vez en cuando me sonreía con descaro y además había cogido la costumbre de tocarme el culo junto a la fotocopiadora. A mí todo aquello me resultaba un poco confuso. Pero qué locura.

Fue a la semana siguiente, después de mi lío con May, cuando llegó la invitación por debajo de la puerta. Decía:

TOMMY Y SHEILA DEVENNEY

Le invitan a acompañarles en la boda
de su hija

Martina

con

Ronald Dickson

el sábado, 11 de marzo de 1994 a las 3.00 de la tarde
en la iglesia parroquial de Drum Brae, Edimburgo,
y después en el Capital Hotel, Fox Covert Road.

La dejé en mi mesilla. Era al mes siguiente. Dentro de un mes, Ronnie sería un hombre casado, aunque daba horror pensar en los obstáculos potenciales que se interponían en el camino de semejante acontecimiento.

Un par de días más tarde, Tina me llamó por teléfono. Estaba tentado de felicitarla, pero decidí pisar el freno por si se había desconvocado la movida. La verdad es que el asunto no tenía cimientos demasiado sólidos.

«¿Brian?»

«¿Sí?»

«Soy Tina, ¿te acuerdas?»

«¡Tina! ¿Cómo te va? Recibí la invitación. ¡Acojonante! ¿Cómo está Ron?» Se hizo un silencio al otro lado de la línea. Después: «¿Quieres decir que no está ahí contigo?»

«Eh..., no. No sé nada de él.»

Esta vez la pausa fue aún más larga.

«¿Tina?» Me pregunté si habría colgado.

«Dijo que iba a bajar a verte. Para pedirte que fueras el padrino. Quería pedírtelo en persona», decía.

«Joder..., pero no te preocupes por Ronnie, Tina. Se habrá parado por el camino. Probablemente sólo esté un poco nervioso, con lo de la boda y eso, ¿sabes? Ya aparecerá.»

«Más le vale, joder», soltó ella.

Tres días después llego a casa de trabajar y estaba comiéndome un bocadillo de beicon y viendo las noticias de las seis con Darren cuando llamaron al timbre. Despotricábamos de mal humor cada vez que aparecía en la caja tonta alguien que odiábamos, lo cual sucedía en una de cada dos crónicas. Avril estaba leyendo una revista. Se levantó a abrir la puerta.

«Hay alguien aquí que ha venido a verte, Brian», dijo. «Un tío escocés..., parece un poco hecho polvo.»

Ronnie entró arrastrando los pies detrás de ella, obviamente puesto de gelatinas. Ni siquiera intenté preguntarle dónde se había metido. Le llevé arriba y le dejé sobando en el suelo de mi habitación. Después telefoneé a Tina para contarle que había aparecido. A continuación bajé y me senté en el sofá.

«¿Amigo tuyo?», preguntó Avril.

«Sí, es el colega ese que se casa. Quiere que sea el padrino. Creo que ha tenido un viaje agotador.»

«Mirad a ese baboso cabrón de Lilley», le bufó Darren a la imagen del político en la caja tonta, «me gustaría pillar a ese puto gilipollas y cortarle los huevos. Después se los metería por la garganta y le cosería la boca para que tuviese que tragárselos..., ¡puto cabrón infanticida!»

«Eso es terrible, Darren», dijo Avril con un gesto de desaprobación, «no eres mejor que él si piensas así.» Me miró a mí en busca de apoyo.

«No, Darren tiene toda la razón. A los sabandijas asquerosos y parasitarios como ése hay que destruirlos», dije, y, acordándome de Malcolm X, añadí: «del modo que sea.»

Había estado leyendo biografías de negros americanos radicales. La de X resultó una lectura interesante, pero disfruté mucho más con *Seize The Time* de Bobby Seale, y también con *Soul On Ice* de Eldridge Cleaver. *Soledad Brother* era mi favorito, pero no recuerdo cuál de los hermanos Jackson lo había escrito, si Jonathan o George. Puede que fuera Michael.

Darren agitó un puño cerrado hacia mí. «Ésa es la diferencia entre yo y esos putos gilipollas blandengues de los socialistas. Yo no quiero echar a los Tories, quiero verlos muertos, joder. Sólo porque tenga un bono para los autobuses no quiere decir que forme parte del sistema. Un anarquista con un bono sigue siendo un puto anarquista. ¡Todo el odio para el Estado!»

«Estás enfermo, Darren.» Avril sacudió la cabeza. «La violencia no consigue nada.»

«Pero tienes que reconocer que es un placer ver a un policía con la cabeza reventada», me aventuré.

«No, no lo es. No es un placer en absoluto», contestó ella.

«Nah, venga, Avril. ¿No estarás tratando de decirme que no te alegraste cuando viste las imágenes de aquellos zombis babosos con cara de estar cagados de miedo entre aquel montón de escombros después de la bomba de Brighton? ¿Tebbit y todos ésos?»

Me acuerdo muy bien de aquello. Cuando salió en la tele, mi viejo dijo: «Ya era hora de que alguien les metiera a esos hijos de puta.» Recuerdo que me sentí lleno de orgullo y admiración por él.

«No me gusta ver sufrir a ningún ser humano.»

«Eso está muy bien como principio moral abstracto, Avril, como concepto teórico de sobremesa, pero es innegable el absoluto placer gratuito que produce ver el dolor y los sufrimientos de los miembros de la clase dominante.»

«Espero que me estéis tomando el pelo», dijo compasivamente. «Espero de verdad que así sea por vuestro bien. Si no es así, es que sois gente enferma y embrutecida.»

«Desde luego que sí», dijo Darren, «pero al menos nosotros no embrutecemos a nadie. No atracamos, violamos, asesinamos en serie o matamos de hambre a los inocentes. Sólo tenemos fantasías en las que destruimos a las alimañas que llevan años jodiéndonos la vida. Y otra cosa que no hacemos», añadió sarcásticamente, «es robarle a la gente la ropa interior.»

Avril le mandó a tomar por culo y se largó. Fue en aquel momento cuando empecé a tener sólidas sospechas de que Darren era el culpable, el ladrón de prendas íntimas.

Ronnie no llegó realmente a conocer a nadie. Durmió durante dos días, y en las raras ocasiones en que se unía a nosotros estaba casi comatoso. Entonces tuvo que volver puesto que había reservado billete. Se tomó unos tranquilizantes antes de subirse al autobús en Victoria Station. No me molesté en decirle adiós al arrancar el autobús; cayó dormido en cuanto ocupó su asiento. Lo único que recuerdo haberle oído decir durante el tiempo que estuvo aquí era: Darren... Pensé, naturalmente, que hablaba de Darren el del piso, pero me di cuenta de que no. «Darren Jackson», seguido de gesto de asentimiento, y «padrino...», seguido de carraspeo con un guiño y ladeo de cabeza. Cuando Ronnie guiñaba el ojo, el procedimiento consistía en abrir uno, en vez de cerrarlo.

El mes se hizo interminable. Me hacía ilusión volver a Edimburgo, pero ir a la boda no tanto. Llegué a la ciudad la noche anterior a la despedida de soltero y cogí un taxi hasta casa del viejo.

Cuando entré, estaban allí Norma Culbertson y su hijita. En casa había una atmósfera diferente.

«Hola, hijo», dijo torpemente mi padre, «Eh, siéntate. Supongo que debí haberte contado esto antes, pero eh, bueno, con eso de que estabas en Londres y tal. Ya sabes cómo están las cosas...»

«Sí», contesté, sin tener ni puta idea de cómo estaban las cosas.

«¿No te ha, eh, comentado nada Derek?»

«No...»

«Bueno, Derek ya no vive aquí. Ahora está en un piso en Gorgie. Stewart Terrace. No está nada mal, por cierto. Cuando obtuvo ese ascenso en el Cuerpo de Funcionarios, estaba cantado. ¿Sabes?»

«Jeff...», apremiaba Norma.

«Ah, eh, ya. El caso es, hijo, que Norma y yo hemos decidido casarnos», sonrió débilmente, como pidiendo excusas.

Norma sonreía bobamente y mostró un anillo de compromiso para que yo lo examinara. Sentí un golpe sordo en el pecho. Seguro que aquello era una tomadura de pelo. Norma era una mujer joven; y no tenía mal aspecto, además. Una vez Deek me confesó que solía hacerse pajas pensando en ella, aunque eso fue hace bastante. Era demasiado joven para papá; era lo bastante mayor para ser su padre. Eso sí, Dino Zoff seguía jugando al fútbol en la liga europea a la edad de mi viejo. Pero ése era Dino Zoff. Esto era en la vida real.

Mi madre y él.

Mi madre era demasiado joven para él, de todos modos mi madre desaparecida durante años, él se volvía a casar de nuevo asunto suyo, ¿a mí qué me importa?

«Felicidades», balbuceé, «eh, quiero decir, enhorabuena...»

Norma empezó a hablar de que quería que fuéramos amigos y mi viejo no paraba de despotricar sobre mi madre...

«No quiero decir nada contra ella, pero os abandonó cuando erais muy pequeños. Os abandonó y nunca quiso volver a veros. Seguro que una madre de verdad querría ver a sus hijos..., pero ella no, ni siquiera una carta....»

Empecé a sentirme un poco enfermo y afortunadamente llamaron a la puerta, ahorrándonos mayores empachos. Era Col Cassidy el Loco, un animal del barrio con una temible reputación de tipo violento. «¿Está en casa tu viejo?», gruñó.

Bueno, aquellos polvos trajeron estos lodos, papi. La campaña antidrogas está a punto de estallarte en la cara.

«¡Col!», grita mi padre. «¡Adelante, colega, adelante!» Cassidy pasó haciéndome a un lado. Mi viejo le da una palmada en plan colegui en el hombro. «Éste es mi chico», dice, «ha estado en Londres.»

Cassidy gruñe un saludo ininteligible.

«Col es el secretario de Muirhouse Contra la Droga», me explicó.

Debí suponerlo: los piraos siempre tomarán partido por las fuerzas de la reacción.

«Conocemos a los traficantes de este barrio, hijo. Vamos a expulsarlos. La policía no quiere hacerlo, así que lo haremos nosotros», dice mi viejo, aparentemente sin darse cuenta de que está arrastrando las palabras un poco a lo Clint Eastwood.

«Buena suerte con tu campaña, papá», le dije. No me cabía la menor duda de que él, con la ayuda de Cassidy, lo lograría; lograría convertir en un infierno la vida de todo dios. Me preparé para irme al centro.

«Ah, hijo, no olvides que la pequeña Karen está en tu antigua habitación ahora. Tendrás que dormir en el sofá.»

Bienvenido a casa: desalojado de tu habitación en beneficio de una niñata cretina. Me fui dando botes hacia el centro. La despedida de soltero empezó con bastante buen humor. Ronnie iba totalmente hasta el culo de gelatinas cuando nos encontramos. La cosa resultó agradable pero tranquila hasta que nos encontramos con Lucia y un par de sus colegas, que insistieron en unirse a nosotros. Ella se emborrachó y tuvo una fuerte discusión con Denise sobre quién tenía derecho a chupársela a Ronnie.

Fuimos a algunos pubs, hubo un par de discusiones tontas y estallaron un par de peleas. Yo le solté una hostia a Penman, que llevaba toda la noche encima de mí. Big Ally Moncrief me sujetó mientras Penman se alejaba bailando y gesticulando bruscamente sin aliento: «Venga pues, venga pues..., a la calle..., te crees muy listo..., el cabrón se cree muy listo..., venga pues, a la calle...»

Big Moncrief dijo que odiaba las peleas entre colegas, particularmente en ocasiones semejantes. Denise dijo que debíamos darnos un beso y hacer las paces. No lo hicimos, pero nos dimos un abrazo e hicimos las paces. Nos metimos un éxtasis cada uno y nos pasamos el resto de la noche pegados como lapas el uno al otro. Jamás había sentido tanta intimidad con nadie, bueno, con otro hombre, como con Penman aquella noche. Era un rollo tipo amantes-pero-sin-follar. Por el contrario, pocas veces me he sentido tan incómodo como cuando nos encontramos con la peña de Tina en el Citrus. Olly estaba allí. Generalmente este tipo de cosas resultan agobiantes para los antiguos amantes; demasiado ego, no, demasiado rollo subterráneo de por medio. Una vez que has estado con la otra persona en un estado primario, de follar, resulta difícil hablar del tiempo.

Ahora Olly se hacía llamar «Livvy». Había pasado por un Período De Crecimiento Personal y ahora parecía asemejarse lo bastante a sus amigos como para querer ser otra persona, alguien a quien ellos querrían parecerse. Ahora estoy pintando, me dijo. A mí me parecía que lo que estaba haciendo era en realidad hablar y beber. Me preguntó qué hacía yo. Se lo dije y me dijo: «El mismo Brian de siempre», de forma condescendiente, como para dejar claro que yo era un caso perdido procedente de un pasado ligeramente bochornoso que había dejado atrás; un objeto de lástima.

A continuación sacudió despectivamente la cabeza, aunque no era yo su blanco. «He intentado decirle a Tina que está haciendo el idiota. Es demasiado joven, y Ronnie..., bueno, no creo que pueda hablar de él, porque no le conozco. Nunca le he visto en estado normal; nunca he tenido una conversación con él. ¿Qué puñetas saca de ser como es?»

Reflexioné sobre ello. «Es que a Ronnie siempre le ha gustado la vida tranquila», le dije. Empezó a decir algo, y de pronto se detuvo, se excusó y me dejó solo. Tenía buen aspecto, el que puede tener la gente a la que le gustabas pero ya no. No obstante, me alegré de que se fuera. Por lo general, la gente que está experimentando Períodos De Crecimiento Personal son un dolor de cabeza. El crecimiento tiene que ser acumulativo y gradual. Odio a los gilipollas renacidos esos que intentan reinventarse por completo e incinerar su pasado. Me fui donde estaba Penman y lo tuve en brazos durante largo rato. Por encima de su hombro me encogí al ver la malévola mirada de Roxy y pensé en el Ciego Cabrón por primera vez en siglos.

Ya veía que la despedida podría prolongarse hasta la semana siguiente. Estaría borracho y fumado todo el rato, y empalmaría sin interrupción con la boda. Me preguntaba si me tomaría la molestia o no de volver a Londres, a mi habitación en aquel piso, mis atrasos en el pago del alquiler y mi curro de mierda.

Al día siguiente de la despedida de soltero, cuando estaba en el Meadow Bar con The PATH y Sidney, me encontré con Ted Malcolm, un tío de los parques. Me dio la paliza para que apuntara mi nombre en la lista para un empleo como oficial temporal de Parques. «Tenían buen concepto de ti en los parques, ¿sabes?», me dijo con el tono confidencial y vacilón que empleaba la gente que tiene que ver con el ayuntamiento. La cultura de la corrupción cívica y la insinuación se filtraba en dirección descendente desde los sesomierdas a nivel concejal hasta las filas del último funcionario; el estalinismo con rostro de ama de casa cotilla, con pañuelo en la cabeza y todo.

«Ya», dije con indiferencia.

«A Garland siempre le caíste bien», dijo cabeceando.

Sí, a pesar de todo, a lo mejor le daba un toque a Garland. Londres empezaba a resultar como Edimburgo antes de dejarlo. Gleaves, May, incluso Darren, Avril, Cliff, Sandra y Gerard; todos constituían una serie de expectativas que restallaban a mi alrededor como el resorte de una trampa para ratones. Sólo se puede ser libre durante cierto tiempo, y después las cadenas empiezan a envolverte. La solución consiste en mantenerse continuamente en movimiento.

Levantar a Ronnie y prepararle para ir a la iglesia fue una pesadilla. Una puta pesadilla que te cagas. Su madre me echó una mano para vestirle. No parecía preocupada por su estado. «¿Vaya nochecita la de ayer, eh? Bueno supongo que uno sólo se casa una vez.»

Me entraron ganas de decir no estés tan segura, pero me mordí la lengua. Cargamos a Ronnie dentro del coche y después lo llevamos a la iglesia.

«Ronald Dickinson, ¿tomas por esposa a Martina Devenney, para amarla y respetarla, renunciando a todas las demás, durante el resto de tu vida?»

Ron iba puesto de gelatinas, pero logró hacerle un gesto de asentimiento al capullo del pastor. Para el cabronazo aquello no bastaba, sin embargo, y se lo quedó mirando atentamente, intentando obtener una respuesta más firme. Le di un áspero codazo a Ronnie.

«De guay», consiguió murmurar. Tendría que conformarse con aquello. El pastor hizo un gesto de desaprobación, pero lo dejó estar.

«Martina Devenney, ¿tomas por esposo a Ronald Dickinson, para amarlo y respetarlo, renunciando a todos los demás durante el resto de tu vida?»

Tina parecía un poco reacia, como si por fin hubiera caído en que se estaba metiendo en algo muy serio. Finalmente consiguió carraspear: «Sí.»

De todos modos, y como estaba previsto, fueron declarados catatónico y mujer.

Fuimos al Capital Hotel a cenar y Ronnie se quedó dormido durante mi discurso. No fue un discurso especialmente inspirado, pero desde luego no merecía semejante acogida.

Durante la recepción tomé posición en la barra con Raymie Airlie y Spud Murphy, dos gagarin del más alto nivel.

«Lujo real, príncipe peso pluma», observó Raymie, mirando alrededor de la barra.

«Me has quitado las palabras de la boca, Raymie», sonreí, y después, volviéndome hacia Spud: «¿Sigues libre de jaco, tío?»

«Eh, sí..., hasta que no haya jaco libre, estoy libre de jaco, ¿sabes, socio?»

«Ya, yo también. Me pasé un poco la otra semana, pero no me quiero enganchar, ¿sabes? Quiero decir, qué rollo más malo, ¿no?»

«Sí, engancharse no es nada divertido, como te digo. Es como una ocupación a tiempo completo, ¿sabes? Como que te distrae de todo lo que pasa a tu alrededor.»

«Eso sí, lo que está jodiendo a todo el mundo ahora son las gelatinas. Fíjate en Ronnie. Su propia boda, me cago en la puta...»

Raymie suspira y canta un estribillo del «The Cutter» de Echo and the Bunnymen, y luego me mete la lengua en la oreja. Le beso en la mejilla y le doy una palmada en el culo. «Eres sexo puro, Raymie, sexo puro que te cagas, tío», le digo.

The PATH, Big Moncrief y Roxy se acercan y se nos unen.

Hago algunas presentaciones. «¿Qué tal, chicos, conocéis a Spud y Raymie, eh?»

Intercambian algunas suspicaces miradas de reconocimiento. Mis colegas privosos y mis colegas drogotas nunca han acabado de hacer buenas migas.

«Una cosa curiosa, sin embargo, el tema del matrimonio y tal, ¿sabes? Está bien si consigues pillarle el tranquillo, como quien dice», se aventura Spud, rompiendo un silencio inquietante.

«Para lo único que es bueno el matrimonio es para tener sexo siempre a mano», dice Moncrief, con más de una pizca de beligerancia.

Roxy pone acento de Glasgow: «Pero a mí me gusta ponerme debajo a veces.»[1]

Nos reímos todos menos Moncrief. Una de las cosas de los tíos duros que nunca he comprendido: ¿por qué tienen que ser todos unas nenazas tan susceptibles? El Tío Duro escocés se hace una carrera en la media, pues le raja la cara a un viandante. El Tío Duro escocés se astilla una uña, pues le mete un cabezazo a algún pobre hijoputa. Otro tipo lleva ropa con el mismo estampado que el Tío Duro escocés, pues acaba con un vaso en la cara por las molestias.

Pasamos a hablar de televisión. «La tele es una puta mierda», dice Moncrief, «lo único que merece la pena ver en la puta tele son los documentales del mundo natural esos. Ya sabéis, con el capullo ese, cómo se llama, el capullo ese de David Attenborough.»

«Sí», asiente Spud, «ese tipo se lo tiene bien montado, como quien dice. Ésa es la clase de curro que me vendría como anillo al dedo, tío, sabes, con todos esos animales, y tal. Eso sería alucinante, ¿sabes?»

Nos quedamos largando toda la noche, demasiado borrachos para bailar con las tiítas marchitas y las primas follables. Me como un tripi y noto que Roxy se ha metido algo. Está borracho, pero se ha metido algo. Spud le ha dado un Superma-

---

1. Juego de palabras: «*sex on tap*» («sexo a mano»), en el acento de Glasgow («*sex oan tap*»), puede prestarse a confusión con «*sex on top*» («sexo encima»). (*N. del T.*)

rio de esos. Eso es mucho más de lo que puede meterse el Rox. Lo suyo es el alcohol. Sacude la cabeza inclinada y balbucea: «¡Yo lo maté! ¡Joder, lo maté!», y está punto de romper a llorar.

Yo también estaba luchando con el ácido. No había sido una buena idea. Los Supermarios esos; que me jodan el mundo entero podría ser una alucinación los colores están en pugna y reverberando y la cara de Tina resulta asquerosa y como de vampiresa con ese vestido y Roxy está balbuceando y hay un oso polar corriendo por ahí a cuatro patas...

«Spud, ¿has visto al oso, tío?», pregunté.

«No es un oso, tío, es como un oso-perro como quien dice, como medio hombre medio perro pero con algo de oso, ¿sabes?»

«Raymie, tú lo viste, ¿sabes si era un oso?»

«Sí, personalmente yo diría que aquello era un oso.»

«¡Hostia puta! ¡Raymie! Acabas de decir algo coherente, algo que tiene sentido.»

«Es sólo el ácido», me dice.

Roxy sigue sacudiendo la cabeza: «Ese pobre chaval..., aquel jodido chico ciego..., ellos le quitaron la vista..., yo le quité la vida..., puta fiebre del oro..., mi alma está enferma, enferma de la puta fiebre del oro..., dime que eso no es chungo...»

«El ácido este es una pasada...», dice Spud.

Veo a Moncrief sentado junto a una planta monstruo. La cara de Moncrief está cambiando de color y de forma. Veo que no es un ser humano. Denise se me acerca: «¿Has tomado algún Supermario de ésos?»

«Sí..., demasiado, tío.»

Le compra uno a Spud. Le cuesta ocho libras. A mí me han arrancado la piel. Eileen Eileen Eileen la Torre de Montparnasse tuve su amor y lo perdí porque era demasiado joven demasiado estúpido para identificarlo y reconocerlo como tal y nunca volverá a cruzarse en mi camino ni en un millón de putos años y nunca llegaré a los setenta y de todas formas sin ella no quiero vaya un asco sería sin Eileen que está yendo a la universidad en Londres no sé a cuál o al menos iba el año pasado espero que seas feliz ahora feliz sin el viejo listillo de tu novio que pensaba que era divertido pero era sólo un gilipollas egoísta irritante inmaduro y no es que escaseen siempre hay muchos y tuviste razón en dejarle en tanto que decisión puramente racional...

«Qué le pasa a Roxy», pregunta Denise.

«Demasiado ácido... Los Supermarios esos...»

Cogí el rostro de Roxy entre mis manos. «Escucha, Roxy, estás teniendo un mal viaje. Tenemos que salir de aquí. Hay demasiados espíritus malignos por aquí, Rox.»

Íbamos ciegos perdidos, pero teníamos que salir a tomar el aire. Olly me echó una mirada de asco, pero había algo de compasión en ella. «A mí no me compadezcas, joder», grité, pero no podía oírme, o puede que sí, pero salí fuera con Roxy, con piernas de goma. The PATH intentó venir con nosotros, pero le dije que no pasaba nada y volvió a entrar en busca de rollo.

Era una noche fría y estimulante, o quizá fueran sólo los Supermarios.

«¡YO LO MATÉ, JODER, YO LO MATÉ! Voy a decírselo a la policía...» Roxy estaba atormentado. Su cara parecía doblarse sobre sí misma...

Le cogí por los hombros. «¡De eso nada! ¡Usa la cabeza! ¡Tranquilízate, joder! Ese capullo no va a volver a la vida porque nos comamos el marrón, ¿verdad?»

«No...»

«Entonces no tiene ningún sentido. Fue un puto accidente, ¡y vale!»

«Sí...» Se tranquiliza un poco.

«Un accidente», repito. «Tienes que controlar la lengua. Es el ácido ese. No lo vuelvas a tocar, no te sienta bien. Sigue con la priva. Estarás bien cuando te baje. No puedes andar por ahí largando esa clase de mierda. Acabarás consiguiendo que nos enchironen, tío. La verdad no existe, Roxy, no para esos cabrones. A la policía se la trae floja. Para ellos no seríamos más que otro par de primos. A ellos les da mejor imagen, a ellos y a todos esos babosos políticos cabrones, que pueden decir que la policía está ganando la guerra contra el crimen; eso sí que es vomitivo. La muerte del Ciego Cabrón fue una puta tragedia, no la convirtamos en una tragedia mayor aún dándoles a esos cabrones lo que quieren. ¡Entérate! ¡Fue un puto accidente!»

Me mira con miedo en los ojos, como si se hubiera dado

cuenta por primera vez de lo que estaba diciendo: «Hostia puta, tienes razón, tío. ¿En qué cojones estaría pensando largando sin parar de esa manera...? No me ha oído nadie, ¿eh, Brian? ¿NO ME HA OÍDO NADIE, BRI?»

«No, sólo yo. Esta vez no. Pero deja los putos ácidos en paz. ¿Vale?»

«Sí..., esto es de locura. Ya me metí ácido una vez, Bri, hace mogollón. Pero no se parecía una puta mierda a esto, esto es una locura que te cagas. Pero qué pasote, Bri.»

«Está bien. Volveremos a tu casa y nos bajará. ¿Tienes algo de priva en casa?»

«Sí, montones de latas. Y whisky también.»

Estos ácidos son fuertes, como para joderte la cabeza de verdad, pero cuando llegamos a casa de Roxy empezamos a beber como si el mundo fuera a acabarse al día siguiente. Es lo único que se puede hacer cuando vas de tripi, sacártelo del organismo a base de alcohol. El alpiste es un sedante; hace que te baje. Empiezas a recuperar el control.

Era fundamental que Roxy no hablase. Aquella noche yo no le había pateado nieve en la cara al Ciego Cabrón. Le había pateado en la cara *a él*. El golpe decisivo tenía tantas posibilidades de ser mío como de Roxy. Estuvo mal; sencillamente horrible, estúpido, cobarde y temerario. No puedo destrozarme la vida por un estúpido error cometido en el calor del momento. Ni hablar. Sencillamente no pienso hacerlo, joder. El Capullo Ciego y el Capullo Listillo; historia de dos capullos. Pues esta historia se acabó, espero. Para siempre.

14. ENTREVISTA

Hostia puta, ya es la hora otra vez. Me llevé un susto de muerte cuando apareció la firma de Garland al final de la nota con el logotipo del Consejo de Distrito de Edimburgo, invitándome a ir a una entrevista.

Había vuelto a Londres, pero después de acabarse el trabajo de Ealing me fui en el Inter Rail con Darren y Cliff. Darren y yo acabamos en Rimini. Él sigue allí, poniendo copas, de guarda jurado, yendo a *raves* y follando sin parar. Estaba de coña, pero tuve que volver para asistir a otra boda, esta vez la de mi viejo. Se marcharon del barrio, a un adosado al otro lado de la carretera, en Pilton. En menos de cinco años se habría convertido en un barrio deprimido. El gobierno quería regenerar la zona convirtiendo a los inquilinos en propietarios. En realidad, no hay ninguna diferencia entre pagarle un alquiler al ayuntamiento por una casa de mierda o redimir la hipoteca a una sociedad de préstamos inmobiliarios. Deja de pagar la hipoteca y verás exactamente de quién es la propiedad. Tenía planeado volver a Rimini pero recibí una gélida nota de Darren diciendo que se había metido en un rollo amoroso-follador muy serio con una tía y aunque sería bienvenido si quería quedarme un tiempo en su queo... bla, bla, bla. Así que me fui a vivir con Roxy y me apunté para lo de los parques.

«Hola, Brian», me tendió la mano Garland, y yo se la estreché.

«Señor Garland.»

«Permíteme que te diga», empezó, «que creo que el lamentable incidente del año pasado, tras meditarlo pausadamente, desentonaba un poco contigo. Supongo que has superado todos tus, eh, ¿problemas de depresión?»

«Sí, ahora me siento mucho más capaz, señor Garland. En lo concerniente a la salud, quiero decir.»

«Me alegro. Verás, Brian, fuiste un OTP modélico hasta ese pequeño problema con Bert Rutherford. Ahora bien, Bert es la sal de la tierra, pero estoy dispuesto a reconocer que puede llegar a ser un fanático. La patrulla necesita Bert Rutherfords, de lo contrario el servicio se derrumbaría entre la apatía y el desorden. Has estado en primera línea, Brian; sabes lo aburrido que puede ser este trabajo. Eres consciente de que los parques tienden a atraer a grupos de jóvenes descontentos, que no están allí para utilizarlos como lugar de recreo, sino para propósitos más siniestros...»

«Tengo entendido que ése es el caso, sí.»

«Por eso quiero que vuelvas a la patrulla, Brian. Este verano necesito a gente que conozca el oficio. Ante todo, me gustas porque eres lector, Brian. Un lector jamás se aburrirá. ¿Qué estás leyendo últimamente?»

«Acabo de terminar la biografía de Peter O'Toole. No sabía que era de Leeds.»

«¿De veras?»

«Sí.»

«Bien. Entonces, ¿has empezado a leer alguna otra cosa?»

«Sí, estoy leyendo la biografía de Jean-Paul Sartre.»

«Bien. Las biografías son buenas, Brian. Algunos de los temporales leen todas esas obras filosóficas y políticas tan difíciles, libros que por su propia naturaleza tienden a alentar la insatisfacción con la suerte que a uno le ha tocado», dijo con aire triste. «Después de todo, un hermoso día en el parque. ¡La vida podría ser peor, eh!»

«Eso es cierto, señor Garland.»

Volvía a trabajar en los parques. Más raro imposible.

15. MIERDA

Acabé en el City Cafe. Odiaba aquel lugar, pero así es la vida. El principal motivo por el que estaba allí era que estaba lleno de chochos y llevaba cinco meses sin echar un polvo. Eso es excesivo para alguien de mi edad; es excesivo para alguien de cualquier edad. Siempre acababa allí cuando me sentía como una mierda y quería sentirme mejor. Probablemente lo odiaba por eso.

Llevaría allí unos veinte minutos, tomándome un café, cuando sentí que alguien se sentaba a mi lado. No me volví a ver quién era hasta que oí las palabras: «¿No tienes nada que decir?»

Era Tina. Había oído que ella y Ronnie se habían separado recientemente.

«¿Todo bien, Tina?»

«Sí, no está mal. ¿Y tú?»

«Guay, eh, sentí enterarme de lo tuyo y de Ron, pero...»

Se encogió de hombros y me contó: «Se volvió aburridísimo. Empezó cuando se compró la consola esa de Nintendo; lo prefería cuando iba puesto de gelatinas; entonces hablaba más.»

Sabía que Ronnie se sentía como pez en el agua con aquel sistema de juegos Nintendo. Pero pensé que había sido un paso adelante, que le haría interesarse por algo aparte de estar siempre puesto de gelatinas. «¿No le proporcionó algún objeto de interés que no fueran las drogas?»

Me miró con amargura. «¿Y yo qué? ¡Yo tenía que haber sido un objeto de interés! ¡Él allí sentado, enchufado a la tele todo el día y toda la noche, temblando como una hoja cuando yo volvía de trabajar por si quería ver otra cosa que no fueran sus putos juegos! ¡Yo trabajando todo el día, y después tenía que verle jugar toda la noche!»

«¿De qué va? Puede que me acerque a verle, Tina. Tratar de meterle algo de sentido común en la cabeza.»

Ella sacudió la cabeza con conocimiento de causa, reconociendo la imposibilidad de la tarea, pero cobrándome simpatía por ofrecerle apoyo. «Ven y siéntate con nosotros», sugirió, señalando la parte del fondo.

«¿Está Olly allí?»

«Sí, pero no te preocupes por eso.»

«¿Está por ahí alguno de sus amigos?»

Tina enarcó las cejas en señal de desdeñosa confirmación.

«No sé, estaba pensando en bajarme al Pelican a ver a Sidney y The PATH.»

No tenía intención alguna de ir al Pelican, pero entonces oí una voz procedente de la mesa de Olly. Era ruidosa, altiva, pija y chirriante: «Y ES UNA PERIODISTA FREELANCE, QUE HA HECHO CO-SILLAS PARA *THE LIST*.[1] SÓLO LLEVA UN PAR DE MESES VIÉNDOSE CON TONY PERO ESTABA TENIENDO UNOS FOLLONES INCREÍBLES EN EL PISO ESE AL QUE SE FUE A VIVIR, ASÍ QUE LO MÁS NATURAL PARECÍA QUE ERA...»

Tenía todas las intenciones de ir al Pelican. Tina también. Cuando llegamos The PATH estaba allí con una tía que parecía un poco colgada; colgada en el sentido de no estar del todo allí. The PATH admite sin reparos que la política de Terapia Comunitaria del Gobierno ha sido lo mejor que le ha pasado nunca a su vida sexual. Sidney estaba charlando con unas mujeres que parecían desinteresadas hasta el punto del aburrimiento. «¿Qué tal, chicos? ¿No hay señal de Roxy esta noche?»

Pero estaba allí, sosteniendo la barra, largando con un tío bajito.

Nos sentamos por ahí, a beber y cascar. Sidney y Tina parecían llevarse bien. A la hora de cerrar se estaban comiendo el

---

1. Revista de ocio y contactos para Edimburgo y Glasgow, un poco del género de *Time Out*. (*N. del T.*)

morro. The PATH y su perturbada cómplice desaparecieron en la noche, mientras a mí me dejaron con Roxy.

«Voy a llevarte a un sitio», dijo. «Destino secreto.»

Nos apretujamos en un taxi. Bajó hacia Leith, pero después continuamos, dirigiéndonos hacia Portobello. Nos detuvimos en Seafield Road y bajamos: en el puto culo del mundo.

«¿Dónde coño estamos? ¿Eh?», pregunté.

«Sígueme.»

Lo hice. Fuimos por detrás del Crematorio de Seafield y escalamos un muro. Había un gran salto en la oscuridad hasta llegar al otro lado, y me torcí el tobillo de mala manera a causa de la caída. Estaba demasiado bebido para notar el dolor, pero seguro que al día siguiente lo sentiría, no había cosa más segura.

«¿Qué cojones es esto?», pregunté mientras Roxy me conducía entre algunas de las tumbas. Algunas de las lápidas eran recientes. «¿Cómo es que aquí entierran gente? Se supone que es un crematorio.»

«Nah, hay unas parcelas. Para familias y tal. ¿Reconoces ésta?»

CRAIG GIFFORD

«No...»

«Mira la fecha.»

NACIDO 17-5-1964
FALLECIDO 21-12-1993

«Es... el chaval...» No podía decirlo.

«El Capullo Ciego», dijo Roxy. «Ésta es la tumba del menda. Ya es hora de exorcizar de una vez la memoria de ese cabrón...»

Se había sacado la cola y estaba meando. Encima del Ca... sobre la tumba de Craig.

AMADO HIJO DE ALEXANDER Y
JOYCE GIFFORD
JAMÁS TE OLVIDAREMOS

«¡CABRÓN!», grité. Le pegué un puñetazo en un lado de la cabeza.

Me agarró, pero solté su presa y le di de patadas y puñetazos. No había sido una buena idea. Se quitó las gafas y me aporreó a base de bien. Cada golpe que despaché yo parecía raquítico, mientras todos aquellos con los que me cazó él amenazaban con romperme en pedacitos. Me reventó la nariz, pero afortunadamente ver mi sangre le hizo parar.

«Lo siento, Bri», dijo. «Pero a mí no me pega nadie, Bri, entiéndelo. Nadie.»

Detuve la hemorragia con una mano mientras con la otra le mantenía a distancia en señal de acuse de recibo. Roxy es un cabrón grande, pero siempre lo había considerado un gigante pacífico. Los capullos enormes siempre lo parecen, hasta que uno de ellos te hostia. Menos mal que iba pedo. En ese instante reconocí una verdad asquerosa y terrible: es peor que alguien te infle a hostias a ti que matar tú a alguien. Lo feo del asunto es que eso se ha convertido en un principio rector para demasiada gente. Si hubiera llevado una navaja la habría empleado contra Roxy. Quizá sólo me hubiese sentido de ese modo durante dos segundos, pero con eso habría bastado. Vaya una puta idea. Pero qué especie más enferma somos.

Craig Gifford.

Si Roxy lo supiera.

Si Roxy lo supiera, sería yo el que se comería el marrón. Probablemente señalaría con el dedo a este psicópata peligroso.

«No tiene demasiada mala pinta. Lo siento, Bri. Pero no has debido pegarme, Bri. Tendré un ojo a la funerala por la mañana. La espinilla también, Bri, me la has metido bien. Pero tú y yo a hostias, Bri, no me digas que eso no es un pasote.»

El tontolculo trata de hacerme sentir mejor enumerando los daños que le he infligido. No hay vencedores en este tipo de movida; sólo hay quien pierde menos. Roxy ha perdido menos, tanto en términos de daños físicos como en autoestima machista. Ambos lo sabemos, pero agradezco que trate de hacerme sentir mejor.

Le dejo, no sé cómo cojones salgo del cementerio, y me dirijo a casa del viejo. Me vomito encima de la pechera por el camino. Confundido, vuelvo a la vieja casa en Muirhouse. La casa seguía siendo una propiedad desocupada, no la habían alquilado. Intenté echar la puerta abajo a patadas, y lo habría hecho de no haberme recordado la vecina, la vieja señora Sinclair, que mi papá se había mudado.

Me fui tambaleándome y volví a vomitar. Tenía la pechera hecha un asco de sangre y potas. En el centro comercial se me acercaron un par de chavales. «Ese cabrón va hasta el culo», observó uno de ellos.

«Conozco a ese cabrón. Tú andas por ahí con ese maricón, ¿eh, colega?»

«Eh...» Intenté articular una respuesta pero no pude. Estaba lo suficientemente despejado, pero sencillamente no me salía.

«Si andas por ahí con maricones, eso te convierte en maricón, así es como lo veo yo. ¿Qué tienes que decir a eso pues, colega?»

Miro al tío y consigo preguntarle: «¿No estaréis dispuestos a hacerme una mamada, por un casual?»

Me miran con incredulidad durante unos segundos, y entonces uno de ellos dice: «¡Listillo!»

«Así es como me llaman, chicos», confieso. Siento un golpe sordo y voy a parar al suelo. Me llevo una tunda que no puedo sentir. Parece durar bastante rato, y eso me preocupa, porque generalmente puede juzgarse la severidad de una tunda por su duración. No obstante, la encajo con la enfermiza y pachorrona tranquilidad con que un obrero alienado aguanta hasta el final de su turno, y cuando estoy convencido de que ha terminado me levanto tambaleándome. Quizá no haya sido demasiado mala; camino con facilidad. De hecho, parece haberme despejado un poco la cabeza. Gracias, chicos.

Cruzo la autovía, dejando atrás el pijo barrio de Muirhouse, y llegando al piojoso Pilton. Quizá no sea así como la gente lo ve ahora, pero para mí siempre fue así. Muirhouse son las casas más nuevas. Pilton es para los piojosos. No importa qué problemas tenga ahora Muirhouse y cuánto remocen Pilton. Pilton es Pilton y Muirhouse es Muirhouse, y siempre lo será, joder. Putos cabrones piojosos de Pilton. Los cabrones esos que me han dado la tunda eran de Pilton; ésa es la mentalidad que tienen esos cabrones. Probablemente haya pillado piojos sólo por estar en las proximidades de esos asquerosos y putos cabrones piojosos de Pilton.

Encuentro la casa y no sé quién me deja pasar.

A la mañana siguiente me hago el dormido hasta que se marchan todos a alguna repipi salida familiar: papá, Norma y su ruidosa y excitable hija. Me siento hecho añicos que te cagas. Cuando intento levantarme apenas puedo andar. Estoy lleno de cortes y moratones y meo sangre, lo cual me acojona. Me doy un baño y la cosa parece mejorar un poco, así que decido husmear un rato. Todavía hay un montón de cosas envueltas en paquetes. Están decorando el cursi cartón de huevos que es este hogar. Me encuentro un pequeño estuche de cuero que no he visto nunca, y doy por sentado que es de Norma. Sin embargo, no lo es.

El estuche estaba lleno de fotografías. De mí y de Deek cuando éramos críos, de él, de mamá. Fotos que nunca había visto. La miro a ella con él. Intenté imaginar que podía ver su dolor, su descontento, pero no pude. Al principio no. Entonces llegué a unas fotos que sabía que eran más tardías, porque Deek y yo éramos un poco más mayores. En aquellas fotos podía leerse; con la perspectiva que da el paso del tiempo era más que fácil; sus ojos proclamaban a gritos su dolor y su desilusión. Mis lágrimas se derramaron sobre aquellas vulgares fotografías. Pero en el estuche de cuero había, no obstante, algo mucho peor.

Leí todas las cartas, todas. En realidad el contenido era similar en todas, sólo las fechas eran diferentes. Iban desde unos cuantos meses después de marcharse hasta 1989. Ella le había escrito desde Australia durante ocho años. Todas las cartas contenían las mismas proposiciones básicas ritualmente repetidas:

Quiero ponerme en contacto con los chicos.

Quiero que vengan a verme.

Por favor, déjales que me escriban.

Les quiero, quiero a mis hijos.

Escríbeme, por favor, Jeff, ponte en contacto conmigo, por favor. Sé qué recibes mis cartas.

Lo que pasaría en 1989 no lo sé, pero a partir de entonces no volvió a escribir.

Apunto la dirección y el teléfono de Melbourne en un trozo de papel. Esto es una mierda total. Otro montón de mierda que hay que superar. Siempre hay más, siempre hay más puta mierda que superar. Nunca termina. Dicen que se hace más fácil de llevar a medida que te vas haciendo mayor. Espero que así sea. Espero que así sea, joder.

Me lleva un rato comunicarme por conferencia internacional directa. Quiero hablar con mamá, tener una larga conversación, oír su versión de la historia, a expensas de él, además. Un tío contesta al teléfono. Le he sacado de la cama; la diferencia horaria; se me olvidó. Me pregunta quién soy, y se lo digo.

El tío estaba realmente alterado. Parecía legal, tengo que reconocerlo, el tío parecía legal. Me dijo que hubo un incendio en su casa por un cortocircuito. Fue terrible. Mi mamá murió en él, en 1989. Ella consiguió sacar a la hija de ambos, pero murió por inhalación de humos. Al otro lado de la línea el tío se derrumbaba.

Colgué el teléfono. En cuanto colgué, empezó a sonar otra vez.

Lo dejé sonar.

ÍNDICE